D0262372

DE OVERLEVER

TOM CAIN

DE OVERLEVER

the house of books

Oorspronkelijke titel
The Survivor
Uitgave
Bantam Press, Londen

Vertaling
AnneMarie Lodewijk
Omslagontwerp
Studio Jan de Boer BNO, Amsterdam
Omslagillustratie
Getty Images/Don Smetzer
Foto auteur
Pal Hansen
Opmaak binnenwerk
ZetSpiegel, Best

ISBN 978 90 443 2391 7
D/2009/8899/84
NUR 332

www.thehouseofbooks.com

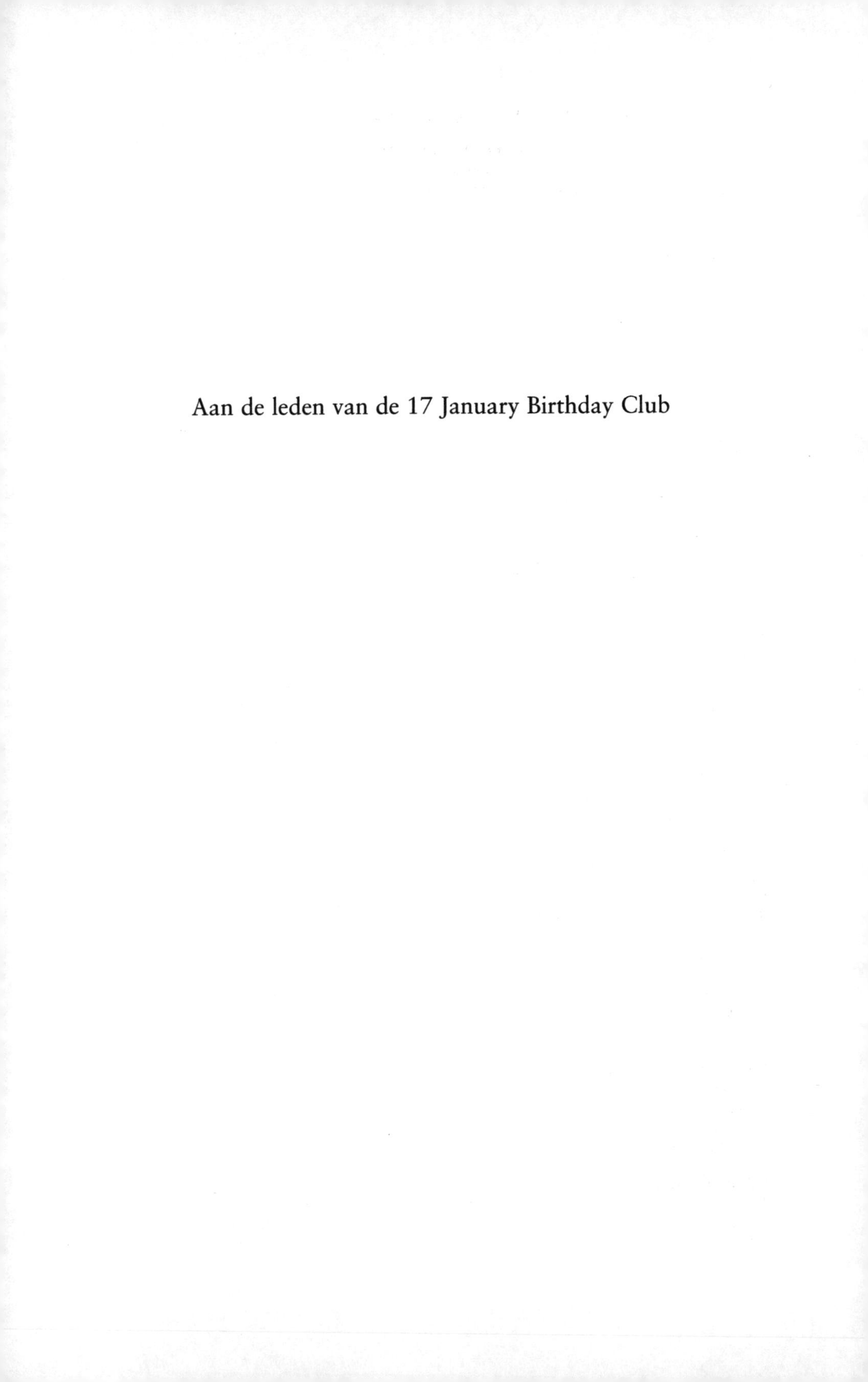

Aan de leden van de 17 January Birthday Club

Voorwoord

Dit zijn de feiten...

Op 6 september 1997 werd de Prinses van Wales ter ruste gelegd op een eilandje in het Oval Lake bij Althorp, het familielandgoed.

Op 7 september 1997 verscheen generaal Alexander Lebed, voormalig Nationaal Veiligheidsadviseur van de Russische president Jeltsin, in het primetime Amerikaanse actualiteitenprogramma *60 Minutes*. Hij onthulde dat zijn overheid niet langer de verblijfplaats kende van veel van hun meer kleinschalige nucleaire wapens, ook wel kofferbommen genoemd.

'Meer dan honderd van de veronderstelde tweehonderdvijftig zijn niet in het bezit van de gewapende strijdkrachten van Rusland,' zei Lebed. 'Ik weet niet waar ze zijn. Ik weet niet of ze vernietigd zijn of ergens zijn opgeslagen of dat ze verkocht of gestolen zijn. Ik weet het niet.'

Op 23 februari 1990 gebruikte Osama bin Laden de in Londen gevestigde krant *Al-Quds Al-Arabi* om de oorlog te verklaren aan wat hij 'de alliantie van kruisvaarders en zionisten' noemde. Bin Laden verklaarde dat 'de door de Amerikanen gepleegde misdaden en zonden een waarachtige oorlogsverklaring zijn aan God, zijn profeet, en moslims... Op die basis, en in onderworpenheid aan Gods bevel, vaardigen wij de volgende fatwa uit voor alle moslims: de opdracht om de Amerikanen en hun bondgenoten – burgers en militairen – te doden is een individuele plicht voor elke moslim die ertoe in staat is, in elk land waarin het mogelijk is.'

Op 20 oktober 1999 gaf de FBI Project Megiddo uit, een langlopend onderzoek naar fundamentalistische christelijke sektes die 'geloven dat het jaar 2000 het einde van de wereld zal inluiden en die bereid zijn gewelddaden te plegen om dat einde tot stand te brengen.' In het hoofdstuk 'Apocalyptische religieuze overtuigingen' werd gezegd dat 'veel extremisten zichzelf beschouwen als godsdienstige martelaren die het als hun plicht zien de komende strijd tegen satan te initiëren of eraan deel te nemen'. Ook stelde het rapport dat 'er binnen het christendom geen overeenstemming bestaat aangaande de specifieke datum waarop de Apocalyps zal plaatsvinden. Echter, binnen vele rechtse religieuze groeperingen heerst de universele overtuiging dat de Apocalyps aanstaande is.'

Dit is allemaal waar.

Verder is alles en iedereen in dit boek pure fictie.

Proloog

Maart 1993

I

De luchthaventechnicus was nog net geen één meter tachtig lang en het lichaam onder zijn overall en bodywarmer was slank en atletisch gebouwd. De enkele lijn die dwars over zijn krachtige, donkere voorhoofd liep wees op daadkracht en vastberadenheid en zijn heldergroene ogen straalden een kalme, bijna kille intelligentie uit. Een gebreide wollen muts bedekte zijn korte, bruine haar. Het onderste gedeelte van zijn gezicht ging verborgen onder een baard.

Hij droeg een naamplaatje op zijn borst. Volgens dit plaatje heette hij Steve Lundin.

Het naamplaatje was nep. De echte naam van de technicus was Samuel Carver.

Niemand in de hangar keek vreemd op toen Carver het luik in het staartstuk van de privéjet openschroefde en zichzelf ophees in de technische ruimte voor een standaardinspectie voorafgaande aan de vlucht.

Deze ruimte was niet toegankelijk wanneer het toestel eenmaal was opgestegen. Het was niet meer dan een ruimte gevuld met lelijke, maar functionele onderdelen, zoiets als de kelder van een gebouw. Dingen als bundels met bedradingen die de elektronische circuits van het vliegtuig met elkaar verbonden; de kabels en hydraulische lijnen die het roer en de hoogteroeren bedienden; de pijpen die oververhitte lucht onder hoge druk aan de motoren onttrokken en doorstuurden naar het verwarmingssysteem van de vliegtuigcabine. Die dingen waren geen van alle het aanzien waard en absoluut niet opwindend, natuurlijk totdat er iets mee misging.

Het waren de luchtkokers die Carver interesseerden. Ze waren bedekt met dik, zilverkleurig isolatiemateriaal, bijeengehouden met plastic klemmen en ze vormden via buizen en vertakkingen een heel netwerk door het vliegtuig, zoiets als het watersysteem in een woning. Hij rommelde wat aan de leidingen en trok een van de verbindingen een beetje los, zodat de hete lucht eruit zou lekken. De verbinding zelf was niet meer dan een handbreedte verwijderd van de hydraulische accumulator.

Tegen de tijd dat Carver het luik weer had afgesloten en wegliep, was het lot van het toestel bezegeld.

In de passagierslounge stond een tv aan. De verslaggever van CNN had grote moeite zijn tranen te bedwingen terwijl hij voor een zwartgeblakerde uitgebrande kerk stond.

'Wij kunnen u niet laten zien hoe het er op dit moment binnen in dit knekelhuis uitziet,' zei hij, met een ondertoon van nauwelijks verholen emotie in zijn zangerige Ierse accent. 'De taferelen zijn te weerzinwekkend, te misselijkmakend. Daarbinnen liggen de verkoolde en verminkte lichamen van vierhonderd onschuldige vrouwen en kinderen. De stank van hun verbrande lichamen hangt hier overal om ons heen.

'Terwijl westerse politici zich afwenden van dit onbeduidende stukje West-Afrika, is een nu al tien jaar durende burgeroorlog in genocide veranderd. De rebellenlegers die deze meedogenloze campagne op touw hebben gezet, zijn beter getraind en uitgerust dan ooit tevoren. Hun leiders leggen een niveau van organisatie en strategisch plannen aan de dag dat alles wat zij ooit eerder hebben gedaan verre overtreft. Op de een op andere manier hebben deze meedogenloze moordenaars ergens nieuwe hulpbronnen, nieuwe kennis vandaan gehaald. En terwijl het handjevol overlevenden van dit dorp tussen de lijken naar hun geliefden zoekt, is er één vraag die zich onvermijdelijk aan ons opdringt: wie steunt deze rebellen? Want wie zij ook zijn en wat hun redenen ook mogen zijn, het bloed van een heel volk kleeft aan hun handen.'

'Shit, wat een grappenmaker is die knaap!'

Terwijl hij de drie andere mannen in de ruimte aankeek, gaf Waylon McCabe een klap op zijn bovenbeen. Meestal waren Waylon McCabes ogen kille, smalle spleetjes in gerimpelde plooien in verweerde huid die permanent samengeknepen leken tegen de felle gloed van de Texaanse zon die hij thuis gewend was. Op dit moment voelde hij zich wel op zijn gemak, samen met zijn vrienden.

'Man, straks gaat hij nog huilen, om te laten zien wat een gevoelige jongen hij is. Maar ik wil wedden dat zo'n stel dooie negers hem net zo weinig kan schelen als mij. Hij staat daar alleen een beetje reclame te maken voor zichzelf en aan al die prijzen te denken die hij in de wacht kan slepen omdat hij zo'n toonbeeld van menslievendheid is... verdomd, het zou me niks verbazen als hij net zoveel geld aan die oorlog verdiende als ik.'

'Dat betwijfel ik ten zeerste, baas,' zei een van de andere mannen, terwijl hij een slok nam uit een fles Molson Canadian.

'Nou, ik weet het nog zo net niet, Clete,' antwoordde McCabe met een grijns. 'Natuurlijk, mijn diamanten leveren meer op. Maar denk ook eens aan de onkosten. Hij heeft niet voor wapens en munitie hoeven dokken, of instructeurs om al die inheemse knapen te trainen... Hé, geef mij eens zo'n biertje, voordat ik omval van de dorst.'

McCabe was een eind in de zestig, maar ondanks alle rimpels in zijn gezicht was hij nog steeds taaier en energieker dan de meeste mannen die nog niet half zo oud waren. Hij had de afgelopen drie dagen aan de noordkust van de Yukon en Northwest Territories doorgebracht. Daarvandaan naar de Noordpool kwam je niet veel anders tegen dan ijs. Nu zat hij in een privéruimte in de vertrekhal van de Mike Zubko-luchthaven, vlak buiten de stad Inuvik, te wachten op het vliegtuig dat hem naar huis zou brengen.

Hij was bezig een besluit te nemen of hij vervolg zou geven aan zijn gevoel dat er aanzienlijke hoeveelheden olie in de streek aanwezig waren. Alle grote corporaties hadden zich al uit de streek teruggetrokken. Olie was goedkoop, de winning zou kostbaar zijn en de plaatselijke eskimo's – Waylon McCabe was niet van plan ze Inuit te noemen en ze konden wat hem betreft doodvallen als ze daar aanstoot aan namen – begonnen moeilijk te doen over het feit dat het land van hun voorouders werd geplunderd. In elk geval vonden ze de voordelen niet tegen de nadelen opwegen.

McCabe echter, keek om zich heen naar waar de olie was, en waar alle trammelant was, en zag dat ze zich meestal op dezelfde plekken bevonden. Met die theemutsen in het Midden-Oosten en de rooien in Zuid-Amerika kon het niet anders dan dat vroeg of laat de olievoorraden zouden worden bedreigd. Intussen waren miljoenen Chinezen en Indiërs auto's aan het kopen en fabrieken aan het bouwen, dus kon de vraag alleen maar groter worden. Grote vraag en een onzeker aanbod betekende dat de prijzen omhoog zouden schieten en dat velden die nu marginaal werden geacht opeens de moeite waard gingen worden om te exploiteren. En wie kon het dan ook nog maar ene moer schelen wat een stelletje zeehondenjagers ervan vond? Een paar dollar in de juiste zakken en dat probleem was ook weer uit de wereld. En iedereen die het geld weigerde aan te pakken zou er algauw achter komen dat hij de verkeerde beslissing had genomen.

Er werd op de deur geklopt en Carver kwam de ruimte binnen. Zijn normale, ontspannen tred was verdwenen. Zijn houding was voorzichtig en zijn blik aarzelend en nerveus. Hij wekte duidelijk de indruk zich niet op zijn gemak te voelen in de aanwezigheid van iemand die zo rijk en machtig was als McCabe.

'Toestel is gecontroleerd, volgetankt en klaar voor de start,' zei hij. 'Sorry dat ik het zeg, meneer, maar als ik u was zou ik maar gaan. Er zit zwaar weer aan te komen.'

McCabe gaf hem een kort knikje, ten teken dat hij het had begrepen en dat hij wel weer kon gaan.

In de deuropening bleef Carver nog heel even staan, hoewel niemand nog erg in hem leek te hebben.

'Dan wens ik u een goede vlucht, meneer,' zei hij.

2

Het toestel vertrok uit Inuvik met bestemming Calgary, drie uur en meer dan tweeduizend kilometer naar het zuidoosten, grotendeels over een bergachtige wildernis.

Op het moment dat de motoren startten, begon er lucht uit de leiding te lekken; de temperatuur begon erin te stijgen en er kwam steeds meer druk op te staan. De hitte was pal op de hydraulische accumulator gericht, die was gevuld met een bijzonder gevoelige, uiterst ontvlambare vloeistof. Terwijl de minuten verstreken en het toestel een koershoogte van rond de dertigduizend voet bereikte boven de Selwyn-bergketen, werd die vloeistof heter en heter. Uiteindelijk, ongeveer veertig minuten na het vertrek uit Inuvik, bereikte de temperatuur een kritiek punt en barstte de accumulator open met een explosie die de hele achterkant van het vliegtuig deed trillen. Het vliegtuigcasco was sterk genoeg om de explosie te weerstaan, maar de vlammen van de brandende vloeistof zochten gretig meer brandstof in het plastic omhulsel van de bedrading; de buizen waarin de circuits waren gebundeld; het isolatiemateriaal rond de luchtkokers – alle mogelijke ontvlambare materialen.

De bemanning voelde of hoorde de explosie nauwelijks boven de trillingen van luchtturbulentie en het gebulder van de straalmotoren uit. Het eerste wat de piloot ervan merkte was het waarschuwingslampje dat hem vertelde dat er brand was ontstaan in de achterste ruimte. Het tweede was dat er absoluut niets was wat hij eraan kon doen. Vanaf dat moment had hij maximaal zeven tot acht minuten totdat de vlammen de besturingssystemen van zijn roer en hoogteroeren zouden hebben doorgebrand.

Op het moment dat McCabes toestel opsteeg, stapte Carver in de drie jaar oude Ford F-250 Heavy Duty-truck die hij twee weken geleden tegen contante betaling in Skagway, Alaska, had gekocht, en reed naar het dichtstbijzijnde benzinestation. In de toiletruimte schoor hij Steve Lundins baard af en trok zijn overall uit, die hij in een vuilnisbak achter het gebouwtje dumpte. Toen reed hij verder in zuidelijke richting, naar de Dempster Highway. Nadat hij een eindje had gereden, hield het asfalt op. De volgende zevenhonderd kilometer zou hij één poolcirkel, twee tijdzones, vijf rivieren en een aantal bergketens oversteken, over niet veel meer dan ruwe kleischalie en kiezels.

In Inuvik vertelden ze je dat de pure, overweldigende omvang van de lokale geografie en de ongelooflijke afwezigheid van andere mensen tot de prachtigste kenmerken van de streek behoorden. De Yukon Territory was bijna zo groot als Spanje, maar er woonden slechts dertigduizend mensen. Maar vergeleken met de Northwest Territories, er vlak naast, was Yukon zo indrukwekkend als iemands achtertuintje. De veertigduizend inwoners leefden verspreid over een gebied dat groter was dan Spanje, Frankrijk, Nederland, België en Engeland bij elkaar.

Carver luisterde graag naar zulke trotse verhalen. Hij hield van feiten. Hij vond zekerheden geruststellend, iets waarvan je op aan kon, waarover niet te onderhandelen viel, in een wereld vol compromissen, verraad en onvoorspelbare emoties. Ze leidden zijn gedachten af van dat wat aan zijn geweten knaagde, de gedachte aan alle andere mensen in het vliegtuig die samen met Waylon McCabe om het leven zouden komen. Carver was bekend met het concept van bijkomende schade. Hij begreep dat er naast de schuldigen vaak ook onschuldigen stierven. Ook begreep hij de menselijke rekensom die stelde dat er beter een handjevol mensen bij een vliegtuigongeluk kon omkomen dan honderden of duizenden door genocide. Hij kon zichzelf zelfs wijsmaken dat de mensen die voor Waylon McCabe werkten waarschijnlijk wisten waar hij mee bezig was en van zijn werk hadden meegeprofiteerd. Maar dat betekende nog niet dat hij het leuk moest vinden.

Zijn geheimzinnige opdrachtgevers, die zich het Consortium noemden, zouden niet bepaald onder de indruk zijn van zijn principiële gewetenswroeging. Zij zagen zichzelf als morele bewakers van een immorele wereld, die zaken rechtzetten waaraan politici, politiemensen en legers niets konden doen, aan handen en voeten gebonden als zij waren aan wetten en regels. De McCabe-klus was

Carvers derde opdracht. Als voormalig officier bij de Royal Navy, die met de SBS, de Special Boat Service, een elite binnen een elite, had gevochten, had hij ontslag genomen uit afschuw voor de nutteloosheid van het werk van zijn eenheid. De dictators tegen wie hij en zijn mensen hadden gevochten waren nog steeds aan de macht. De terroristen werden behandeld als staatslieden. De handelaars in drugs, wapens en mensen hadden nooit voor hun misdaden hoeven boeten.

Hij was in staat een man één-op-één te doden, met een pistool, een mes of zijn blote handen. Maar zijn opdrachtgevers gaven de voorkeur aan een subtielere, heimelijker aanpak. Dus voorzag Samuel Carver hen van ongelukken, zoals het ongeluk dat hij zojuist had voorbereid voor Waylon McCabe.

3

Om te voorkomen dat de brand zich verder zou verspreiden had de piloot de motoren afgezet en was het onheilspellende gieren van de wind buiten het toestel het enige geluid dat nog te horen was. De stewardess, die op haar kleine klapstoeltje zat, beet op haar lip en probeerde zich te verzetten tegen de vloedgolf van paniek, wat haar ondanks haar opleiding en beroepstrots maar net lukte. Met krampachtige, strakke bewegingen die erop wezen dat ze niet eens in de gaten had wat ze deed, streek ze haar rok glad. Maar toen zij de cabine in keek, naar de achterzijde, was zij de eerste die zag hoe de rook naar binnen begon te sijpelen, stiekem door luchtroosters en door kieren in vloeren en scheidingswanden, als een plaag van spookachtige, giftige slangen. De rook was doortrokken met smerig geel en vies bruin, een mengeling van chemicaliën afgegeven door allerlei materialen die achter in het vliegtuig lagen te branden. Naarmate de cabine zich ermee begon te vullen, begonnen de passagiers te hoesten en te kokhalzen.

'Zuurstofmaskers...!' riep de stewardess schor, terwijl ze met haar vuist op de cockpitdeur bonsde. Het kostte haar moeite de woorden eruit te krijgen, tussen haar wanhopige pogingen om te blijven ademen door. Toen de copiloot omkeek en een beetje rook opsnoof, drukte hij onmiddellijk op de knop die de luikjes boven elke stoel opende en de maskers boven de hoofden van de passagiers lieten bungelen. Toen zette de bemanning hun eigen maskers op. Die functioneerden uitstekend. De passagiers hadden minder geluk.

In de cabine bevonden zich zes passagiersstoelen, plus de plek van de stewardess, in totaal dus zeven maskers. Eén daarvan kwam helemaal niet tevoorschijn. Twee vielen wel, maar produceerden geen zuurstof. Dat betekende dat er vier zuurstofmaskers waren voor vijf passagiers en het begin van een potje stoelendans op leven en dood.

Het masker van de stewardess functioneerde goed. Net als dat van McCabe. Tegen de tijd dat hij het had opgezet had hij weliswaar al een heleboel rotzooi ingeademd, maar uiteindelijk ademde hij heerlijke, pure zuurstof in en begon het benauwde gevoel in zijn borst af te nemen.

De andere drie mannen begonnen zich in de steeds dikker wordende rook te verdringen, te roepen, te schreeuwen en te hoesten in hun wanhopige zoektocht naar frisse lucht. Een van hen slaagde erin zich met veel voeten- en ellebogenwerk naar de stoel met een werkend masker te vechten. Een ander raakte overmand door de rook, zakte op zijn knieën op de grond en haalde daar voor de laatste keren adem. Toen viel hij, morsdood, voorover in het gangpad.

Intussen had de derde man eindelijk een werkend masker gevonden, maar zijn hersenen leken niet meer in staat zijn handen de benodigde instructies te geven en zijn vingers probeerden vergeefs de elastieken band over zijn hoofd te trekken. Hij hoestte zo hard dat hij bloed opgaf, een donkerrood schuim dat om zijn mond bleef borrelen totdat ook hij zich niet meer verroerde.

En intussen bleef het vliegtuig door de lucht vallen, terwijl de wind erlangs en eromheen gierde, en werden de kabels die de vleugelkleppen bedienden weggevreten door de vlammen.

Intussen had de bemanning het te druk om bang te zijn. De lucht was nu bijna helemaal donker en de bergen waartussen zij afdaalden waren niet meer dan zwarte silhouetten, afgetekend tegen een donkerblauwe horizon. Ze bevonden zich op een hoogte van zevenduizend voet, minder dan vijfduizend voet boven het laagste punt in de omgeving, zodat ze een speelruimte hadden van hooguit tien mijl, en nergens anders naartoe konden dan omlaag. Om gewicht te besparen en het gevaar van verdere branden te verkleinen hadden ze al hun brandstof al geloosd. Ze hadden het onderstel uitgezet. Het enige wat ze nu nog misten was een plek om te landen. Toen weerkaatste een laatste flauwe lichtstraal in een witte ijsvlakte en zagen zij in de verte een dichtgevroren meer opdoemen.

Het zag eruit als een reusachtige bril. In het midden van het linkerglas, dat het meest naar het westen lag, lag een klein eilandje. Maar het was te dichtbij en ze waren nog te hoog. Ze zouden eroverheen schieten.

De piloot mompelde een reeks verwensingen in zijn zuurstofmasker en bracht het toestel in een nog diepere duikvlucht. Eerst had hij een regelmatige, ondiepe glijvlucht willen maken. Nu moest hij als een duikbommenwerper boven op het meer duiken, op het laatste moment weer optrekken en hopen dat het besturingssysteem het zou houden.

Zo stortte het vliegtuig zich in de diepte, regelrecht op het meer af, net zolang totdat de ruit van de cockpit vol leek te zitten met ijs.

Ze bevonden zich nu pal boven het eerste brillenglas van het meer, nog steeds vijfhonderd voet hoog, terwijl de piloot als een idioot aan de stuurknuppel zat te rukken om de kleppen van het hoogteroer omhoog te krijgen en het toestel uit zijn duikvlucht te trekken.

In de achterste ruimte waren de kabels die de piloot met de kleppen verbond bijna doorgebrand en uiteengerafeld in niet meer dan wat losse draadjes, en intussen zette de vraag naar meer hoogte steeds meer druk op de kabels en trok ze nog strakker.

De neus weigerde omhoog te komen. Ze zouden regelrecht op het ijs neerstorten.

De kabels vielen bijna uit elkaar.

Het ijs bevond zich nog geen honderd voet onder hen.

En toen kwam het toestel eindelijk uit zijn duikvlucht en werd de afdaling vlakker, en precies op dat moment brak het laatste stukje van de kabel, verloren de kleppen alle controle en viel het vliegtuig de laatste vijftig meter naar het bevroren meer in een spectaculaire buiklanding die het onderstel kapot trok en het toestel over het ijs liet schieten als een gigantische hockeypuck.

Op de een of andere manier slaagde het erin een rechte weg te vinden over de bochtige verbinding tussen de ene helft van het meer en de andere. Maar de klap was groot genoeg geweest om de stewardess van haar wiebelige klapstoeltje te gooien, haar zuurstofmasker los te rukken en haar in een wirwar van armen en benen door de hele cabine te laten rollen, tussen de stoelen door, totdat zij tegen de achterwand viel en bewegingloos op de grond zakte.

Waylon McCabe dacht alleen aan zijn eigen leven. Ze waren zonder kleerscheuren teruggekeerd op aarde. Dat moest een goed teken zijn.

Toen kwam de punt van de stuurboordvleugel in aanraking met de rotsen van het eiland, dat midden in het meer uit het ijs oprees. De vleugel brak in één keer af en onmiddellijk begon het vliegtuig in een andere richting te tollen.

Het kwam midden in een kleine inham aan land en gleed het bevroren strand op tot de bakboordvleugel een grote rots raakte, afbrak en de romp van het toestel regelrecht op de rotsen en bomen af stuurde, waarbij het een diepe geul achterliet in de dikke wintersneeuw en de jonge boompjes vernielde totdat de neus tegen een veel oudere, grotere pijnboom botste.

Het inslagpunt lag net iets uit het midden, naast de piloot, en hij werd als een mug tegen een voorruit geplet toen één helft van de cockpit werd verwoest en er een enorme scheur in de zijkant van het toestel werd getrokken. McCabes laatste overlevende reisgenoot werd, vastzittend in zijn stoel, de ruimte in geschoten tot hij zo'n vijftien meter verder, aan een boomtak gespietst, tot stilstand kwam.

Het laatste stuk van het vliegtuig dat nog intact was stuiterde tegen een uitstekende rotspunt. De rest van de cockpit viel uiteen, met medeneming van de copiloot, en de cabine brak simpelweg als een dorre tak in tweeën. De laatste rook ontsnapte in de vrieslucht. En Waylon McCabe zakte met zijn ogen dicht in elkaar op zijn stoel.

Hij was bewusteloos, maar hij leefde nog.

Vijf jaar later

Januari 1998

4

Samuel Carvers kamer had een wereldduitzicht, pal over het water op de besneeuwde toppen die grillig oprezen achter de zuidkust. Terwijl de bergen er massief en onveranderbaar bij stonden, vertoonde de hemel erboven een eindeloze variëteit aan licht, kleur en temperament; het ene moment werd het majestueuze landschap nog aan het oog onttrokken, terwijl het een volgend moment in stralend licht baadde. Op een heldere dag kon je voor dat raam gaan staan en helemaal tot aan de Mont Blanc kijken. Hij kon bijna zijn hand uitsteken om de zwarte lijnen aan te raken.

Maar Carver stond niet. Na zoveel mensen de dood te hebben ingejaagd, was hij nu zelf veroordeeld tot een halfslachtig leven, gevangen in een eenzame hel. Hij lag in bed, zijn lichaam verwrongen in een foetushouding. De kamer had centrale verwarming, maar hij hield zijn schouders opgetrokken tegen de kou. Het was stil, maar hij hield zijn handpalmen tegen zijn oren en klauwde met zijn vingers naar zijn achterhoofd. Het licht was zacht, maar zijn ogen waren stijf dichtgeknepen tegen een verzengende lichtgloed.

Toen begon hij te bewegen. Hij trok zijn rug recht, kromde hem, bonkte met zijn hoofd tegen het hoofdeinde van het bed en deed zijn mond open, zacht en woordeloos kreunend, terwijl zijn ledematen willekeurige, spastische bewegingen maakten. Zijn bewegingen werden steeds heftiger en zijn gekreun harder.

Tegen de tijd dat Carver ontwaakte, schreeuwde hij het uit.

'Wakker worden, word nou wakker!'

Alexandra Petrova legde haar handen op Carvers schouders en probeerde hem uit de greep van zijn nachtmerrie te bevrijden door hem zachtjes wakker te schudden. Zijn lichaam voelde zwak en week, slap geworden door maandenlang nietsdoen. Zijn gezicht was ronder en zijn trekken minder uitgesproken, want de botten gingen verscholen achter vlezige plooien. Zijn ogen waren roodomrand en angstig.

Langzaam maar zeker verstomde het geschreeuw, om plaats te maken voor een verward, halfbewust gemompel en, toen hij eenmaal wakker was, de vertrouwde handelingen: in paniek om zich heen kijken, half overeind komen uit bed; de geleidelijke ontspanning en terugzakken in de kussens terwijl zij zijn hand streelde en hem geruststelde; en uiteindelijk het beantwoordende kneepje in haar hand, de poging tot een glimlach en dat enkele, gefluisterde woordje: 'Hoi.'

Gevolgd door nog een woord: 'Alix.'

Het was Carvers naam voor haar, de naam die hij had gebruikt in de tijd die ze in elkaars gezelschap hadden doorgebracht, voorafgaand aan zijn maandenlange opsluiting in deze privékliniek aan de oevers van het Meer van Genève. Het was een teken dat hij haar herkende en blij was dat ze er was, ook al wist hij niet meer wat ze eerder voor hem had betekend. Maar aan de andere kant wist hij ook niet meer wie Samuel Carver eigenlijk was; wat hij had gedaan en wat anderen hem hadden aangedaan.

'Weer dezelfde droom?' vroeg zij.

Hij kneep zijn ogen even dicht, alsof hij de laatste restjes gruwelijkheden uit zijn gedachten wilde bannen, alvorens te antwoorden: 'Niet dezelfde droom. Wel hetzelfde einde, net als altijd.'

'Kun je je dit keer herinneren wat er aan het begin van de droom gebeurde?'

Carver dacht even na.

'Ik weet het niet,' zei hij.

Hij klonk onverschillig, alsof hij het nut van de vraag niet inzag.

'Probeer het eens,' drong Alix aan.

Carver fronste zijn voorhoofd en probeerde zich te concentreren. 'Ik was soldaat,' zei hij. 'Er werd gevochten, in een woestijn... en toen werd alles anders.'

'Waarschijnlijk heb je gedroomd over iets wat echt is gebeurd. Je bent echt soldaat geweest.'

'Dat weet ik,' zei Carver. 'Dat heb je me al eens verteld. Dat weet ik nog.'

Hij keek haar aan met ogen die haar goedkeuring zochten. Voor de zoveelste keer trachtte zij zichzelf ervan te overtuigen dat de man van wie zij hield daar nog steeds ergens verborgen zat. Ze herinnerde zich een tijd waarin de lege blik in zijn ogen vervangen was door de felle, intense blik die ze erin had gezien op de avond dat zij elkaar hadden leren kennen, of de onverwachte tederheid die hij had getoond in die gestolen uurtjes dat zij alleen waren geweest en de rest van de wereld hadden buitengesloten.

Ze waren allebei in Parijs geweest, werkend aan dezelfde opdracht, die nacht van de eenendertigste augustus 1997. Carver had aan de ene kant van de Alma Tunnel gestaan, wachtend op een auto. Zij had achter op een snelle motor gezeten en had haar flitsende camera afgevuurd op de Mercedes, de man achter het stuur aansporend om nog sneller te rijden, recht op de dood in Carvers handen af.

Op het moment dat zij elkaar ontmoetten, richtte zij een pistool op hem. Een paar tellen later had hij haar tegen het asfalt gedrukt, met zijn knie in haar onderrug. Een halfuur later was zij hem een gebouw in gevolgd, in de wetenschap dat hij er explosieven in had aangebracht, in de wetenschap dat die bommen elk moment konden ontploffen, maar in het absolute vertrouwen dat hij in staat was hen er levend weer uit te krijgen.

Nu waren ze in Zwitserland, bijna vijf maanden later, twee mensen die gedwongen waren tot gruwelijke gewelddaden; maar die, in hun kostbare momenten van gedeelde rust, hoop bij elkaar hadden gevonden, niet alleen op liefde, maar ook op een zekere mate van verlossing.

Want Alix had zo haar eigen geheimen. Tijdens haar tocht vanuit de armoedige provincies van de Sovjet-Unie naar de opzichtige luxe van het postcommunistische Moskou, had ook zij haar ziel bezoedeld. Net als Carver verlangde zij naar een uitweg. Maar het verleden weigerde haar en Carver los te laten, en had een bittere tol geëist voor die nacht van foltering en bloedvergieten die Carver had blootgesteld aan kwellingen die zo extreem waren dat ze zijn identiteit hadden weggerukt en zijn herinneringen te diep hadden begraven om ze ooit nog terug te vinden.

Alix was zich zelfs gaan afvragen of ze eigenlijk nog wel van hem hield. Hoe kon je van iemand houden die niet meer wist wie je was, of wat jullie voor elkaar hadden betekend? Ooit had ze van Samuel Carver gehouden, dat wist ze zeker. En als hij nog bij haar was, zou ze nog steeds van hem houden. Maar was hij nog diezelfde man? Was hij nog wel een man?

Alix schudde Carvers kussens op en verschikte ze een beetje. Ze deed alsof ze het hem gemakkelijk probeerde te maken, maar eigenlijk probeerde ze zichzelf af te leiden van haar gedachten en het schuldgevoel dat ze haar bezorgden.

Achter haar klonk het geluid van een discreet kuchje.

In de deuropening stond een man in een somber donkergrijs kostuum met een stropdas waarvan het patroon zo onopvallend was dat het bijna onzichtbaar was.

'Kom even met me mee, als u wilt,' zei hij.

5

'Goedemiddag, monsieur Marchand,' zei Alix, terwijl ze een poging deed haar rug te rechten en zo opgewekt te glimlachen als haar stress en vermoeidheid haar toestonden.

Ze sprak Frans. Dat was in elk geval één positief resultaat van de afgelopen paar maanden. Ze had een derde taal kunnen toevoegen aan haar Russische moedertaal en het Engels, dat ze tien jaar geleden bij de KGB had geleerd. Hetzelfde bureau had haar geleerd elke man die ze maar wilde voor haar charmes te laten vallen, maar Marchand leek volkomen immuun voor haar vroegere talenten. Hij was de financieel directeur van de kliniek. Hem ging het uitsluitend om resultaten.

'Als u even een minuutje voor me hebt, mademoiselle Petrova?' zei hij, erin slagend een kruiperige, gladde beleefdheid te combineren met een onmiskenbaar dreigende klank. Hij wachtte tot zij hem was gevolgd naar de gang, waar Carver hen niet kon horen, en ging toen verder.

'Het gaat over de rekening van monsieur Carver. De rekening van vorige maand staat nog open. Ik neem aan dat er geen problemen zijn. U moet zich wel realiseren dat als patiënten hun rekeningen niet kunnen voldoen, de kliniek het beleid hanteert de behandeling te staken.'

'Dat begrijp ik,' zei Alix. 'Geen probleem. De rekening wordt betaald.'

Met een kort knikje nam Marchand afscheid en verliet de kamer. Alix zag hem weglopen door de gang. Pas toen hij de hoek om ging en uit het zicht verdween, ging ze terug naar Carvers kamer, waar ze zich in de stoel voor bezoekers liet zakken en haar handen voor haar gezicht sloeg.

Ergens moest Carver een fortuin bezitten, de opbrengst van zijn dodelijke handel, ergens in het buitenland op een anonieme bankrekening gezet, of opgeborgen in bankkluizen en op plekken die alleen aan hem bekend waren. Met dat geld zou Marchand zich jarenlang koest houden, maar alleen Carver had ooit geweten waar het zich bevond. En nu had hij geen flauw benul meer van het bestaan ervan.

Hij was in elk geval gezegend met één weldoener. Thor Larsson, de lange, magere Noor met dreadlocks die Carvers technicus, computerexpert en beste vriend was, had Alix toegang verleend tot Carvers flat. Met geld dat Carver hem zelf had betaald, had hij zijn best gedaan om de sanatoriumrekeningen te voldoen. Maar nu begon dat geld op te raken en had Larsson niets meer te geven.

Alix had de rekening met alle plezier zelf willen betalen, maar ze had geen officiële identiteitspapieren, geen werk- of woonvergunning en dus geen enkele manier om aan een fatsoenlijke baan te komen. Bovendien bracht ze hele dagen bij Carver door. Het enige wat ze had kunnen vinden was een avondbaantje als serveerster in de een of andere gore *Bierkeller*, waarvan de eigenaar maar al te graag de hand lichtte met de Zwitserse arbeidswet als hij goedkoop aan volgzame immigrantenvrouwen kon komen. Hij herinnerde zijn meisjes er graag aan dat Zwitserland geen minimumloon kende. Met haar fooitjes slaagde Alix er net in de eindjes aan elkaar te knopen, maar ze kon niet ook nog eens Carvers rekeningen betalen. Niet als ze serveerster bleef.

6

Lev Yusov was tweeënvijftig, hoewel hij door een westerling waarschijnlijk tien jaar ouder zou worden geschat. Hij rookte te veel zware, ongefilterde sigaretten. Hij dronk te veel goedkope wodka. Zijn eenkamerappartement had 's zomers geen ventilatie en 's winters geen verwarming. De verf bladderde van de muren en de raamkozijnen waren rot. Maar Yusov was niet slechter af dan wie dan ook in de 12de GUMO.

De arbeiders van Ruslands 12de Glavnoye Upravleniye Ministerstvo Oborony, oftewel Hoofddirectoraat van het Ministerie van Defensie, verschilden in niets van elke andere werknemer van de eens zo machtige staat. Hun salarissen waren bedroevend, als ze al betaald kregen. Hun leefomstandigheden werden met de dag slechter. De staf van een van de 12de GUMO-bases was onlangs in hongerstaking gegaan, in een poging het geld en de uitkeringen uitbetaald te krijgen die ze al maanden tegoed hadden. Zelfs ambtenaren begonnen de laatste tijd te protesteren dat ze het hoofd alleen nog boven water konden houden door een bijbaantje te nemen.

Dat die ontevredenheid erg belangrijk was, had één simpele reden. De 12de GUMO was de organisatie die verantwoordelijk was voor de administratie, opslag, veiligheid en beveiliging van Ruslands nucleaire wapens. Wanneer de mensen die er werkten kwaad en rancuneus werden, bevonden zij zich in een positie om serieuze problemen te veroorzaken. En voor Lev Yusov waren woede en rancune normale gemoedstoestanden.

Na een leven in dienst van het moederland was hij uiteindelijk niet meer dan een veredelde archiefmedewerker, die in een provinciaal depot achter een bureautje zat, in- en uitgaande post controleerde, bevelen opvolgde van ambtenaren die niets beter waren dan hij, of – en dat was nog erger – hun arrogante privé-secretaresses.

Hij wist dat hij in hun ogen slechts een anonieme oude werkezel was, een onbeduidend functionarisje wiens enige manier om enige mate van macht uit te oefenen het was om onbehulpzaam te zijn. Yusov buitte die macht ten volle uit.

Wee het verzoek dat niet exact volgens de voorschriften werd ingediend, of het formulier dat niet correct was ingevuld. Zijn vermogen tot mierenneuken, tegenwerken en pure dwarsheid, aangescherpt door tientallen jaren ervaring, was in de loop van de tijd legendarisch geworden. Niemand begaf zich in Yusovs sombere, raamloze kelderkoninkrijkje als hij het ook maar enigszins kon vermijden. Niemand ging met hem om of maakte eens een praatje met hem. Dus toen Alexander Lebed op de Amerikaanse televisie verscheen om over verdwenen kernwapens te praten, en daarmee binnen de 12de GUMO een soort waanzin ontketende waarin iedereen zichzelf probeerde in te dekken en hoge ambtenaren er wanhopig achter probeerden te komen of die bommen inderdaad bestonden en, zo ja, waar ze dan gebleven waren (alvorens de verantwoordelijkheid zo snel mogelijk op iemand anders af te schuiven), kwam niemand op het idee om Lev Yusov te vragen of hij misschien dossiers had over het onderwerp, opgeborgen in de lange rijen kasten die zich achter hem in de duisternis uitstrekten.

Deze uitsluiting was de zoveelste druppel in het verzuurde meer van Yusovs verbittering. Hoe meer hij werd genegeerd, hoe meer tijd hij had om na te denken over alle documenten die hem onder ogen waren gekomen, documenten die hij had gekoesterd als zijn kostbaarste bezittingen. Eén herinnering bleef hem maar dwarszitten, een wazige herinnering aan een computeruitdraai die hem jaren geleden was overhandigd, toen de helft van de ambitieuze jonge snotapen die hem nu liepen te commanderen nog in korte broek rondliep. Er had een reeks cijfers op gestaan, waarna het was opgevouwen en in een kartonnen envelop gestopt. Het dossier had geen naam, alleen een referentienummer. Ook had er geen beschrijving van de inhoud bij gezeten. De man die het bij hem had afgegeven had beweerd dat hij geen idee had wat het kon zijn – behalve dan het zoveelste stuk bureaucratische rotzooi dat op zijn departement was beland.

Er verstreken vier maanden van heimelijk, maar oneindig geduldig zoeken voordat Yusov de enveloppe had gevonden. Er stond 'Uiterst Geheim' op, een datum en het stempel van de 12de GUMO.

Hij haalde computeruitdraai eruit. Het papier was heel dun en de inkt van de dotmatrixprinter was verbleekt tot lichtgrijs, maar hij kon nog steeds de honderdzevenentwintig regels lezen die verticaal over zes pagina's waren verdeeld. Elke regel bestond uit drie cijfergroepen. De eerste twee groepen bestonden uit tien of elf cijfers, verdeeld in drie subgroepen van graden, minuten en seconden. De derde groep bestond uit acht getallen in één enkele reeks. Een complete regel zag er als volgt uit: 49°24'29.0160"94°21'31.047"99875495.

Lev Yusov had zijn hele werkzame leven bij de 12de GUMO doorgebracht. De eerste twee cijfergroepen waren gemakkelijk: die herkende hij meteen als kaartcoördinaten. Normaal gesproken beschreven dergelijke coördinaten het doelwit van een wapen: hetzij de locatie waarop het was gericht of die het al daadwerkelijk had getroffen. Maar wat als deze cijfers niet op doelwitten sloegen, maar op locaties? De vermiste wapens die Alexander Lebed had beschreven waren draagbaar. Ze moesten ergens naartoe zijn gebracht. Misschien onthulden deze cijfers wel waar naartoe.

Wat de laatste acht cijfers betreft, daarvan nam Yusov aan dat ze naar een soort code verwezen om de wapens te activeren. Hij wist dat geen enkel nucleair wapen, of het nu een intercontinentale raket of een enkele artilleriegranaat was, zonder specifieke instructies tot ontploffing kon worden gebracht. Deze cijfers leverden waarschijnlijk de juiste combinatie voor elke individuele bom.

's Avonds laat, met zijn hand om een halflege fles geklemd, overdacht Yusov het belang van wat hij had ontdekt. Als hij het bij het rechte eind had wat de betekenis van die cijfers betreft, dan waren ze voor hem een manier om af te komen van zijn kloteflat en zijn klotebaan en alle klootzakken met wie hij moest samenwerken.

Ergens moest iemand rondlopen die een fortuin wilde betalen voor die lijst. Want iedereen die hem in zijn bezit had en over de mogelijkheid beschikte om aan die bommen te komen, zou de hele wereld in zijn macht hebben.

7

Oorlog in de woestijn werd geacht een en al hitte, zweet en verstikkende stofwolken te zijn. Maar dat was wanneer de zon aan de hemel stond. Dit was een winteravond. Carver voelde zich als bevroren, kouder dan hij het ooit had gehad, en het klapperen van zijn tanden overstemde het geschraap van staal over aarde van de spades waarmee de mannen in de aarde groeven.

Van waar Carver stond, waren de gaten niets anders dan zwarte plekken in de blauwgrijze uitgestrektheid van de door sterren verlichte woestijn.

Het waren er zeven, zo groot en zo diep als open graven die op hun kisten lagen te wachten. Of misschien was dit hoe een goudveld eruitzag wanneer de eerste goudzoekers arriveerden en gaten begonnen te graven, op zoek naar hun fortuin. Carver en zijn mannen waren ook op zoek, maar dan naar de vezeloptische kabels die ergens onder hun voeten begraven lagen en de Iraakse dictator in staat stelden contact te houden met zijn troepen.

Carvers team van de Special Boat Service had twee uur de tijd gekregen om die schakel te verbreken. Daarvan resteerde nu nog een kwartier. En nog steeds geen kabel te bekennen.

Carver schudde in machteloze frustratie zijn hoofd. Ze hadden net genoeg tijd om nog één gat te graven. Hij was net aan het verzinnen waar dat het best kon komen toen er een explosie klonk van oorverdovende witte ruis, die in zijn oor siste en knetterde. Onder al het lawaai kon hij nog net een stem onderscheiden: 'We krijgen bezoek, baas. Een paar compagnieën gemechaniseerde infanterie. Ze komen recht op ons af.'

'Denk je dat ze ons hebben gezien?' vroeg Carver.

Hij rende al naar de rand van het terrein om het met eigen ogen te kunnen zien, maar de bodem leek opeens zachter te zijn geworden en aan zijn voeten te zuigen als drijfzand. Hij vorderde veel te langzaam. Hij zou nooit op tijd zijn. Intussen werd het geruis in zijn oor steeds luider. Hij wilde zijn koptelefoon van zijn hoofd trekken, maar opeens was daar weer de stem van de uitkijk. 'Ze hebben mortieren. Daar gaan we...'

De woestijnstilte werd verbroken door een serie dreunende explosies, gevolgd door suizende geluiden, als vuurwerk dat de lucht in wordt geschoten. Een paar tellen later spatten magnesium parachutefakkels open boven de landingszone. Ze verschroeiden Carvers ogen en onthulden de vijftien meter lange Chinooks in hun brandende witte schijnsel als een paar naakte geliefden die werden verrast door een boze echtgenoot.

Nu klonken er ook mortier- en kanonschoten over de hele landingsplek. Carver hoorde een nieuwe stem, een van de helikopterpiloten, een stem die strak stond van de adrenaline: 'We zitten hier als kokosnoten in een schiettent. Ik start de rotoren. Zorg dat je mannen zo snel mogelijk aan boord komen.'

Carver begon bevelen te geven. Hij riep in zijn intercom, maar slaagde er kennelijk niet in zich verstaanbaar te maken, want de mannen kwamen niet in beweging en ook al draaiden de helikopterrotoren op volle snelheid, toch leken ze niet van de grond te komen en opeens was de hele landingszone vol met Irakezen. Hij begreep niet waar die zo snel allemaal vandaan waren gekomen, of waarom ze Russisch tegen hem spraken. Hij meende hun gezichten te herkennen, maar hij kon zich er niet op concentreren. Hij haalde de trekker van zijn machinepistool over, maar er kwamen geen kogels uit, ook al zat het magazijn helemaal vol.

Dit klopte niet. Dit hoorde niet te gebeuren. Het was de bedoeling dat de Chinooks zouden vertrekken met al zijn mannen aan boord. Vervolgens zouden de explosieven ontploffen en de kabel breken, zodat een dreigende mislukking op het laatste moment toch nog zou uitdraaien op een triomf. Maar dat gebeurde helemaal niet, want zijn mannen waren opeens allemaal verdwenen en hij was alleen met de Russen en ze namen hem mee door een deur, een kamer binnen waar een houtvuur brandde in een open haard. En hij had zijn gevechtskleding niet meer aan. Sterker nog, hij was spiernaakt, op een zwarte nylonriem na die om zijn middel was bevestigd.

Voor hem zat een man op een stoel, en naast die man zat een vrouw, een ongelooflijk mooie vrouw in een zilveren japon. Carver schreeuwde de vrouw toe dat ze hem moest helpen, maar ook zij kon hem niet horen. En daar klopte ook niets van, want zij moest van hem houden. Alleen hield ze helemaal niet van hem. Ze lachte hem zelfs uit en alle mannen om haar heen lachten hem ook uit en nu keek de vrouw hem aan met een heel ander gezicht, verwrongen, lelijk en vol haat en gilde ze: 'Doe hem pijn! Doe hem pijn! Ik wil hem zien lijden!'

Er werd nog harder gelachen en een van de mannen richtte een klein zwart doosje op Carver en hield een vinger boven een enkel wit knopje. En opeens werd Carver bevangen door een doodsangst die zijn maag deed omdraaien en hem op zijn knieën liet vallen, smekend om genade, hoewel zijn smeekbedes eruit kwamen als woordeloos gejammer omdat hij wist wat er nu ging gebeuren – hetzelfde wat er altijd gebeurde op het moment dat de man met het doosje op de knop drukte.

Dan ging de vinger omlaag. En begon de folterende pijn weer van voor af aan.

8

'U moet me toestemming geven hem te helpen.'

Dokter Karlheinze Geisel was de psychiater die Carver toegewezen had gekregen. Hij wendde zich af van het bed waarin zijn patiënt lag te kronkelen van de pijn en sprak tegen Alix met een stem waarin het medelijden zijn frustratie niet kon verhullen.

'Kom,' zei hij en hij nam haar mee door de kliniek naar zijn spreekkamer.

'Wat wilt u dat ik doe?' vroeg ze toen de deur achter hen was dichtgevallen.

Geisel antwoordde pas toen zij allebei hadden plaatsgenomen. Toen zei hij: 'Het antwoord op die vraag kent u al. U moet me precies vertellen wat hem is overkomen. Hoe kan ik hem anders de beste behandeling geven?'

Alix zei niets. Ze wendde haar blik af en streek een lok blond haar uit haar gezicht. Ten slotte keek ze dokter Geisel recht in de ogen.

Geisel was gewend aan de reacties van degenen wier geliefden aan een ernstige ziekte leden. Juffrouw Petrova was uitgeput door de maanden van zorgen en onzekerheid. Haar gezicht was smaller en strakker dan het was geweest; haar huid was bleek, droog en onverzorgd; ze had grote, donkere kringen onder haar ogen. Maar mijn god, dacht hij, wat een ogen.

Ze waren puur hemelsblauw, maar wanneer hij heel goed keek – uitsluitend in het belang van een objectieve analyse, hield hij zichzelf voor – zag Geisel een kleine asymmetrie. Eén ooglid was iets zwaarder dan het andere en de twee ogen stonden niet helemaal op één lijn. Deze imperfectie in een verder zo vlekkeloos geheel – ze had volle lippen, hoge jukbeenderen en een recht, smal neusje – deed aan haar schoonheid niets af, maar voegde er eerder iets aan toe. Zonder die onvolkomenheid zou ze gewoon heel erg mooi zijn geweest. Nu was ze adembenemend.

'Ik begrijp het,' zei ze. 'Maar ik kan het niet bespreken...'

'Ik zal eerlijk zijn,' zei hij, zich schrap zettend. 'Maandenlang hebt u mijn vragen ontweken. Maar als Herr Carver enige hoop op herstel wil hebben, heb ik toch bepaalde informatie nodig om hem te kunnen behandelen. U moet goed begrijpen dat ik heel vaak te maken heb met patiënten die extreme discretie eisen. Wat u mij vertelt blijft tussen ons. Maar ik moet het weten.'

'Als ik het u vertel, kunt u hem dan beter maken?' vroeg zij.

'Nee, dat kan ik niet beloven. Maar wat ik u wel kan verzekeren is dit: als u het mij niet vertelt, kan ik hem niet helpen. Hoe langer u blijft zwijgen, hoe zekerder het wordt dat Herr Carver altijd zo zal blijven.'

'Ik probeer hem alleen te beschermen.'

Haar stem was niet meer dan een fluistering. Ze probeerde net zo goed zichzelf te overtuigen als hem. Haar tweestrijd was zo hevig dat Geisel haar instinctief wilde troosten. Maar zijn professionele ik wist dat hij niets mocht doen of zeggen. Ze moest de ruimte krijgen om haar eigen beslissing te nemen.

Alix vermoedde dat de timing van zijn verzoek niet toevallig was. Hij moest hebben geweten dat ze gisteren een bezoekje van Marchand had gekregen, en had onmiddellijk begrepen wat dat betekende. Carvers rekeningen waren niet betaald. En als dat niet alsnog gebeurde, zou hij zeker gedwongen worden te vertrekken. De klok was nu dus aan het aftellen naar het moment van Carvers gedwongen vertrek, wat de noodzaak van genezing nog dringender maakte.

Alix worstelde met de onontkoombare logica van haar situatie. Uiteindelijk kwam ze tot een conclusie.

'Goed,' zei ze. 'Ik zal het u vertellen... Ik probeerde te ontsnappen van een man, een Rus, net als ik. Hij was heel erg rijk, heel erg machtig.'

'Was?' vroeg Geisel.

Alix negeerde de onderbreking en wat ermee werd bedoeld. 'Hij stuurde zijn mannen om mij terug te halen. Carver... Samuel ontdekte waar ik was en kwam me achterna, naar Gstaad. Hij hoopte mij te kunnen ruilen voor... bepaalde informatie. De man die mij had meegenomen was absoluut niet van plan op zijn voorstel in te gaan. Zijn mannen namen Samuel gevangen en...'

Ze leek niet bereid of niet in staat de zin af te maken.
'Ze deden hem pijn?' vroeg Geisel.
'Ja. Ze kleedden hem uit, blinddoekten hem en deden hem handboeien om. En toen... neem me niet kwalijk...' Ze stopte even om kalm te worden, knipperde snel met haar ogen en schraapte haar keel. 'Sorry,' zei ze.
'U zei...?'
Toen Alix verderging, klonk ze emotieloos, bijna zakelijk. 'Ze bevestigden een riem om Samuels middel. Die was verbonden met een afstandsbediening. Wanneer de afstandsbediening werd geactiveerd, bezorgde de riem hem een elektrische schok, heel krachtig, genoeg om hem stuiptrekkend op de grond te laten vallen, zonder enige controle over zichzelf. Dat gebeurde vlak voor mij, aan mijn voeten, zodat hij zich zou schamen.'
'Hoe vaak kreeg hij zo'n schok?'
'In elk geval drie of vier keer, misschien wel vaker, wanneer ik er niet bij was.'
'Was dat alles?'
'Nee, dat was nog maar het begin. Na afloop namen ze hem mee naar een kamer, waar ze hem vastbonden op een stoel. De kamer was helemaal wit geschilderd: alle muren, de vloer, het plafond, spierwit. Het was er ook heel erg koud. Ze bonden een leren riem voor zijn mond en zetten zijn oogleden vast met plakband, zodat hij ze niet dicht kon doen, noch er zelfs maar mee kon knipperen. Ze zetten hem een koptelefoon op. Toen deden ze lichten aan, felle lichten, vlak voor zijn ogen. En ze speelden geluiden af door die koptelefoon, keihard en aan één stuk door. Zo heb ik hem gevonden. Toen zat hij er al bijna vier uur...'
'Ik begrijp het...' mompelde Geisel, peinzend. Het verhaal was gruwelijk, maar hij probeerde niet al te geschokt te zijn door wat hij hoorde. Op dat moment, in de context van zijn spreekkamer, moest hij alles bekijken als informatie die hem kon helpen tot een meer accurate diagnose te komen. 's Avonds pas, wanneer hij thuis zat met een drankje in zijn hand, kon hij wellicht in meer menselijke termen terugkijken op Carvers beproeving.
'Nu begrijp ik de angst die aan hem vreet,' vervolgde hij. 'Zijn bewuste brein heeft de foltering uit zijn herinnering gewist, maar zijn onderbewustzijn is bang voor herhaling. Toch is er nog één aspect van uw verhaal dat ik niet begrijp... Als hij aan die stoel

was vastgebonden, niet in staat om te bewegen, hoe is hij dan ontsnapt?'

'Ik heb hem losgesneden,' zei Alix.

'Maar die man over wie u het had, die de leiding had over andere mannen...'

'Ja.'

'Hoe is het u gelukt om...?'

'Ik ben geen patiënt van u,' zei Alix. 'Wat ik u over mezelf vertel valt niet onder uw medisch beroepsgeheim.'

'Inderdaad... Maar toch, met één vrouw en zoveel mannen, weet ik zeker dat het, wat u ook heeft gedaan, een kwestie van zelfverdediging moet zijn geweest.'

'Precies. Dat moet wel.'

Geisel knikte, en nam even de tijd om te verwerken wat hij zojuist had gehoord.

'En dan is er nog iets,' zei Alix.

'Ja?'

'Ik wil dat u begrijpt wat voor man hij was... voordat dit allemaal gebeurde.'

Ze zweeg even, zoekend naar de juiste woorden. Toen herinnerde ze zich weer die nacht in Parijs en wendde haar blik van Geisel af, zonder iets te zien, haar concentratie volledig naar binnen gericht.

'Toen ik Samuel Carver voor het eerst ontmoette, probeerde ik hem te vermoorden. Een uur later volgde ik hem een appartement in. We wisten allebei dat er boobytraps lagen. De explosieven waren afgesteld om binnen dertig seconden af te gaan. Maar ik volgde hem toch naar binnen. Daar koos ik zelf voor, omdat ik er volledig op vertrouwde dat hij ervoor zou zorgen dat mij niets zou overkomen. En ik wilde bij hem zijn...'

Alix keek de psychiater weer even aan en wendde toen opnieuw haar blik af. Ze praatte bijna in zichzelf toen ze zei: 'Het enige wat ik wil is weer bij hem zijn.'

'Ik begrijp het,' antwoordde Geisel. 'Dank u, juffrouw Petrova. Ik weet hoe moeilijk het voor u moet zijn geweest om zulke pijnlijke herinneringen op te halen.'

Hij stond op en toen zij hetzelfde deed gaf hij haar een hand. Intussen bleef hij haar aankijken alsof ze zijn patiënt was.

'U hebt zelf ook een diep traumatische ervaring gehad,' zei hij.

'Daar zult u met iemand over moeten praten. Indien u een consult met mij wenst, aarzel dan alstublieft niet erom te vragen.'

Hij glimlachte. 'Dan bent u mijn patiënte en kunt u net zo openhartig zijn als u wilt.'

'Dank u, dokter, ik zal het onthouden. Maar als u mij nu wilt excuseren, Samuel wordt straks wakker en dan heeft hij me nodig.'

9

Ver weg in Rusland zat Lev Yusov in een smoezelige bar, Club Kabul genaamd, te proberen de betekenis van een op het eerste gezicht waardeloos stuk computerpapier vol cijfers uit te leggen aan Bagrat Baladze, een donkere, besnorde psychopaat van in de dertig in een glanzend pak. Gezien het lawaai in de bar en de aanzienlijke hoeveelheden wodka die beide mannen consumeerden, viel het niet mee de waarde van het document duidelijk te maken, vooral niet omdat Yusov niet wilde vertellen waar het was voordat Bagrat toezeggingen had gedaan.

'Hoe kan ik er nu mee instemmen voor iets te betalen wat ik nog niet eens heb gezien?' vroeg Bagrat.

'Als het document echt is, wat betaal je me dan?'

'Vijfduizend Amerikaanse dollar.'

Yusov had op meer gehoopt. Hij wist dat de lijst miljoenen waard zou zijn tegen de tijd dat hij zijn eindbestemming had bereikt. Maar in een land waar Amerikaans geld veel meer waard was dan lokale roebels, was vijfduizend dollar meer dan hij in tien jaar kon verdienen.

'Tienduizend,' zei hij.

'Ik zit hier mijn tijd te verdoen, ouwe,' zei Bagrat, terwijl hij opstond. 'Je vroeg wat ik je zou betalen. Dat heb ik je verteld. Als je geen belangstelling hebt, ook goed. Val dood.'

'Goed, goed!' piepte Yusov, toen hij zijn jackpot van tafel zag opstaan. 'Vijfduizend.'

Bagrat wendde zich tot een van zijn handlangers. 'Zie je wel? Wijsheid komt met de jaren.' Hij ging weer zitten en haalde een stapeltje bankbiljetten uit zijn jaszak. Hij legde het tussen hen in op tafel. 'Hier is het geld. Waar is die lijst?'

Yusov reikte met zijn hand achter zich en trok de enveloppe uit zijn broekband. Hij maakte hem open en haalde de lijst eruit.

'Kijk,' zei hij. 'Eerst de geografische breedte, dan de lengte en dan de code. Met de wapens die op deze lijst staan kun je een wereldoorlog uitvechten.'

Bagrat dacht hier even over na en knikte toen. 'Oké, we hebben een deal. Pak je geld.'

Hij schoof het stapeltje bankbiljetten naar Yusov toe, die het van tafel griste met een gretigheid die zijn wanhoop verraadde. Hij keek alsof hij ervandoor wilde gaan voordat de gangster van gedachten zou veranderen. Maar Bagrat legde een hand op zijn schouder.

'Rustig aan,' zei hij. 'Ik heb nog meer zaken af te handelen, maar jij moet hier lekker blijven zitten om het te vieren. Geniet ervan... op kosten van de zaak.'

Bagrat pakte de enveloppe op en vertrok. In het voorbijgaan riep hij naar de barman: 'Breng mijn vriend wodka... de speciale wodka, begrepen? De beste!'

Illegaal gestookte wodka, of *samogan,* is een giftig goedje, gebrouwen in illegale stokerijen in heel Rusland. Tot de ingrediënten behoren (onder andere) medische ontsmettingsmiddelen, remvloeistof, aanstekerbrandstof, goedkope aftershave en zelfs zwavelzuur. In de loop der jaren zijn al duizenden Russen na het nuttigen ervan overleden, en nog veel meer zijn er blind van geworden of hebben er chronische leverkwalen aan overgehouden, zodat artsen en lijkschouwers er al helemaal niet meer van opkijken wanneer ze weer een geval onder ogen krijgen.

Bagrat Baladze had er daarom nog eens goed over nagedacht voordat hij een wel bijzonder giftig partijtje samogan, gekocht van een plaatselijke stoker, weggooide, ook al was het zo giftig dat het onverkoopbaar was, zelfs aan de meest wanhopige alcoholist. Hij had onmiddellijk bedacht dat hij een ideaal moordwapen in handen had gekregen.

Toen Yusov met een lege fles naast zich in elkaar zakte, werd hij naar een wachtende auto gedragen, die naar een stil steegje in de buurt van zijn flatgebouw reed. De Amerikaanse dollars werden uit zijn zak gehaald en vervolgens werd hij uit de auto gesleept en op de stoep gelegd. Nadat de volgende ochtend zijn dode lichaam bij de politie was gemeld, werd Yusov naar het mortuarium vervoerd. Er vond een oppervlakkige lijkschouwing plaats en er werd geen politieonderzoek ingesteld. De dood van de zoveelste onbetekenende dronkelap was nauwelijks een prioriteit te noemen.

Op het kantoor van de 12de GUMO werd Yusovs overlijden eerder gevierd dan betreurd. Een nieuwe, jongere, meer behulpzame ambtenaar nam zijn taken over.

De man had er geen idee van dat het ontbrekende dossier ooit had bestaan, laat staan dat het verkocht was aan een ambitieuze gangster die op hetzelfde moment bezig was uit te zoeken hoe hij het kon gebruiken om in één klap een paar treden hoger op de criminele ladder te komen. Er bestonden, zo wist Bagrat, tussenpersonen die zich hadden gespecialiseerd in het opzetten van handeltjes tussen Russen die in het bezit waren van wapens – conventionele, chemische, biologische en nucleaire – en de rijke klanten die ernaar op zoek waren. Hij moest nu een van die handelaren zien te vinden zonder andere, machtiger criminelen te attenderen op datgene wat hij te koop had. Als ze er lucht van zouden krijgen, zouden ze zich even snel van hem ontdoen als hij met Yusov had afgerekend.

Dus begon Bagrat Baladze inlichtingen in te winnen. En zette de wereld een eerste, blinde stap op de weg naar Armageddon.

10

Waylon McCabe zette de tweede stap op de fatale weg in een afgeladen stadion in de binnenstad van Houston, in Texas.

Toen hij vijf jaar geleden door de lucht omhoog zweefde richting traumahelikopter waren zijn ogen verblind geweest door lichtbundels, zijn oren verdoofd door wat klonk als het geflapper van talloze engelenvleugels. De eerste woorden waarvan hij zich bewust werd kwamen uit de mond van een ambulancebroeder: 'Het is een wonder dat u het hebt overleefd.'

Dat zeiden de artsen ook, nadat hij door de lucht was vervoerd naar het dichtstbijzijnde ziekenhuis. Ook de journalisten die het bescheiden gebouw hadden belegerd, zijn advocaat en financieel manager die per vliegtuig aankwamen vanaf zijn hoofdkantoor in San Antonio, en de stewardess die hem bemoederde toen hij weer terug naar Texas werd gevlogen – allemaal gebruikten ze datzelfde woord: wonder.

Gedurende de dagen en weken die volgden op het ongeluk en hij mijmerde over zijn ongelooflijke ontsnapping aan de dood, groeide bij McCabe de overtuiging dat zijn overleving niet alleen een wonder was in de oppervlakkige betekenis van het woord, maar iets wat daadwerkelijk en onpeilbaar wonderbaarlijk was. Hij was door God gered en was wedergeboren. Hij voelde zich verplicht om daarnaar te handelen.

De jaren na Waylon McCabes val uit de lucht waren hem goed gezind geweest. Zijn imago had een transformatie ondergaan door zijn religieuze bekering. Verdwenen waren de beschuldigingen van meedogenloze zakelijke praktijken, politieke corruptie en milieuvandalisme. Tegenwoordig werd McCabe beschouwd als een filantroop, schenker van een miljard dollar aan goede doelen en een man van diep religieuze principes. In het officiële rapport, opgesteld door de Canadese Burgerluchtvaartautoriteit, was de crash een ongeluk genoemd. Maar dat geloofde McCabe voor geen meter. Iemand had hem te grazen willen nemen en was daar verdomme nog bijna in geslaagd ook.

Als hij er geld op had moeten zetten, had hij willen wedden dat het de mecanicien was – Lundin luidde de naam op zijn naamplaatje – die naar de luchthavenlounge was gekomen en hem praktisch had gesmeekt aan boord van dat toestel te gaan. Hij was vaak genoeg in Inuvik geweest, maar die mecanicien had hij nooit eerder gezien. Waarschijnlijk zou hij hem ook nooit meer zien, wat jammer was.

Hij had de man graag een keer de hand geschud.

Die zogenaamde moordenaar had van McCabe degene gemaakt die hij nu was. Het was jammer dat zes andere mensen hadden moeten sterven om zijn verlossing te bewerkstelligen. Maar als dat Gods opzet was, wie was hij dan om daar tegenin te gaan?

Net als tientallen miljoenen van zijn medeburgers geloofde hij nu in de 'wegvoering', de rechtstreekse tenhemelopneming van Gods uitverkorenen vanaf de aarde. Want wat was zijn eigen redding anders geweest dan een ogenblik van loutere wegvoering? De laatste tijd was deze overtuiging door de gebeurtenissen in zijn leven omgevormd tot iets wat sterk op een obsessie begon te lijken. Dus sloot hij zich aan bij de congregatie van de duizenden gelovigen die uit allerlei kerken in het Zuiden waren afgekomen op dit kolossale stadion, om te luisteren naar de grote rondtrekkende prediker van de wegvoering, dominee Ezechiel Ray. En terwijl het grote koor, tweehonderd in getal, uitgedost in goud en purperen gewaden hun inleidende lofzang uitzong en weer ging zitten, zag McCabe de preek van de dominee met net zoveel opwinding tegemoet als iedereen.

Vanaf de eerste rij ging een golf van applaus op dat steeds luider en heftiger werd, naarmate het zich over de hele menigte verspreidde. In enkele ogenblikken was iedereen in het stadion opgestaan; klappend en schreeuwend juichten ze de gedrongen, strijdlustige man in zijn eenvoudige zwarte pak toe die, met zijn spuuglok van zilvergrijs haar glimmend in het licht van de schijnwerpers, zich een weg naar het podium baande in het centrum van de verhoging.

Ray bleef een ogenblik zwijgend staan, om het applaus in ontvangst te nemen waarmee zijn komst op het podium werd begroet. Hij wachtte tot het applaus een hoogtepunt bereikte alvorens zijn hoofd te buigen, zijn handen te vouwen en de woorden van Psalm 19 te prevelen: *'Mogen de woorden van mijn mond, en de overleggingen van mijn hart U welgevallig zijn, O Here, mijn rots en mijn verlosser.'*

Zijn publiek reageerde met een gemompeld: 'Amen.' Opnieuw liet de predikant de stilte aanzwellen, terwijl hij in een houding van gebed en overpeinzing bleef staan, tot hij zich opeens oprichtte en een glimlach opzette die zo stralend was dat hij de zaal net zo helder verlichtte als de kroonluchters.

'Vrienden,' begon hij, 'ik breng jullie vreugdevol nieuws over de wederkomst van onze Verlosser! Dit is jubelend nieuws voor allen die broeders en zusters zijn in Christus. Maar het is nieuws van pijn en dood en eeuwige kwellingen voor diegenen die zich van Christus hebben afgekeerd, de ongelovigen die de Here bespotten en zich wentelen in de zonde en verleidingen van de Antichrist.

'Jullie kennen het nieuws waarover ik het heb. Jullie kennen de woorden van de eerste brief aan de Thessalonicenzen, hoofdstuk vier, verzen zestien en zeventien. *"Want de Here zelf zal op een teken, bij het roepen van een aartsengel en bij het geklank ener bazuin Gods, nederdalen van de hemel, en zij, die in Christus gestorven zijn, zullen het eerst opstaan:*

"Daarna zullen wij, levenden, die achterbleven, samen met hen op de wolken in een oogwenk weggevoerd worden, de Here tegemoet in de lucht: en zó zullen wij altijd met de Here wezen."'

Velen van de toehoorders hadden de woorden geluidloos meegezegd en er ging een goedkeurend geroezemoes op.

Ray knikte. 'Heren, wij hoeven vandaag de dag maar om ons heen te kijken om te zien wie vroom en godvrezend zijn en een leven leiden vol fatsoen en moraliteit. Maar als wij de televisie aanzetten, of de verderfelijke woorden van de media-elite lezen, zien wij degenen die het woord Gods bespotten... die minachtend neerkijken op gelovigen... die het heilige instituut van het huwelijk bezoedelen... die zich wentelen in decadentie en ontucht.

Geloof mij, het zal niet lang meer duren voordat zij worden neergemaaid door de sikkel van Christus, en alle volgelingen van de Antichrist met hen. Want hun Dag des Oordeels komt eraan, zoals het woord van God ons duidelijk maakt.'

Inmiddels bestond de reactie van de menigte uit een constant goedkeurend gejuich bij iedere pauze in de preek. Ray hief nogmaals een hand op om de zaal tot kalmte te manen, zodat zijn woorden gehoord zouden worden. 'Maar jullie vragen je misschien af hoe ik dat weet? Hoe kan ik er zo zeker van zijn dat de dag des Heeren ophanden is? Welnu, omdat de Bijbel mij dat vertelt.

Kijk maar naar de tweede brief van Timotheüs, hoofdstuk drie: *"Weet wel, dat er in de laatste dagen zware tijden zullen komen. Want de mensen zullen zelfzuchtig zijn, geldgierig, pochers, vermetel, kwaadsprekers, aan hun ouders ongehoorzaam, ondankbaar, onheilig, liefdeloos, afkerig van het goede... met meer liefde voor genot dan voor God."*

Het Evangelie van Mattheüs, hoofdstuk vierentwintig, waarschuwt dat: *"Volk zal opstaan tegen volk, en koninkrijk tegen koninkrijk... En vele valse profeten zullen opstaan... Wetsverachting zal toenemen."*

Klinkt bekend. Klinkt als de wereld van vandaag. Het wachten is nu dus op de laatste waarschuwing dat het einde nabij is, de komst op aarde van Satan zelf. Heren, wees op uw hoede. Want Satan zal komen en wanneer dat gebeurt, zullen wij voorbereid moeten zijn op de strijd.

Wij weten waar die laatste, grote strijd zal worden geleverd, want er staat geschreven: "En hij verzamelde hen op de plaats, die in het Hebreeuws genoemd wordt Armageddon."

Zoals jullie weten bestaat die plaats werkelijk. Het is de heuvel van Megiddo, in het land van Israël. En jullie kunnen die plaats bezoeken en met jullie eigen ogen aanschouwen.

Maar wees niet bang voor die grote strijd. Want de Christus die zal wederkeren is een machtige Christus, een strijdbare Christus, gezeten op een wit strijdros, een Christus die zijn vijanden zal doen beven. Dus wees blij dat hij komt. Wees blij dat jullie zullen worden gespaard. Maar wees bereid voor die laatste strijd tussen goed en kwaad.

Want Hij is Christus...

Hij brengt ons vervoering...

En Hij komt eraan!'

Terwijl overal het geroep van 'Amen!' opklonk, werd Waylon verscheurd door tegenstrijdige gevoelens. Aan de ene kant verheugde hij zich op de naderende wegvoering, meegesleept door het enthousiasme van dominee Ray. Aan de andere kant werd hij gegrepen door een geheime angst die net zo sterk was als de angst die hij had ervaren toen zijn vliegtuig uit het Canadese luchtruim omlaag stortte.

Nog maar een paar weken geleden was hij, toen hij maar niet van de hoest afkwam die hem al de hele winter dwarszat, eindelijk maar eens naar de dokter gegaan. Binnen enkele uren was hij doorverwezen naar een oncoloog in het MD Anderson Center in Houston. Tegen het einde van de week had hij, voor alle zekerheid, een second opinion gevraagd van de beste arts op dit gebied in het Sloan-Kettering-kankercentrum in New York.

Allebei hadden ze hetzelfde gezegd. McCabe had twee inoperabele tumoren in zijn longen. De kanker was uitgezaaid naar zijn hersenen. De artsen wisten het niet zeker, maar hadden een vermoeden dat de kanker veroorzaakt was door de chemicaliën die hij destijds in dat brandende vliegtuig had ingeademd. McCabe was niet ongevoelig voor de bittere ironie die hierin school: zijn moordenaar had hem alsnog te pakken. Hij had nog slechts enkele maanden te leven, hooguit negen, maar binnen een halfjaar zou hij zeker in het ziekenhuis liggen. Hij was begonnen aan een snelle afdaling, regelrecht een openstaand graf in. De angst die McCabe om het hart sloeg en voortdurend aan hem vrat was dan ook dat hij dood zou gaan voordat de grote dag was aangebroken.

Natuurlijk geloofde hij in de wederopstanding van het lichaam en het eeuwige leven. Hij ging elke week naar de kerk om dat geloof te bevestigen. Maar zijn geloof hielp hem niet wanneer hij in de donkerste uren van de nacht aan het moment dacht dat hij niet langer zou bestaan. Ondanks de troostende woorden van de Bijbel wist hij niet honderd procent zeker of hij nog wel uit die laatste, diepe slaap zou ontwaken. Zijn allerliefste wens was om nog in leven te zijn, met zijn ogen wijd open, op de dag dat de Here terugkeerde naar zijn volk. Hij verlangde ernaar de holocaust mee te maken waarover dominee Ezekiel Ray had gesproken, wanneer Christus de druiven der gramschap zou pletten en het bloed van zijn vijanden de valleien van Israël tot aan de rand zou vullen.

Als die holocaust niet uit zichzelf zou plaatsvinden, welnu, dan zou Waylon McCabe wel een handje helpen, al zou het hem zijn laatste cent kosten. En luitenant-generaal Kurt Vermulen, wiens hartstochtelijke overtuiging en wanhopige verlangen om te worden geloofd hem hopeloos kwetsbaar maakten voor McCabes manipulaties, was precies de man die hem daarbij kon helpen.

II

Alix nam de bus naar Genève en stak vervolgens de rivier de Rhône over, waarna ze heuvelopwaarts door de smalle keienstraatjes van de Oude Stad liep, met aan weerskanten eeuwenoude huizen die zo hoog en zo smal waren als boeken op een plank. De etalages van de chocolaterieën lagen vol met hartvormige geschenkdozen. De boetieks en haute-couturewinkels stonden helemaal in het teken van lingerie en verleidelijke jurken. De banken hielden over dat alles de wacht, in de wetenschap dat zoals altijd aan alles, inclusief de liefde, een prijskaartje hing.

Ze bleef even staan om naar een etalagepop te kijken in een kort, zwart feestjurkje en schoenen die uit niet veel meer bestonden dan torenhoge hakken en wat smalle, leren riempjes.

Zelf had ze zich vroeger ook zo gekleed, in een tijd dat ze haar kleren uitzocht met het zelfvertrouwen dat voortkwam uit het feit dat ze zeker was van het effect dat ze ermee bereikte. Die vrouw zou ze weer willen zijn, met een drankje in haar ene hand en een knappe man in de andere. Maar het spiegelbeeld in de etalageruit liet een meelijwekkend wezen zien, gekleed in een jas uit een tweedehandswinkel en een goedkope, weinig flatteuze spijkerbroek. Op de een of andere manier moest ze binnen een uur of zo een imitatie op haar gezicht zien te schilderen van wat ooit haar natuurlijke schoonheid was geweest, iets wat goed genoeg leek om de klanten in de Bierkeller tevreden te stellen; mannen met grijpgrage vingers die graag een visuele traktatie kregen bij hun veel te duur betaalde drankjes.

Ze ging terug naar Carvers appartement op de bovenste verdieping. De kamers werden allengs leger nu er steeds meer meubels werden verkocht om tegemoet te komen aan de eindeloze kosten van het sanatorium. Ze miste de grote chesterfieldbank en de antieke leunstoelen, waarvan de leren bekleding in de loop van tientallen jaren zo uitnodigend zacht en soepel was geworden. Zijn geliefde breedbeeldtelevisie en hifi-installatie waren ook al verdwenen, evenals alle schilderijen, op één na. Het hing boven de open haard in de woonkamer, een frisse, impressionistische afbeelding van een victoriaans dagje naar het strand, met vrouwen die hun rokken optilden en mannen die hun broekspijpen oprolden, een tableau van onschuldig plezier.

Alix hoefde maar naar het schilderij te kijken om zich de middag te herinneren waarop ze het voor het eerst had gezien. Ze had een van zijn oude T-shirts aangehad en zat, opgekruld als een slaperig poesje, in een van de leunstoelen te kijken hoe Carver door de stoffige zonnestralen liep die door het raam van zijn appartement naar binnen schenen. Hij liep met een soepele, dierlijke gratie en boog zich toen over haar stoel. Ze had zijn ogen over haar heen voelen glijden voordat hij haar een van de kopjes koffie gaf die hij in zijn handen hield. Hij had gezien dat ze naar het schilderij zat te kijken.

'Dat is Lulworth Cove,' zei hij, 'aan de kust van Dorset, ten westen van mijn oude basis.'

'Het is heel erg mooi. Wat was dat voor basis?'

Carver had gelachen. 'Dat kan ik je niet vertellen. Misschien ben je wel een gevaarlijke Russische spionne.'

Ze had geglimlacht en gezegd: 'O, nee, ik ben geen spionne. Niet meer althans.' Ze vertelde hem de waarheid. Die middag in Carvers appartement was ze, voor één keer in haar leven, een doodgewone vrouw geweest, die zich overgaf aan het gelukzalige gevoel van verliefd worden.

Die droom was haar wreed ontnomen. Het had geen zin zich vast te klampen aan de een of andere pathetische, meisjesachtige illusie van romantiek. In de echte wereld bestond zoiets niet; daar was alleen plaats voor een eindeloos gevecht om te overleven, een gevecht zonder scrupules of principes. Wanneer je al het overbodige wegdacht, bleven er maar twee dingen over om rekening mee te houden: hoe graag ze wilde overleven en tot hoever ze bereid was te gaan om te overleven.

12

Kurt Vermulens mobieltje begon halverwege het diner te zoemen. Hij klapte het open en keek naar de naam op het schermpje. Toen wendde hij zich tot de drie andere mensen aan het tafeltje in een Italiaans restaurant in de wijk Georgetown in Washington DC, glimlachte berouwvol en zei: 'Sorry hoor, maar dit moet echt even.'

Maar toen hij 'Momentje' zei in de telefoon en van zijn plaats opstond om naar de deur te lopen, voelde hij zich eigenlijk opgelucht.

Bob en Terri hadden met de allerbeste bedoelingen een dineetje voor vier voor hem geregeld met Megan, een vrijgezelle, negenendertigjarige advocate. Ze was een geweldige vrouw: aantrekkelijk, intelligent en bovendien graag bereid haar professionele agressie achter te laten in de rechtszaal. Hij was er vrij zeker van dat zij hem ook leuk vond. Dat was het probleem.

Het was nu achttien maanden geleden dat Amy was gestorven en hij kon zich er nog steeds niet toe zetten weer afspraakjes met vrouwen te maken. Ze hadden elkaar leren kennen in de zomer voordat ze gingen studeren, in 1964; twee kinderen die elkaar tegen het lijf waren gelopen in een muziekwinkel in Pittsburgh en allebei het laatste exemplaar van 'A Hard Day's Night' hadden willen hebben. En zo was het gegaan – het begin van dertig jaar samen met als enige domper dat er geen kinderen waren gekomen – totdat Amy borstkanker had gekregen en hij plotseling, terwijl dat het laatste was wat hij ooit had verwacht, degene was die alleen achterbleef.

Al die tijd was haar aanwezigheid in zijn leven een van de dingen geweest die hem kenmerkten, net zo goed als zijn blauwe ogen of zijn rossige haar. Nu zij er niet meer was, voelde hij zich incompleet. Maar nog erger was dat hij er maar niet achter kon komen hoe hij weer helemaal zichzelf kon worden. Met Amy was alles zo natuurlijk gegaan. Er waren zoveel dingen die ze van elkaar begrepen zonder ze te hoeven uitspreken. Maar nu moest vanaf het allereerste begin alles worden uitgelegd en hij wist niet of hij daar al aan toe was. Natuurlijk waren er wel een paar vrouwen geweest. Hij was geen monnik. Maar iemand als Megan verdiende iets beters dan een achteloos nachtje samen. En Kurt Vermulen wist niet of hij haar dat wel kon geven.

Niet nu hij met zijn gedachten bij het noodlot van de wereld was.

Hij verliet het restaurant en liep Wisconsin Avenue op. Hij voelde de snelle kou van de januari-avond. 'Oké, Frank, nu kan ik praten, weet je al iets?'

'Geen goed nieuws, Kurt. Ik heb je bezorgdheid aan de minister overgebracht, maar eigenlijk kun je wel zeggen dat niemand op het departement het eens is met jouw mening. Begrijp me niet verkeerd, iedereen heeft het grootste respect voor wat je hebt bereikt, maar ze zien de situatie gewoon anders dan jij.'

'Wat? Geloven ze niet wat ik zeg?'

'Niet echt. Maar ook al deden ze dat wel, niemand wil het weten. Ik bedoel, we hebben een duidelijk standpunt, als regering. We hebben gekozen met wie we in zee gaan en het is nu te laat om daar nog iets aan te veranderen.'

'Nou, jullie hebben de verkeerde gekozen.'

'Misschien, Kurt, maar iedereen is gelukkig met deze keuze – staat, Pentagon, Langley – jij staat hierin echt alleen. Luister... we weten allemaal dat je een moeilijke periode achter de rug hebt, dus waarom zou je je zo druk maken om deze ene kwestie? Niemand ziet het als een prioriteit. Je bent jaren en jaren bezig geweest om een goede reputatie op te bouwen, gooi dat nu niet weg voor een stelletje idioten. Geloof me man, ze zijn het niet waard.'

'Bedankt voor je goede raad, Frank,' zei Vermulen. 'Doe de groeten aan Martha.'

Hij klapte het mobieltje dicht, alsof die fysieke handeling het gevoel van frustratie kon wegnemen dat hij in zich voelde branden. Zijn hele carrière lang was hij een insider geweest, een man wiens analyse werd gerespecteerd en op wiens oordeel men vertrouwde. Nu stond hij buiten in de kou en zei dingen die niemand wilde horen. Soms voelde hij zich als zo'n filmpersonage dat opgesloten wordt in een krankzinnigengesticht terwijl hij volkomen gezond is. Hoe harder hij riep dat hij niet gek was, hoe meer iedereen dacht dat hij het was. Had Winston Churchill zich zo gevoeld, toen hij zijn volk vertelde dat de nazi's een dodelijke dreiging waren, terwijl iedereen alleen maar koste wat kost vrede wilde?

Hij schudde zijn hoofd om zijn eigen arrogantie. Zichzelf vergelijken met Churchill, misschien werd hij wel echt gek. Intussen zat er binnen in het restaurant een knappe advocate te wachten tot hij haar op de een of andere geraffineerde, volwassen manier probeerde te versieren. Hij stond op het punt weer naar binnen te gaan toen hij een icoontje zag oplichten, dat hem vertelde dat er een bericht was ingesproken.

Hij luisterde zijn voicemail af en hoorde een vrouwenstem met een zuidelijk accent: 'Hallo, luitenant-generaal Vermulen? U spreekt met Briana, vanuit het kantoor van de voorzitter van de Commissie van Nationale Waarden, hier in Dallas. Ik weet dat u er belangstelling voor had onze organisatie toe te spreken. Welnu, overmorgen hebben wij een bijeenkomst van onze medeoprichters in Fairfax, Virginia, en een van onze sprekers is helaas verhinderd. Ik begrijp dat het heel kort dag is, meneer, maar als u zijn plaats zou willen innemen, zouden wij daar heel blij mee zijn.'

Vermulen luisterde de rest van de boodschap af, waarin zij hem vertelde hoe hij zijn komst kon bevestigen. Toen hij terugliep naar het restaurant keek hij een stuk opgewekter dan toen hij het had verlaten.

13

Carver begon eindelijk vooruitgang te boeken. De afgelopen ochtenden had hij een kort wandelingetje kunnen maken door de tuinen die de kliniek omringden. Alix wandelde met hem mee en vertelde hem geduldig de namen van iedereen die zij tegenkwamen, dezelfde namen die zij hem de dag ervoor ook al had verteld. Ze speelden kleine spelletjes om te zien of hij vanaf verschillende plekken op het terrein de weg terug kon vinden naar de hoofdingang. De enkele keren dat hij daarin slaagde, of een gezicht herkende, lichtte Carvers gezicht op met een jongensachtige blijdschap, trots op zijn eigen prestatie. Maar net zo vaak raakte hij door iets of iemand in paniek. Hij hoefde alleen maar een plotselinge harde stem te horen; een haperende startmotor; zelfs de lage winterzon die hem even verblindde kon al voldoende zijn om hem ineen te doen krimpen en een jammerende angstaanval te bezorgen, zodat er van alle kanten verpleegsters kwamen aanrennen om hem kalmerende middelen toe te dienen en hem in een rolstoel terug te rijden naar zijn kamer.

Er kwam een moment, toen zij zag hoe zijn in elkaar gezakte lichaam na weer zo'n paniekaanval werd weggereden, dat Alix zich realiseerde dat ze zo niet verder kon. Het was niet alleen het geldgebrek, hoe ernstig dat ook was, het was ook een kwestie van zelfbehoud. Ze moest een manier vinden om hem beter te maken, niet alleen voor hem, maar ook voor haar: voor hen allebei. Met elke dag die voorbijging voelde ze zich een beetje minder verliefd worden en dat vond ze afschuwelijk. Haar gevoel voor Carver was de enige oprechte emotie in haar leven. Als ze dat verloor, zou ze alles kwijt zijn.

Ze liet Carver slapend in zijn bed achter en ging terug naar het appartement, vastbesloten om niet alleen haar lot in eigen hand te nemen, maar misschien ook het zijne. Terwijl ze de geur en de neerslachtigheid van de kliniek van haar lichaam en uit haar haren waste, herinnerde ze zichzelf aan de goedgetrainde, vindingrijke agente die ze ooit was geweest. Wat zou die vrouw nu doen? Simpel: ze zou zich vermannen en aan de slag gaan.

Tegen de tijd dat ze een lunch had klaargemaakt, had ze een besluit genomen.

Ze trok de schoonste, minst vormeloze spijkerbroek aan die ze kon vinden, een simpel wit T-shirt en haar winterjas, met een sjaal om haar nek en een baret op haar hoofd. Haar enige zonnebril en haar portemonnee stopte ze in haar schoudertas. Ze pakte een kleine draadschaar uit de keukenla, waar Carver wat gereedschap in bewaarde. Ze was er helemaal klaar voor, ze had een plan en alleen al het gevoel dat ze weer een doel had, dat gevoel van vastberadenheid, maakte dat ze zich beter voelde dan ze in maanden had gedaan.

Haar eerste KGB-operaties hadden plaatsgevonden in luxueuze hotels, in Moskou of in Leningrad. Ze wist hoe het er in zo'n hotel aan toe ging en voelde zich thuis tussen het personeel en de gasten. Dat was waar ze aan de slag zou gaan.

Haar eerste keus was het Impérial, een van de chicste hotels van de stad. Er logeerden rijke buitenlandse toeristen en zakenlieden, en de bankiers en diplomaten van Genève bezochten de bars en restaurants. Het was de perfecte omgeving voor Alix om haar oude magie opnieuw te ontdekken. Allereerst moest ze zich echter op haar rol kleden, en aangezien ze geen geld had om de juiste kleren te kopen, moest ze een andere manier bedenken om eraan te komen.

Ze liep langs de voorkant van het hotel en om het gebouw heen naar de personeelsingang aan de achterzijde. De ingang was breed genoeg om bestelwagens binnen te laten die er hun goederen kwamen lossen. Aan één kant bevond zich een portiersloge, met tijdklokken aan de muur, waar schoonmakers, keuken- en onderhoudspersoneel konden in- en uitklokken. Alix liep naar de portier en sprak hem aan in haar slechtste Frans met haar zwaarste Russische accent.

'Excuseer, alstublieft,' zei ze.

De portier zat een roddelblaadje te lezen en negeerde haar.

'Excuseer,' herhaalde ze. 'Heb afspraak met hoofd huishouding, drie uur, voor baantje krijgen kamermeisje.'

De portier keek met tegenzin naar de afsprakenagenda die voor hem lag. 'Naam?'

'Yekaterina Kratochvilova,' zei Alix heel snel en in een onverstaanbare stortvloed van lettergrepen.

De portier staarde hulpeloos naar de opengeslagen bladzijde en er verscheen een boze frons op zijn gezicht. Hij had duidelijk geen flauw idee wat ze zojuist had gezegd. 'Je staat er niet in,' zei hij. 'Kom een andere keer maar terug.'

'Kan niet! Ik maken afspraak. U alstublieft nog een keer kijken, Yekaterina Kratochvilova.'

Er liepen twee geüniformeerde kamermeisjes voorbij, die omkeken om te zien wat er aan de hand was. Alix keek hen aan.

'Misschien jullie helpen,' zei ze tegen hen. 'Ik kom voor hoofd huishouding, met afspraak. Ik kan haar nu spreken, ja?'

De meisjes keken naar de portier om te zien wat hij ervan vond.

'Ik ga er niet over,' hield hij vol. 'Ze staat niet in het boek.'

Alix wierp nog een smekende blik op de vrouwen. Ze had haar toneelstukje zorgvuldig gepland. Om een uur of drie 's middags waren alle vertrekkende gasten al weg en hun kamers in orde gemaakt voor de volgende gasten, die dan echter nog niet waren gearriveerd. Het was de rustigste tijd van de dag, waarop zelfs het drukst bezette hoofd van de huishouding wel even een ogenblikje had voor een onverwachte sollicitant.

Een van de meisjes kreeg medelijden. 'Ik ga haar wel even halen,' zei ze.

'Dank u, dank u,' zei Alix dankbaar, terwijl de portier onverschillig toekeek.

De kamermeisjes verdwenen.

Alix deed een paar stappen naar achteren, uit het licht.

De portier boog zich weer over zijn roddelblaadje.

Aan het einde van de gang verscheen een vrouw van middelbare leeftijd, met een strakke mond en een strenge blik, haar staalgrijze haar in een knot en een leesbril aan een gouden kettinkje om haar nek. Ze praatte met het kamermeisje, duidelijk geïrriteerd.

Het kostte Alix niet meer dan een paar tellen om het beeld van het hoofd van de huishouding in haar geheugen te prenten. Toen glipte ze, zonder dat iemand het in de gaten had, weg van de ingang. Tegen de tijd dat de vrouw de portiersloge had bereikt, was ze allang verdwenen.

Het was halfzeven, en Alix zat in een bus, drie stoelen achter het hoofd van de huishouding, die op weg was naar huis. Alix wist dat de vrouw niet alleen over haar eigen sleutels voor elke werkruimte in het hotel moest beschikken, maar ook over een pasje dat haar toegang verschafte tot alle hotelkamers. Kamermeisjes hadden ook zulke pasjes, maar die droegen ze aan een riempje om hun middel zodat ze ze niet konden verliezen of kwijtraken. Alleen personeel dat zo hooggeplaatst was als een hoofd van de huishouding mocht sleutels in een handtas mee naar huis nemen. Op de een of andere manier moest Alix in die tas zien te komen.

Het gebeurde in een buurtsupermarkt. Alix keek hoe de vrouw bij het eerste gangpad bleef staan, haar hand in haar tas stak om haar boodschappenlijstje te pakken en de tas open liet staan terwijl ze haar leesbril opzette en met haar vinger het lijstje langsging, in gedachten alles afvinkend wat ze nodig had.

Alix liep langs en keek in het voorbijgaan even in de tas. Ze zag heel duidelijk twee sleutelbossen: een kleine ring met auto- en huissleutels eraan, en een veel grotere bos hotelsleutels, waarvan er één op een creditcard leek. Dat was het pasje dat Alix wilde hebben.

Vervolgens moest ze zeker tien minuten wachten, geplaagd door een toenemende frustratie, voordat ze een kans zag. De vrouw was al bijna bij de kassa toen ze opeens midden in een gangpad bleef staan. Ze zette haar bril weer op haar neus, keek weer op haar lijstje, maakte een boos sissend geluid om haar eigen vergeetachtigheid en liep verder naar een ander gangpad, haar boodschappenwagentje achterlatend.

Alix liep kalm op het wagentje af. Zonder plotselinge bewegingen te maken, reikte ze met haar draadschaar in de tas en knipte de schakel door waarmee het pasje van de huishoudster aan haar sleutelring zat bevestigd. Ze verborg het pasje in haar handpalm en stopte het vervolgens in haar eigen schoudertas. Bij de kassa betaalde ze voor een krop sla en een potje bolognesesaus, waarna ze in de avond verdween.

14

Er waren slechts tachtig mensen in de eetzaal van het luxehotel in McLean in Virginia, een paar kilometer van Washington vandaan, toen luitenant-generaal Kurt Vermulen zich opmaakte om de Commissie voor Nationale Waarden toe te spreken.

De mannen in het publiek – vrouwen waren niet uitgenodigd – behoorden tot de absolute kern van een geheimzinnige organisatie. Onder de leden bevonden zich de zwaargewichten binnen het Amerikaanse conservatisme: politici, predikanten, lobbyisten, strategen, juristen, academici en zakenlieden. De broederschap had miljoenen leden en hun gezamenlijke vermogens liepen in de miljarden. Ze konden kandidaten financieel steunen of televisiestations boycotten. Hoewel zij vooralsnog geen macht hadden binnen het Witte Huis, oefenden ze wel degelijk enorm veel, zij het goed verhulde, invloed uit op de politiek van hun land.

Onder de toehoorders bevond zich Waylon McCabe, die met grote belangstelling toekeek toen Vermulen naar het podium liep.

De Nationale Waarden waarmee de commissie zich bezighield werden op een nogal bijzondere manier gedefinieerd. Zo beschouwde zij het als immoreel, ja, zelfs godslasterlijk, om God buiten de regering te houden. Hun God echter, was een zeer specifieke doopsgezind christelijke godheid, en zij beschouwde volgelingen van de islam met een angst en een haat die alleen werd geëvenaard door de afkeer die de islamieten voelden voor Amerika's duivelse kruisvaarderscultuur.

Dit waren niet Kurt Vermulens waarden. Hij geloofde in God, maar zijn geloof was een persoonlijke aangelegenheid. Wanneer het aankwam op het land waarvoor hij zo vaak zijn leven had gewaagd, geloofde hij dat de Grondwet een veel belangrijker document was dan de Bijbel, en dat de grondvesters van de natie heel goed geweten hadden wat ze deden toen ze een scheiding van Kerk en Staat voorstelden.

Op dit moment bevond hij zich even niet in een positie om over dergelijke filosofische details in discussie te gaan. Hij had alle vrienden nodig die hij kon krijgen, en als dat betekende dat hij zijn toehoorders in hun eigen taal moest toespreken, dan zou hij dat doen. Hij sprak een waarschuwing uit voor een oorlog die de hele wereld kon overspoelen, een strijd op leven en dood tussen religies en beschavingen. En het was, zei hij, een oorlog die Amerika zichzelf op de hals had gehaald.

'Ik was erbij toen het allemaal begon,' zei hij, op kalme, maar intense toon. 'Ik was getuige van onze fatale vergissing.'

Hij nam hen mee terug naar het eind van de zomer van 1986 en de eerste, geheime zendingen van Stinger-luchtdoelraketten door de VS aan de moedjahedien, de verzetsstrijders die tegen de Sovjetinvasie in Afghanistan vochten. 'Ze noemden die strijd de jihad, wat letterlijk de inspanning, of de strijd betekent. Voor hen was het een strijd tegen de vijanden van de islam. Het was hun plicht te vechten voor hun God.'

Vermulen was geen groot spreker. Hij was meer een man van actie en sprak heel eenvoudig, zonder de bloemrijke uitdrukkingen van een predikant als Ezekiel Ray. Maar hij voelde de atmosfeer in de zaal veranderen toen hij sprak over mannen die voor God streden. Dit was taal die deze mannen verstonden, ook al hadden zij zelf een andere God.

'Deze jihadstrijders kregen dus onze dodelijkste wapens en werden onder mijn leiding door Amerikaanse militaire adviseurs opgeleid om ze te gebruiken. Wij dachten dat wij ze leerden tegen communisten te vechten. We vergaten even dat wij ze ook leerden tegen ons te vechten. En pas toen het Rode Leger in 1989 eindelijk uit Afghanistan werd verdreven, begonnen wij door te krijgen dat de strijders van de jihad niet alleen een hekel hadden aan Russen, maar ook aan Amerikanen, christenen. Op dat moment was er al een lijst opgesteld van alle mannen die als moedjahedien hadden gevochten. Het was een lijst van namen en contactadressen die 'de basis' werd genoemd, of in het Arabisch, *al-Qaida*.

Een jaar later, in augustus 1990, viel Saddam Hussein, dictator van Irak, de moslimleider van een moslimnatie, Koeweit binnen, eveneens een moslimnatie en trok met zijn legers regelrecht naar de grens van Saoedi-Arabië. En ik neem aan dat jullie allemaal weten welke godsdienst ze daar aanhangen.'

Er werd gelachen in de zaal, een opgeluchte bevrijding van de spanning. Toen het wegstierf, zei Vermulen: 'Wij versloegen de slechteriken, gaven de Koeweiti's hun land terug en hielpen onze Saoedische bondgenoten. Maar de mannen van al-Qaida en hun bondgenoten in de Egyptische jihad gaven daar niet om. Wat hun betreft was de aanwezigheid van ongelovige Amerikanen in hetzelfde land als de heilige schrijnen van Mekka en Medina een zondige bezoedeling. Ze haatten ons omdat wij daar waren en hebben het ons nooit vergeven.

Wij weten dus dat die lui er zijn. Wij kennen hun plannen om tegen ons, tegen ons geloof en tegen onze manier van leven te strijden. Ze hebben al Amerikaanse strijdkrachten in Soedan, Saoedi-Arabië en Aden aangevallen. Maar ze vonden het niet genoeg om Amerikanen te doden. Ze wilden Amerika zelf treffen. Jullie weten dat op 26 februari 1993 islamitische terroristen een zevenhonderdvijftig kilo zware bom onder het World Trade Center in de stad New York tot ontploffing brachten. De mannen die die aanslag uitvoerden hadden banden met al-Qaida en ook met onze eigen inlichtingendiensten. De samenzweerders van het Trade Center gebruikten een handleiding voor het vervaardigen van bommen die ze van de CIA hadden gekregen. Ook hadden ze de beschikking over legerhandleidingen van onze eigen Special Forces Warfare Center. Wij hebben die kerels zelf geleerd hoe ze ons op moeten blazen en dat doen we nog steeds.

Kijk maar eens naar de burgeroorlog die de Europese natie die ooit Joegoslavië was uiteen heeft gereten. Door Amerikaanse bedrijven getrainde en bewapende islamitische jihadstrijders waren actief in Bosnië en bemoeien zich met het conflict dat op dit moment in Kosovo begint. Al-Qaida en de Egyptische jihad opereren in Albanië en voormalig Joegoslavië. Hun doel is die oorlog te gebruiken als middel om een achterdeur te creëren naar West-Europa. Toch blijven het Pentagon, Binnenlandse Zaken en de CIA de dreiging ontkennen. Heren, dit is waanzin.'

Voor het eerst verhief Vermulen zijn stem en legde extra nadruk op zijn woorden. Hij had zijn toespraak ingedeeld als een langeafstandsrenner die tot de laatste ronde wacht om een laatste grote inspanning te leveren. Waylon McCabe was onder de indruk. Hij begon te begrijpen hoe Vermulen nog voor zijn vijftigste verjaardag zijn drie sterren had verdiend.

'Ik vrees dat wij getuige zijn van de eerste schermutselingen in een grote oorlog tussen religies die de toestand in de wereld voor de komende tientallen jaren, misschien zelfs eeuwen, kan gaan bepalen,' vervolgde de generaal. 'De soldaten van de islam zullen geen tanks of raketten gebruiken, maar bommen, vastgemaakt aan hun eigen lichaam. Want zij zijn bereid alles, inclusief hun eigen leven, op te offeren, terwijl te velen van ons niet de moed of de wilskracht hebben om ook maar iets op te offeren.

Onze maatschappij is week. Onze leiders durven het electoraat niet met de waarheid te confronteren. Zij willen zelf niet eens de waarheid horen. En daarom kom ik naar jullie toe, de leden van de Commissie voor Nationale Waarden, omdat ik weet dat jullie zullen begrijpen wat er hier op het spel staat.

Wij slaapwandelen regelrecht op een ramp af. En als we niet wakker worden, worden onze waarden, onze vrijheid en ons geloof in onze slaap vermoord.

Dank u.'

Terwijl het applaus weergalmde tegen de houten panelen van de ruimte, bleef Waylon McCabe stilzitten. Hij keek naar Kurt Vermulen, zorgvuldig zijn woorden kiezend. Toen het rumoer was weggestorven en Vermulen weer op zijn plaats was gaan zitten om handen te schudden en schouderklopjes in ontvangst te nemen, ging McCabe naar hem toe. Hij gaf Vermulen zijn visitekaartje, boog naar hem toe en fluisterde in zijn oor:

'Mooi gesproken, generaal. Mijn naam is McCabe. Ik denk dat ik u kan helpen. Misschien kunnen we het daar eens over hebben.'

Toen draaide hij zich met een haastig 'Neem me niet kwalijk' om, boog zijn schouders en sloeg zijn hand voor zijn mond terwijl zijn hele lichaam door elkaar werd geschud door een hoestbui, hem eraan herinnerend dat zijn dood nabij was.

15

Alix zette haar zonnebril op en liep toen Hotel Impérial binnen alsof de hele tent van haar was. Zelfvertrouwen was de sleutel tot acceptatie. Behalve een enkele blik in het voorbijgaan, besteedde niemand enige aandacht aan haar toen zij de trap op liep naar de slaapkamers op de eerste verdieping.

Ze liep naar het einde van de gang, keek om zich heen om te zien of er niemand in de buurt was en klopte op een deur.

'Entrez!' klonk een stem met een zwaar Engels accent.

Voordat ze weg kon lopen, ging de deur al open. In de deuropening verscheen een man van middelbare leeftijd, zó uit de badkamer, met een handdoek om zijn middel. Hij trok een wenkbrauw op en nam haar van top tot teen op.

'Ja? Wat kan ik voor u doen?'

'Sorry,' stamelde ze, 'verkeerde kamer.'

'Nou, daarom mag je nog wel binnenkomen,' zei hij, met een ongegrond vertrouwen in zijn verleidingstechnieken.

Zij schudde haar hoofd en haastte zich weg. De man keek haar nog even na en verdween toen weer in zijn kamer.

Ze probeerde het nog een keer, aan de andere kant van de gang. Er kwam geen reactie. Ze liet haar pasje door de gleuf in het slot glijden en er verscheen een groen lichtje op de deurknop.

De kamer was niet in gebruik, de bedden onbeslapen, de kasten leeg.

De gast van de derde kamer was niet aanwezig, maar hij was een man alleen, die niets bij zich had wat Alix kon gebruiken.

In de vierde kamer die ze probeerde, had ze eindelijk beet. Hier logeerde een echtpaar. Op hun bagagelabels stond de naam Schultz vermeld. Het leek erop dat ze een avondje uit waren. Hun kleding van overdag lag op het bed en de stoelen, op de badkamervloer lagen natte handdoeken en rond de marmeren wasbak lag allerlei Chanel-make-up verspreid. De bagage van de vrouw wees op een druk uitgaansleven, want behalve wat ze vanavond had aangetrokken, hingen er nog twee avondjaponnen in de kast. De jurken waren niet Alix' smaak, maar de mooie zwartleren sandaaltjes met hoge hakken op het schoenenrek eronder zaten haar als gegoten. Tegen de tijd dat ze wegging, vijf minuten later, zaten de schoenen in haar tas en was haar gezicht opgemaakt met een vers laagje foundation en blusher.

Op de tweede verdieping klopte ze op een deur, kreeg geen reactie, liep naar binnen en trof een stelletje aan dat de liefde lag te bedrijven. Ze hadden de lichten gedimd en de muziek nogal hard staan. Ze was de kamer al weer uit voordat zij zelfs maar in de gaten kregen dat zij er was.

Vijf kamers later kwam zij weer naar buiten met een zwartzijden korset onder Carvers winterjas en glanzende donkerrode lippen, dankzij de Christian Dior van een andere vrouw. Op de derde verdieping excuseerde Alix zich tegenover een Afrikaanse vrouw van ongeveer haar eigen leeftijd en een paar deuren verder tegenover een Chinese zakenman die hard zat te werken aan zijn laptop. Maar een andere kamer die ze probeerde, leverde een zwart rokje op dat op precies de juiste plaatsen strak om haar lijf zat en een paar dunne zwarte kousen die ze eronder kon dragen.

Tijdens haar tocht door het hotel had ze nagedacht over sieraden. In een van de kamers lag een paar simpele diamanten oorknopjes die haar outfit helemaal zouden hebben afgemaakt. Maar iemands diamanten stelen leek net een stap te ver, zowel moreel als praktisch. Niemand belde de politie als er een rokje onvindbaar was. Maar zodra ze hun glimmers misten wisten ze niet hoe snel ze op de paniekknop moesten drukken.

Ze ging nog een verdieping hoger. Daar had ze het pasje van de huishoudster al nodig om uit de lift te kunnen komen.

Op de begane grond, in het kantoor achter de receptiebalie, zat de dienstdoende manager van het hotel de laatste telefoonlijsten te controleren, om een klacht te onderzoeken van een gast die bij hoog en bij laag volhield dat hij te veel telefoonkosten moest betalen. Een computeruitdraai hield alle gegevens van een kamer bij, inclusief het gebruik van telefoons en sleutelkaarten. Het viel de manager op dat een van de sleutelkaarten van het personeel was gebruikt om toegang te krijgen tot een groot aantal kamers, op ten minste twee verdiepingen. De printer kwam tot leven en spuwde nog meer gegevens uit. Hetzelfde pasje, ditmaal gebruikt om de liftdeur op de vierde verdieping te openen.

De manager zuchtte geërgerd. Dit was wel het laatste wat hij op dit moment kon gebruiken. Hij controleerde het nummer van de sleutelkaart. Hij was van Madame Brix, het hoofd van de huishouding. Zij was bijna twee uur geleden naar huis gegaan en het was ondenkbaar dat zij bewust iemand anders haar kaart zou laten gebruiken.

Hij pakte de telefoon en belde het hoofd van de beveiliging.

16

Toen ze in de passpiegel keek, haar net gesprayde haar wat liet opbollen, haar borsten wat beter in het korset stopte en de snit bekeek van het korte zwarte jasje dat ze zojuist had ontvreemd, voelde Alix zich als herboren. Voor het eerst in maanden herkende zij het gezicht weer dat haar vanuit de spiegel aankeek en was ze blij met wat ze zag. Het was alsof ze een stel verloren gewaande vrienden had teruggevonden, niet alleen haar uiterlijk, maar ook haar zelfverzekerdheid, haar zelfvertrouwen en zelfs macht. De slonzige, onderdrukte vrouw die zij vanmorgen nog was geweest, was verdwenen. Dit was de echte Alexandra Petrova.

Tevreden met haar geslaagde gedaanteverwisseling, stopte zij haar oude jeans, T-shirt, sjaal, hoed en tas in een van de hotelwaszakken die in de garderobekast van de suite lagen. Ze kon ze eigenlijk niet missen, maar ze vormden een noodzakelijk offer. Alleen haar jas, en de portemonnee die ze in een van de zakken had gestopt, zou ze bij zich houden. Vervolgens liep ze de badkamer van de suite binnen, nam een tissue uit een doos, veegde alle oppervlakken schoon die ze had aangeraakt en spoelde het doekje door het toilet. Toen pakte ze nog een tissue, voor de deurknop, en verliet de suite, met medeneming van haar jas, portemonnee en de waszak.

De suite bevond zich aan het einde van de gang, naast de nooduitgang. Toen ze erlangs liep, meende Alix voetstappen te horen. Ze opende de deur op een kier en luisterde. Ja, het waren beslist voetstappen, van verschillende personen, die de trap op kwamen. Ze mompelde een Russische verwensing. Het hoofd van de huishouding moest haar vermiste sleutel hebben aangegeven. Ze zaten achter haar aan.

Ze keek de gang in. Als er mannen de trap op kwamen, zouden anderen de lift nemen. Ze hoopte dat ze nog voldoende tijd had.

Terwijl ze de jas en de zak bij de deur liet liggen, rende ze de suite weer in. Een paar openslaande deuren voerden van de zitkamer naar een balkon met een prachtig uitzicht over de stad. Ze gooide de deuren wijd open, rende toen naar de badkamer, wikkelde de sleutelkaart in toiletpapier, om hem te laten zinken, en trok hem door. Toen stormde ze naar de deur, die ze open liet staan.

De voetstappen vanuit het trappenhuis klonken nu nog luider. Waarschijnlijk bevonden ze zich al op de verdieping onder haar.

Alix begon naar de lift te lopen. Onderweg hing ze nog snel de waszak om de deurknop van een andere kamer. Het huishoudelijke personeel zou hem meenemen en alles wassen wat erin zat, waarmee elk spoor van haar identiteit zou verdwijnen.

Toen de liftdeuren opengingen en het hoofd beveiliging van het hotel en zijn mannen naar buiten kwamen, stond zij al te wachten. Alle mannen zagen een wulpse blondine nonchalant tegen de gangmuur geleund staan, met haar handen op haar rug en haar tieten half uit een sexy korset. Niemand van hen zag een dief met een jas in haar handen. Tegen de tijd dat de liftdeuren achter hen dicht gleden was zij al langs hen heen geglipt en drukte op het knopje voor de begane grond.

Alix slenterde naar de hotelbar. De blikken van mannen verwarmden haar als zonneschijn en deden haar opbloeien. De vrouwenogen waren een uitdaging die ze aandurfde. Haar rug was rechter, haar kin trots geheven en haar manier van lopen net iets verleidelijker in haar strak gesneden rokje en torenhoge hakken. Ze dacht aan de laatste keer dat ze dit had gedaan en de nacht die daarop was gevolgd. Toen bestelde ze een kir royale.

'Zet maar op rekening van kamer 138,' zei ze tegen de barman, terwijl ze op een kruk aan de bar ging zitten. 'De naam is Schultz.'

Ze keek met geoefende blik om zich heen, op zoek naar de beste slachtoffers. Haar ogen bleven rusten op een man die alleen aan een tafeltje zat, aan de andere kant van de bar. Zijn donkere haar, achterover gekamd over een gebruinde maar kalende schedel, begon een beetje grijs te worden aan de slapen. Zijn donkerblauwe pak was onberispelijk, zijn zijden stropdas perfect gekozen bij het hemelsblauwe katoenen overhemd. Het horloge was een gouden marinemodel, aan een glimmend bruin leren bandje. Hij was, kortom, de belichaming van mondaine, middelbare, Europese rijkdom. En hij keek Alix aan met een glimlach om zijn mond die deed vermoeden dat hij exact wist wat zij van plan was. En daar absoluut niets op tegen had.

Ze deed net alsof ze geen aandacht aan hem besteedde. Maar vanuit haar ooghoeken, zag ze hem een kelner wenken en deze een velletje papier overhandigen. Nog geen halve minuut later werd er een vers, bruisend glas kir voor haar neergezet. Onder het glas lag een briefje. Het enige wat erop stond was: Ponti, 446, 10 min.' Tegen de tijd dat ze omkeek om te bevestigen dat ze de boodschap had gekregen, was zijn tafeltje leeg. Ze was onder de indruk. Deze man was net zo ervaren als zij.

Nu lag de deal dus op tafel. Het enige wat ze nu nog hoefde te doen was naar boven gaan en haar aandeel van een beschaafde, volwassen transactie vervullen. Al haar jaren van ervaring, en zijn eigen kalme inschatting van de situatie, vertelden haar dat Ponti een bekwame, ervaren minnaar was. Hij zou niet krenterig of terughoudend zijn. Als de avond naar wens verliep en hij was een regelmatige bezoeker van de stad, bestond de kans dat hij een vaste regeling zou voorstellen. Haar financiële veiligheid zou gegarandeerd zijn en daarmee ook Carvers behandeling. Beter had ze het zich niet kunnen wensen.

En dat was nu precies wat haar deed inzien dat ze dit eenvoudig niet kon doorzetten. Ze kon zichzelf niet langer voor de gek houden. En wat nog belangrijker was, op die voorwaarden kon ze Carver niet redden. Ze probeerde zich voor te stellen wat hij zou denken als hij wist waar ze mee bezig was. Zou hij zeggen dat ze het toch moest doen?

Die vraag was snel beantwoord.

Ze verliet de bar, haalde haar jas uit de garderobe en liep het hotel uit. Ze voelde zich totaal verslagen.

Al haar hervonden zelfvertrouwen was verdwenen, zodat ze zich nog verlorener voelde dan eerst. Ze had geprobeerd haar toekomst in eigen hand te nemen, de man van wie ze hield te redden, maar haar pogingen waren op niets uitgelopen. Haar nederlaag was compleet.

17

Er stond een karretje van roomservice met whisky en een ijsemmer in de suite van Waylon McCabe. McCabe verzocht Vermulen met een gebaar om plaats te nemen en schonk een whisky voor hem in. Toen bediende hij zichzelf en ging ontspannen in de stoel tegenover hem zitten. Terwijl hij dat deed, schoof zijn broekspijp een eindje omhoog en onthulde daarmee het prachtig bewerkte leer van zijn op maat gemaakte, vijfduizend dollar kostende, zwarte laarzen van Tex Robin in Abilene. Zijn pak mocht dan van een exclusieve kleermaker in New York komen, maar zijn laarzen waren puur Texaans.

'Zo, dus u denkt dat dat al-Qaida een serieuze dreiging vormt?' vroeg McCabe, als inleiding tot een gesprek.

Vermulen knikte. 'Ik denk dat het een duidelijk aanwezig gevaar is voor de veiligheid van de Verenigde Staten en onze bondgenoten, ja.'

Het was nu vijf jaar geleden dat McCabe zich had laten dopen, maar hij dacht nog steeds als een zakenman. Hij zag de wereld nog steeds in termen van zakelijke transacties.

'Waarom gaan we dan niet met hen om de tafel zitten, zodat we kunnen kijken wat ze nu eigenlijk willen en afspraken kunnen maken?' vroeg hij.

'Er vallen geen afspraken te maken,' zei Vermulen, met absolute zekerheid. 'Ze zijn niet geïnteresseerd in onderhandelingen. Er valt niet redelijk met hen te praten, ze laten zich niet zoethouden en zeker niet op andere gedachten brengen. Ze weten wat ze willen en met minder nemen ze geen genoegen.'

'En dat is...?'

Vermulen kon het lijstje zo opdreunen: 'De verwijdering van alle Amerikaanse troepen van Saoedische bodem, de vernietiging van Israël, de omverwerping van alle regeringen in het Midden-Oosten die vriendschappelijke banden onderhouden met het Westen, en het opzetten van een moslimwereldrijk, geregeerd door religieuze moslimwetten. Dat noemen ze het kalifaat.'

'Die mensen moeten een leider hebben,' zei McCabe. 'Wie is dat en wat is het voor iemand?'

'Ze noemen hem de Sjeik.' Vermulen liet de whisky ronddraaien in zijn glas en keek naar de lichtpatronen die erdoorheen schenen terwijl hij intussen zijn gedachten op een rijtje zette. 'Toen ik hem leerde kennen, in Peshawar, was hij een jaar of dertig, een jonge man nog. Hij had donker haar en een volle baard. Hij was lang en erg slank – heel rijk ook, een goed opgeleide man van de wereld, met familie die op dit moment hier in de Verenigde Staten woont. Maar hij kleedde zich in eenvoudige gewaden en at nagenoeg niets: wat zuurdesembrood, yoghurt en een handjevol rijst, dat was voor hem al een feestmaal. Zijn mensen wisten dat als zij honger hadden, hij dat ook had. Hij is een begenadigd spreker, een geboren leider, sterk en onbevreesd in de strijd. Ik bedoel, ik geloof wel dat hij slecht is, maar ik moet er tevens bij zeggen dat het hier om een bijzonder indrukwekkend mens gaat.'

McCabes gezicht verraadde niets. Vanbinnen was hij echter helemaal in vervoering. Zijn instinct had hem niet bedrogen: Vermulen beschreef hier de Antichrist. De profetieën kwamen uit. Hij zag een pad voor zich oplichten, een weg naar verlossing en onsterfelijkheid.

'Eens kijken of ik het goed begrepen heb,' zei hij. 'Die Sjeik heeft dus een privéleger. Hij kan mensen naar zijn hand zetten, hij wil de Joden vernietigen, hij haat het christendom en hij wil de heerschappij van Allah over de hele wereld invoeren. Dat is toch wat u zegt?'

'Kort samengevat, ja, inderdaad. Ziet u, voor een gelovig moslim is de wereld in tweeën verdeeld. Eerst heb je de moslimwereld, waar zij in alle veiligheid hun godsdienst kunnen uitoefenen en de islamitische wetten kunnen volgen. Dat noemen zij *dar al-islam*, wat Huis van Vrede betekent. De rest van de wereld, dat is *dar al-Harb*, het Huis van de Oorlog. En de radicale, fundamentalistische islamitische geleerden beweren dat diegenen die in het Huis van de Oorlog leven geen recht op leven hebben. Sterker nog, het is hun godsdienstige plicht hen te vermoorden. En wat zij daarmee bedoelen is ons, Amerikanen, vermoorden.'

'Maar u hebt geprobeerd mensen te waarschuwen...'

'Zoveel ik kan. Ik spreek met contacten in Washington, de mensen met wie ik elke dag zaken doe. Ik leg hun de bewijzen voor, meneer McCabe. Probeer hen zover te krijgen dat zij de dingen zien zoals ik ze zie.'

'Maar het werkt dus niet, generaal? U probeert uw zaak duidelijk uiteen te zetten, maar het lukt u niet de jury te overtuigen.'

Vermulen grijnsde. 'Zoiets ja.'

McCabe haalde gemoedelijk zijn schouders op, waarmee hij Vermulen voor zich innam en zichzelf neerzette als de bondgenoot die hij nodig had.

'Nou ja, dat is dan hun probleem, want mij hebt u wel degelijk overtuigd. Ik voel dat die oorlog eraan komt en ik wil u helpen om de noodklok te luiden. Maar ik zou nog eens goed nadenken over de manier waarop u mensen kunt overtuigen. Ik bedoel, als u de bewijzen die u nodig hebt niet kunt vinden, dan zult u er zelf een paar in elkaar moeten knutselen. Het zou niet voor het eerst zijn dat zoiets gebeurde. Johnson deed het met de Golf van Tonkin, en sleurde ons zo mee de Vietnamoorlog in. Verdorie, ik ben oud genoeg om me te herinneren hoe Roosevelt het flikte bij Pearl Harbor.'

'Ik geloof niet dat dat iets anders was dan een vijandelijke actie.'

'Dat zegt u, generaal, maar heel veel mensen zeggen iets anders. Het feit blijft dat u een eigen Pearl Harbor nodig hebt, iets spectaculairs, een moment van openbaring waardoor de hele wereld rechtop gaat zitten en zich richt op de dreiging waar we voor staan.'

McCabe legde nu het hele gewicht van zijn persoonlijkheid op Vermulen en zette al zijn bijna verleidelijk te noemen overredings- en onderhandelingskracht in die hij had verzameld in een leven lang goedkoop inkopen, duur verkopen en er altijd persoonlijk beter van worden.

'Weet u, generaal, u hebt me aan het denken gezet – sterker nog, u hebt me geïnspireerd. Wij gaan iets groots ondernemen, u en ik, en ik zal u vertellen wanneer dat gaat gebeuren: op eerste paasdag, de dag waarop we de overwinning op het kwaad en de dood vieren. Als u een tijdstip zoekt om terug te slaan naar de Antichrist, noem mij dan maar eens een beter moment.'

McCabe wachtte zijn antwoord niet af en ging meteen verder.

'Eens even zien,' zei hij, terwijl hij een dunne agenda uit zijn binnenzak haalde en erin begon te bladeren. 'Hier heb ik het... Dit jaar valt Pasen op twaalf april, over ruim twee maanden dus. Ik stel dus voor dat u eens nadenkt over wat ik heb gezegd. Wanneer u iets hebt verzonnen waar we allebei iets aan hebben, kom dan terug en leg het me voor. Als het me bevalt, neem ik alle kosten op me om het te realiseren.'

Toen hij Vermulen uitliet, zei McCabe: 'Wij gaan heel prettig samenwerken, generaal, ik voel het gewoon. Die Sjeik gaat erachter komen dat hij niet de enige is die vals kan vechten.'

18

Datum Opdracht: 25 september 1995
Locatie: Riverview Towers, Charoen Nakorn, Bangkok, Thailand
Doelwit: Wu Chiu Wai, alias Tony Wu
Doel Opdracht: Eliminatie van een belangrijke drugshandelaar, met bewezen banden met Engelse en Europese heroïnehandel
Uitvoerende: Samuel Carver (Honorarium: US $ 350.000)

Rapport: Van het doelwit was bekend dat hij wekelijks mahjong speelde met drie van zijn naaste medewerkers. Hierbij werden aanzienlijke bedragen vergokt en kwam het regelmatig voor dat op één avond een miljoen Amerikaanse dollar of meer van eigenaar verwisselde. De deelnemers sloten onder elkaar ook weddenschappen om zes- of zevencijferige bedragen af op de uitslagen van voetbalwedstrijden in Azië en in de Britse *Premier League,* en paardenrennen in Bangkok, Macau en Hongkong. Er kan in alle redelijkheid worden verondersteld dat als gevolg van deze weddenschappen met wedstrijd- en race-uitslagen werd geknoeid.

De locatie van de spelavond was een luxueus penthouseappartement op de vijfentwintigste verdieping van een gloednieuw flatgebouw, uitkijkend over de rivier Chao Phraya Rivier, door Wu speciaal uitgekozen uit veiligheidsoverwegingen. Het was het enige appartement op de bovenste verdieping van het gebouw. De enige interne toegang tot het appartement was een non-stop-expresslift, met gewapende bewakers, zowel op de bovenste verdieping als op de begane grond. Verder beschikte het appartement over eigen water-, electriciteits- en airconditioningfaciliteiten, onafhankelijk van die van de rest van het complex.

Freelanceagent Carver vond dat deze beveiligingsmaatregelen het appartement eerder meer dan minder kwetsbaar maakten. Hij ondernam zijn overval via het dak van het gebouw, om ongeveer 1.45 uur, in de nacht van 25 september. De weersomstandigheden waren die nacht erg ongunstig, met onweersstormen en hevige slagregens. Dit maakte de eerste stadia van de operatie veel gevaarlijker, maar zorgde ook voor een nuttige dekmantel.

Carver naderde het gebouw met een helikopter (zie bijgevoegde onkostentabel voor gedetailleerde specificatie van deze en andere uitgaven). De helikopter hing minder dan vijf seconden boven de Riverview Towers. Gebruikmakend van een SBS-standaard 2-inch hennep touw, vastgemaakt aan de bovenkant van de helikopter, daalde Carver snel af naar het dak, zich vlak voordat hij het raakte afremmend met zijn door zware leren handschoenen beschermde handen. Nadat hij zich van beschermende uitrustingsstukken had voorzien, liep hij vervolgens naar het ventilatiekanaal dat gebruikt werd voor het airconditioningsysteem van het appartement en wierp daar een granaat fentanylgas in, een snelwerkend slaapmiddel op opiumbasis.

Nadat hij vijf minuten in acht had genomen om het gas zijn werk te laten doen, klom Carver omlaag op het externe terras dat langs één kant van het penthouse liep om zich, nadat hij zich ervan had verzekerd dat Wu en zijn medewerkers buiten bewustzijn waren, met behulp van een glassnijder via de glazen terrasdeuren toegang te verschaffen tot de woonkamer, waar de mannen hadden zitten gokken.

De enige bewapende mannen in de woning waren Wu, die een Glock-.22-pistool bij zich had, en zijn lijfwacht, die gewapend was met een Steyr MPi69-machinepistool. Alle andere spelers waren gefouilleerd alvorens toegang te krijgen tot het appartement.

Carver zorgde er eerst voor dat alle vier de spelers rechtop rond de goktafel zaten. Vervolgens liep hij naar de gang van het appartement en sleepte de lijfwacht, die eveneens buiten bewustzijn was, de woonkamer binnen.

Vervolgens haalde Carver Wu's Glock uit zijn schouderholster, legde het in Wu's hand en vuurde drie schoten af: twee in de muur pal achter het bewusteloze lichaam van de lijfwacht, en één in de schedel van de lijfwacht waar de kogel – want een patroon met een laag kaliber – bleef steken en de lijfwacht onmiddellijk doodde.

Met het machinepistool van de lijfwacht vuurde Carver vervolgens een reeks korte salvo's af op de mahjongtafel, waarbij alle vier de mannen werden gedood. Hij zorgde er ook voor dat een aantal kogels hun kennelijke doelwit miste en de vlakglazen deuren raakte, zodat alle sporen van het gat dat hij daarin had gemaakt om binnen te komen werden vernietigd.

Na de helikopter een teken te hebben gegeven dat hij klaar was om te vertrekken, gebruikte Carver vervolgens de sigaretten van de gokkers (die alle vier zwaar hadden zitten roken) om brand te stichten in het appartement. Hij keerde op zijn schreden terug naar het terras en klom weer op het dak. Hij was alweer in de helikopter gehesen voordat in het appartement het brandalarm afging, waardoor de automatische sprinklers werden geactiveerd die de woonkamer blank zetten en dientengevolge het werk van forensische rechercheurs ernstig zouden bemoeilijken.

Toen de politie in het appartement arriveerde, kwam zij tot de conclusie dat de lijfwacht was ingehuurd om Wu te vermoorden, maar bij die poging zelf om het leven was gekomen. Eén overijverige forensisch rechercheur probeerde nog verschillende anomalieën aan te tonen in de bloedspatpatronen en de posities waarin de slachtoffers zich bevonden, maar aan zijn bevindingen werd geen aandacht geschonken. Plaatselijke politieautoriteiten en politici hadden het er veel te druk mee zich in de handen te wrijven over de dood van een belangrijke gangster om zich zorgen te maken over de onbeduidende details van zijn overlijden.

Conclusie: dit was een gewaagd plan, uitgevoerd met uitzonderlijke vastberadenheid en grondigheid door een agent die juist onder hoge druk blijk geeft van grote kalmte en extreme meedogenloosheid. Ik ben van oordeel dat onze belangrijkste en gevoeligste operaties bij Samuel Carver in goede handen zijn en zou persoonlijk niet aarzelen in de toekomst van zijn diensten gebruik te maken.

Getekend: Quentin Trench, Operations Director

'Nou, en dat heb je kennelijk gedaan ook, hè?' mompelde Jack Grantham bij zichzelf, terwijl hij het rapport neerlegde, een van de vele dossiers die in beslag waren genomen toen het Consortium discreet maar definitief was opgedoekt.

Grantham was een rijzende ster binnen de Britse geheime dienst, ook wel bekend als MI6. Zijn officiële staat van dienst was er een van constante prestaties, een vlekkeloos politiek oordeel en onberispelijk carrièremanagement. Hij had echter één besluit genomen dat, als het in de openbaarheid zou komen, zijn carrière eventueel kon ruïneren. Dat wilde niet zeggen dat het een slecht besluit was geweest, maar wel eentje met onvermijdelijke keerzijdes.

Op 3 september 1997 had Grantham, met de hulp van een collega van MI5, Samuel Carver opgepakt. Hij was er toen al volledig van op de hoogte wat Carver enkele nachten eerder in die Parijse tunnel had gedaan. Hij wist echter dat een openbaar proces in niemands belang was. Dus had hij een andere weg gekozen. Als een bureaucratische mefistofeles had hij bezit genomen van Carvers ziel.

'Jij bent van mij,' zei hij. 'Je hebt een schuld die je nooit zult kunnen inlossen. Maar je kunt iets goedmaken. Je kunt dingen doen voor mij, voor je land. Als je daarbij om het leven komt, vette pech. Als je opdracht slaagt, heb je iets goedgemaakt van het kwaad dat je hebt aangericht.'

Vervolgens liet hij Carver naar Zwitserland vliegen om een confrontatie aan te gaan met Yuri Zhukovski, de Russische oligarch die de stille kracht was geweest achter de aanval in Parijs. Nu was Zhukovski dood en was Carver krankzinnig.

Het was in zekere zin teleurstellend dat hij zo definitief was uitgeschakeld. Het had heel nuttig kunnen zijn om zo'n man tot zijn beschikking te hebben: onofficieel volstrekt loochenbaar. Aan de andere kant was er dan wel iets anders misgegaan. Er ging altijd wel iets mis. Intussen was Carver niet in staat om ook maar iemand iets te vertellen.

Per saldo, concludeerde Grantham, was dat eigenlijk toch wel een uitstekend resultaat.

Februari

19

Samuel Carver wist dat hij ooit marinier was geweest, maar alleen omdat Alix hem dat had verteld. Ze zei ook dat hij bij de speciale eenheden had gevochten, en had hem uitgelegd wat dat inhield.

'Ik kan parachutespringen en onder water zwemmen,' vertelde Carver trots aan de mensen in de kliniek. 'En ik kan met geweren schieten en explosieven gebruiken.'

Toch had hij niet echt een idee wat die woorden betekenden, of hoe het voelde om al die dingen te doen.

Carver kon er niet mee zitten. Hij had een glimlach op zijn gezicht die Alix' hart brak.

Samen met een stuk of zes andere patiënten volgde hij een fitnessles. Sommigen van hen waren zijn vrienden geworden. Hij had hen aan Alix voorgesteld, die verminkte individuen die al net zo hulpeloos en afhankelijk waren als hij. Als ze naar hen keek voelde ze zich net een moeder die werd geconfronteerd met een groepje disfunctionele kinderen. Maar van het hele groepje was Carver de enige die zich er met hart en ziel op stortte. Hij deed echt zijn best, en toen de instructeur riep: 'Goed gedaan, Samuel!' straalde zijn hele gezicht van blijdschap.

De oude Samuel Carver was liever doodgegaan dan verder te moeten leven als deze grijnzende dwaas.

Misschien was het dus maar beter dat hij geen herinnering had aan zijn vorige leven. Hij was zich totaal niet bewust van het geloof dat hij ooit had gehad in zijn eigen kunnen, noch van de kracht die hij had ontleend aan zijn absolute vertrouwen in zijn vermogen om zichzelf te verdedigen, degenen van wie hij hield te beschermen en zijn vijanden kwaad te doen. Zijn droge, sardonische gevoel voor humor was verdwenen. Hij was zelfs zijn elementaire, mannelijke behoefte aan seks kwijtgeraakt.

Alix werd gekweld door de gedachte, die af en toe geheel ongewenst bij haar opkwam, dat ook zij beter af was geweest als Carver was gestorven. Het was een wrede, weerzinwekkende gedachte, maar ze vertegenwoordigde wel een onmiskenbare waarheid. Hoe verdrietig zij ook werd van zijn huidige toestand, die maakte haar ook boos en daardoor werd ze ook kwaad op hem. Hun relatie kende geen goede kanten meer. Het enige wat ze er nog uit kon halen was de wetenschap dat ze zich nog schuldiger zou voelen als ze hem ooit in de steek zou laten.

Maar de nieuwe Carver was wel lief en dat was het vreemdste van alles. Af en toe moest Alix zichzelf eraan herinneren dat de man die ze miste, om wie ze zelfs rouwde, een moordenaar was geweest wiens talent voor egoïstische wreedheid hem slechts één stap verwijderd hield van de status van psychopaat. Het kinderlijke wezen dat hij was geworden kende geen enkele kwaadaardigheid en deed geen vlieg kwaad. Zelfs zijn glimlach had boosaardigheid ingeruild voor onschuld.

Maar hoe moest het verder met hem? In haar rechterhand hield Alix een gekreukelde enveloppe. Hij bevatte een brief van Marchand, de financieel directeur van de kliniek. Hij bevestigde de ontvangst van iets meer dan vijfduizend Zwitserse frank, die in de loop van de afgelopen paar weken was overgemaakt, maar moest tot zijn spijt mededelen dat dit bij lange na niet genoeg was om meneer Carvers rekeningen te betalen. Helaas had hij geen andere keus dan een deadline te stellen. Het openstaande bedrag moest binnen zeven dagen worden betaald. Daarna zou de patiënt worden verzocht te vertrekken en zou een gerechtelijke procedure in gang worden gezet om de rest van het geld alsnog te kunnen innen.

20

Na zijn gesprek met Waylon McCabe vroeg Kurt Vermulen zich af waar hij aan begonnen was. Hij wist dat hij niet in een positie verkeerde om kieskeurig te zijn. Na al die maanden te zijn genegeerd, kon hij moeilijk nee zeggen tegen een invloedrijke medestander met miljarden op de bank. Maar hij was niet naïef. Hij ging ervan uit dat McCabe er een eigen agenda op nahield, gemotiveerd door zijn religie. Voor Vermulen was het probleem van islamitisch terrorisme in de eerste plaats een veiligheidskwestie: hij had het christelijke element in zijn toespraak extra benadrukt omdat hij wist dat het indruk zou maken op de Commissie voor Nationale Waarden. McCabe echter had precies de tegenovergestelde prioriteiten en zou vroeg of laat in de openbaarheid willen treden met zijn standpunten.

Toch moest Vermulen toegeven dat McCabe op één punt wel gelijk had. Het was niet genoeg om mensen alleen te vertellen over de dreiging van islamitisch terrorisme; hij moest het op de een of andere manier aantoonbaar maken. McCabe stelde iets voor wat in het leger een operatie onder valse vlag werd genoemd, bedoeld om door middel van misleiding een reactie uit te lokken. Vermulen voelde zich daar nogal ongemakkelijk bij. Zelfs als het doel de middelen heiligde, had hij geen idee welke vorm die middelen zouden aannemen. Een paar dagen lang probeerde hij een oplossing te verzinnen. En toen kreeg hij die oplossing, door puur toeval zomaar in de schoot geworpen.

Een oude kennis, Pavel Novak, was in de stad en stond erop samen met hem naar een ijshockeywedstrijd te gaan, de Caps tegen de Blackhawks. En zo zat Vermulen dus te kijken naar wat in zijn ogen niets anders was dan een stelletje psychopaten op schaatsen die elkaar de hersens insloegen, terwijl Novak hem een stomp op zijn arm gaf en in zijn oor schreeuwde: ‘Dit, beste vriend, is pas echte sport!’

Daar was Vermulen nog niet zo zeker van. American football was zijn sport, en de Steelers waren zijn club. Maar Novak was een Tsjech. Hij was opgegroeid in een tijd waarin ijshockey een symbool was van nationale trots, een manier voor de Tsjechen om hun Russische onderdrukkers te kunnen verslaan. In 1968, toen tanks van het Rode Leger Praag waren binnengereden om de aarzelende stappen in de richting van democratie en vrijheid van meningsuiting van de Tsjechische regering de kop in te drukken, was Novak een jonge officier geweest in het VZS, de Tsjechische militaire inlichtingendienst. Toen hij een dubbelagent was geworden, en geheime informatie aan de Amerikanen begon door te spelen, zag hij dat geen moment als verraad aan zijn eigen land. Het was een daad van verzet tegen het communistische dictatorschap, net als ijshockey.

De eerste periode was afgelopen en de twee teams verlieten de baan. Novak zakte onderuit in zijn stoel en er verscheen een peinzende blik op zijn gezicht. Hij had kort grijs haar, een bril met een gouden montuur en een volle grijze snor die langs zijn mondhoeken omlaag hing, zodat hij altijd een wat sombere indruk maakte.

'Weet je,' zei hij, 'het leven is zoveel eenvoudiger wanneer je het als een hockeywedstrijd beschouwt. Soms vliegen ze elkaar in de haren. Maar ze accepteren altijd dat er regels zijn. Iedereen kent zijn plek. Snap je wat ik bedoel?'

Vermulen haalde zijn schouders op. 'Ik denk het wel, ja.'

'Wat ik wil zeggen is dat toen ik aan één kant van de Muur zat, en jij aan de andere, beide kanten de spelregels kenden. Ze hadden wapens waarmee ze de hele planeet konden vernietigen. Veel mensen vonden dat idioot, maar zo idioot was het helemaal niet. Niet één van die kernkoppen is per slot van rekening afgegaan. Maar nu zijn er geen spelregels meer. Nu zijn er geen twee kanten meer, maar een heleboel kanten. Nu wordt het spel een rommeltje en nu begin ik me pas echt zorgen te maken.'

Vermulens ogen vernauwden zich tot spleetjes. Hij was enkele jaren verbonden geweest aan de inlichtingendienst van het ministerie van Defensie, de DIA, het Amerikaanse militaire equivalent van de CIA. In die tijd was hij Novaks tussenpersoon geweest. Een jaar of twaalf geleden waren ze allebei met pensioen gegaan en sindsdien opereerden ze allebei in de particuliere sector. Vermulen was militair lobbyist, adviseur voor regeringen en bedrijven, specialist in multinationale wapenhandel. Novak werkte vanuit Praag, als tussenpersoon tussen militaire en wetenschappelijke belangen en belangen van de inlichtingendienst in het voormalige Sovjetblok en de verschillende cliënten over de hele wereld aan wie zij hun respectieve deskundigheden of informatie wilden verkopen.

'Vele kanten betekent vele klanten, Pavel. Dat lijkt me juist goed zakendoen.'

'Meestal wel, ja,' zei de Tsjech. 'Maar soms... Je kent al die verhalen wel dat de Russen honderd nucleaire wapens zijn kwijtgeraakt. Als ik je nu eens vertelde dat die verhalen kloppen...'

'Dus Lebed vertelde de waarheid?'

'Ja, maar wat één ding betreft had hij het bij het verkeerde eind. Hij zei dat niemand wist waar de bommen waren. Dat is niet helemaal waar. Binnenkort zal die informatie beschikbaar zijn, op de vrije markt. Er bestaat een uitdraai, compleet met locaties, codes, alles.'

Nu had hij Vermulens onverdeelde aandacht.

'Heb jij die?'

Novak fronste en hield zijn hand bij zijn oor.

'Heb... jij... die?' herhaalde Vermulen.

Opeens hield de muziek weer op.

'Nog niet,' zei Novak, met een zucht van verlichting. 'Maar ik ben benaderd door iemand die hem wil verkopen, iemand die op de hoogte is van mijn reputatie als, hoe zal ik het zeggen, eerlijke makelaar.'

'Maar die uitdraai, als die klopt en hij zou in de verkeerde handen vallen...'

'Dan zijn de consequenties niet te overzien. En daarom vraag ik me af of ik hier wel iets mee te maken wil hebben. Financieel zou het natuurlijk wel heel erg aantrekkelijk zijn. Maar als ik op die manier terroristen of drugkartels aan zoveel macht zou helpen, weet ik niet of ik daarmee zou kunnen leven. Aan de andere kant, hoe kan ik dit laten lopen en iemand anders de verkoop laten regelen? Dan zouden de consequenties even erg zijn.'

'Wat wil je dat ik doe?'

'Wat je altijd hebt gedaan – met mijn informatie naar diegenen gaan die het moeten weten. Je hebt nog steeds veel vrienden binnen het Pentagon, zelfs in het Witte Huis. Leg de situatie uit. Misschien valt er iets te regelen, oké? Per slot van rekening moet ik ook uit de kosten komen.'

'Oké, misschien kan ik iets doen. Maar dan heb ik wel meer informatie nodig. Die voorwerpen op die lijst, bevinden die zich allemaal in Amerika?'

'Niet allemaal, nee... Ik weet het niet zeker, maar ik heb de indruk dat een aantal ervan zich in Amerika bevindt, andere in Europa en weer andere misschien zelfs in Azië.'

'Alleen NAVO-landen en bondgenoten?'

Novak trok zijn wenkbrauwen op, kennelijk verbaasd om Vermulens naïveteit.

'Kom nou, goede vriend, ik hoef die lijst niet voor me te hebben om die vraag te kunnen beantwoorden. De Russen verfoeiden en vreesden de rest van het Oostblok nog erger dan hun vijanden in het Westen. Zij wisten hoezeer wij hen haatten. Ik kan je verzekeren, zonder enige twijfel, dat er wapens zijn in Polen, Tsjechië, Hongarije... alle voormalige Warschaupactlanden. Joegoslavië ook.'

Voordat Vermulen het gesprek voort kon zetten, klonk er weer muziek en begon het publiek te brullen. De twee teams kwamen het ijs op voor de tweede periode. Novaks gezicht lichtte op. Hij sprong op, zwaaide met zijn vuist en brulde "Kom op, jongens!"

Kurt Vermulen echter, leunde roerloos zwijgend naar achteren, en had geen aandacht voor de wedstrijd. Er was een idee bij hem opgekomen, nog niet helemaal kant-en-klaar gevormd, maar rijk aan mogelijkheden. Het had te maken met de lijst waarover Novak het had gehad en de bommen die erop voorkwamen. Maar het had helemaal niets te maken met Washington.

Na de wedstrijd namen de mannen afscheid en gingen ieder huns weegs. Geen van beiden had de man gezien die een paar plaatsen verderop had gezeten met een blauw nylon rugzakje op zijn schoot. Zodra Vermulen en Novak de arena hadden verlaten, controleerde de man de camera, waarvan de kleine lens door het glimmende blauwe materiaal naar buiten gluurde. De foto's moesten nog worden afgedrukt, maar hij had er alle vertrouwen in dat ze prima waren gelukt.

21

De enige luxe waarvan Alix nog kon genieten was het hete, geparfumeerde bad waarin ze zich graag liet wegzakken voordat ze naar haar werk ging. Het was de goedkoopste manier die ze kende om zich lekker te voelen. Maar vanavond moest ze eerst Larsson bellen. Ze vond het vervelend afhankelijk van hem te moeten zijn. Hij had al zoveel voor haar gedaan.

'Ze hebben me een financieel ultimatum gesteld,' zei ze toen hij opnam. 'Ik heb één week om te betalen. Ik weet niet meer wat ik moet doen.'

'En er is nog steeds geen vooruitgang en er is nog geen zicht op dat hij zich herinnert waar hij zijn geld heeft opgeborgen?'

'In één week zie ik dat niet meer gebeuren... Maar waarom hebben we de kliniek eigenlijk nodig? Ik kan hem zelf ook wel verzorgen.'

'Hoe?' vroeg Larsson. 'De man is nog steeds ziek. Er moet constant iemand bij hem zijn en hij heeft medicijnen nodig en therapie. Waar ga je dat van betalen? Luister, als het echt niet anders kan, kan ik wel een lening krijgen op mijn flat.'

'Nee, dat zou te ver gaan. Je bent een goede vriend voor ons geweest, Thor, maar zelfs een goede vriend moet aan zichzelf denken... O, verdomme! Ik moet naar mijn werk. We hebben het er een andere keer nog wel over.'

'Het spijt me, Alix. Ik wilde dat ik meer kon doen om je te helpen.'

'Dat heb je al gedaan. Je hebt een luisterend oor geboden. Dat had ik echt even nodig.'

Ze legde de telefoon neer. Ze had nog net tijd om haar haar te wassen voordat ze naar de club ging. Het bad zou moeten wachten.

In een indrukwekkend, barok kantoorgebouw op het Lubyanka Plein in Moskou werd het gesprek tussen Alix en Larsson opgenomen, uitgetikt en doorgegeven aan een officier van dienst. Hij bekeek het, leunde toen achterover in zijn stoel en staarde zonder iets te zien naar het plafond, terwijl hij erover nadacht wat hij hiervan vond en hoe hij dit het best kon presenteren. Uiteindelijk kwam hij overeind en belde de assistent van zijn baas.

'Ik moet de adjunct-directeur spreken,' zei hij. 'Het gaat om een bijzonder dringende kwestie.'

22

Waylon McCabe bezat ruim tweeduizend hectare in Kerr County, Texas, een privékoninkrijkje tussen Austin en San Antonio, overschaduwd door eeuwenoude eiken en bewaterd door kronkelende beekjes en aangelegde vijvers. Hoog in de heuvels, op enkele kilometers afstand van het hoofdgebouw, stond een privéverblijf dat McCabe voor belangrijke gasten reserveerde. Daar nam hij Kurt Vermulen mee naartoe toen hij hem onder vier ogen wilde spreken.

'U zei dat u iets voor mij had. Wat is het?'

Vermulen keek hem recht in de ogen. 'Een kernwapen.'

McCabe wist niet of hij in de maling werd genomen. 'Is dit een grap, generaal?'

'Absoluut niet. Er zijn er meer dan honderd, die al tien jaar over de hele wereld verspreid verborgen liggen. Maar ik kan aan het document komen waarin staat waar ze zich bevinden.'

'Maar u hebt dat document nog niet?'

'Nee, maar ik verwacht de informatie, samen met de codes die nodig zijn om de bommen te activeren, binnen enkele weken in mijn bezit te krijgen. Dan is het verder alleen nog een kwestie van één functionerend wapen in handen krijgen.'

'En wat wilt u daar dan mee gaan doen?'

'Ter beschikking stellen aan islamitische terroristen.'

McCabes ogen werden groot van verbazing. 'Bent u gek geworden?'

'Maakt u zich geen zorgen... Ik ben van plan het te geven aan terroristen die wij zelf hebben verzonnen. Nieuwsagentschappen over de gehele wereld zullen een videoboodschap ontvangen van een radicale tak van de islamitische jihadbeweging – een tak die niet bestaat en die speciaal voor deze operatie in het leven is geroepen. Er zal worden gedreigd met het tot ontploffing brengen van een nucleaire bom in een grote stad. De bom zal zodanig worden gefilmd dat defensieanalisten onmiddellijk zullen zien dat hij echt is.'

'En dan?'

'Dan zal de wereld inzien dat islamitische terroristen over kernwapens beschikken en zich gedwongen zien de dreiging serieus te nemen.'

'En wat als de president het Amerikaanse volk oproept zich geen zorgen te maken? En dat hij zegt: "Mensen, dat is geen bom, dat is gewoon een of ander namaakding." Wat dan?'

'Dat zie ik niet gebeuren. De bewijzen zouden veel te overweldigend zijn. Bovendien ben ik van plan ervoor te zorgen dat de bom wordt gevonden. Voordat hij tot ontploffing komt, natuurlijk.'

McCabe keek sceptisch. 'Zelfde probleem. Speciale troepen van de CIA vinden dat ding en zeggen vervolgens dat het een nepbom is. Generaal, als u wilt dat mensen weten wat het is, dan zult u hem moeten laten ontploffen.'

'En een grote stad treffen? Dat zou tienduizenden mensenlevens kosten. Dan zouden we geen haar beter zijn dan die terroristen zelf.'

'Natuurlijk, als hij af zou gaan in een stad. Maar waarom zouden we dat doen? Die extremisten kunnen toch ergens een geheime schuilplaats hebben, ergens waar ze niet zo gemakkelijk kunnen worden gevonden. Misschien ergens in de woestijn, of in de bergen. Breng uw bom ergens midden in de rimboe tot ontploffing, zodat er geen slachtoffers vallen, en iedereen weet meteen dat het menens is, zeker weten... Shit!' Hij begon weer te hoesten.

'Daar zou u toch eens mee naar een dokter moeten gaan,' zei Vermulen.

McCabe spuwde een klodder speeksel op de grond.

'Ik heb het een beetje op mijn borst. Dat gaat wel weer over. Nog één laatste vraag: hoeveel gaat dit alles me kosten?'

'Ik heb nog geen financieel plan gemaakt. Maar u zou toch rekening moeten houden met een paar miljoen dollar.'

McCabe begon te lachen. 'Een paar miljoen? Is dat alles? Verdorie, ik dacht dat het me echt een smak geld ging kosten.'

McCabe was onder de indruk. Hij had Vermulen voor een uitdaging gesteld en de generaal had hem niet teleurgesteld. Die lijst met kernwapens zou de oorlog tegen de Antichrist een heel stuk dichterbij brengen. Nu moest hij dus nog een plek zien te vinden waar een bom de lont kon zijn die de hele wereld in rook kon doen opgaan. Zodra Vermulen weer op weg was naar Washington, keerde McCabe terug naar het grote huis, waar hij een hele bibliotheek van godsdienstige boeken had ingericht. Hij schonk zichzelf een stevig glas bourbon in en begon zijn research.

Het eerste waar hij aan dacht was de berg Megiddo zelf, maar dat was slechts een heuvel op het platteland ten oosten van Tel Aviv, waar verder niets te vinden was. Het was beslist de plek waar de allerlaatste strijd zou worden uitgevochten. Maar het was niet de beste plaats om een oorlog te beginnen. Daarvoor had hij een plek nodig die al een kookpunt was, een heilige plek voor zowel Christus als de Antichrist.

Hij zat aan zijn bureau, peinzend waar hij het best kon zoeken, toen opeens zijn oog viel op een brief die hij onlangs had ontvangen en waarin hem om een bijdrage werd gevraagd om mee te helpen aan het behoud van de Tempelberg in Jeruzalem. Recentelijk had de evangelische beweging besloten samen te werken met de Joden omdat beide de Arabieren haatten. Op dit moment werden de Arabieren ervan beschuldigd geen respect te tonen voor de joodse relikwieën op de berg. Veel mensen hadden hier aanstoot aan genomen.

McCabe bekeek het van alle kanten. Hij wist weinig van de joodse godsdienst en helemaal niets van de islam. Maar hij had een goed oog voor kansen. Hij begreep dat er al verschillende godsdiensten ruzie hadden gemaakt om de Tempelberg. Het leek hem de moeite waard het eens wat beter uit te zoeken.

Het werd hem al snel duidelijk wat de betekenis van de berg was. De Joden beschouwden het blootliggende gesteente op de Tempelberg als de basis waaruit de rest van de wereld was geschapen, het middelpunt van alles. Toen Abraham zijn zoon Isaäc wilde offeren, gebeurde dat ook op de Tempelberg. Salomo had er zijn tempel gebouwd en hij had de Ark des Verbonds in het Heilige der Heiligen geplaatst, boven op de rots. Dit alles maakte de berg dus tot de heiligste plek in het judaïsme.

McCabe wist echter niet wat hem overkwam toen hij de visie van de moslims las. Hij zag moslims als goddeloze heidenen, maar waar hij echt versteld van stond was niet hoe verschillend de leer van de islam was van die van de Joden, maar hoeveel overeenkomsten er waren.

Zij geloofden ook in de rots. De Rotskoepel, het oudste islamitische gebouw ter wereld, was er bovenop gebouwd. De moslims geloofden ook dat Abraham naar de berg was gekomen, die zij het Heiligdom noemden. Het enige verschil was dat hij zijn andere zoon, Ismaël, als offer aanbood, en dat Ismaël een voorvader was van de profeet Mohammed.

Volgens de moslimgeschriften had de profeet in Mekka bezoek gekregen van de aartsengel Gabriël, die een dier meebracht dat al-Buraq heette en waarop hij midden in de nacht naar de rots op de berg reed. Toen steeg de profeet op naar de hemel, waar hij Adam, Jezus en Johannes, Jozef, Enoch, Aaron, Moses en Abraham ontmoette, alvorens oog in oog te staan met Allah zelf.

McCabe begreep niet hoe de moslims aan profeten en engelen uit de Bijbel kwamen. En wat deed Jezus in hun hemel? Waar het echter op neerkwam, was dat er zich nu twee antieke moslimheiligdommen op de berg bevonden – de Rotskoepel en de al-Aqsamoskee – zodat hij samen met Mekka en Medina tot een van hun heiligste plaatsen behoorde.

Toen hij een plattegrond van Jeruzalem bekeek, zag McCabe ook de Kerk van het Heilige Graf, die gebouwd was op de plek waar Christus begraven was geweest. Dat was een van de belangrijkste heiligdommen van de christelijke wereld en hij stond maar een paar honderd meter verder, in het hart van de Oude Stad, ruim binnen het bereik van de nucleaire explosie.

Opeens maakten de pijn en de angst van zijn ziekte plaats voor een gevoel van innige tevredenheid. De Tempelberg was het centrale punt waar hij naar op zoek was geweest. Gooi daar een bom op en de hel zou losbreken. O ja, dat zou zeker het gewenste resultaat geven.

23

Hij stond midden op de weg en een zwarte auto kwam recht op hem af gereden. De koplampen schenen recht in zijn ogen en verblindden hem. Hij probeerde zijn ogen dicht te doen, maar kon zijn oogleden niet bewegen. Hij spande zich in om zich af te wenden, maar hoe hard hij het ook probeerde, er was geen beweging in zijn nek te krijgen. Hij kon niet met zijn ogen knipperen. Hij kon zich niet bewegen. Het gebrul van de motor vulde zijn hoofd en hij kon zijn handen niet optillen om ze voor zijn oren te houden en zijn hoofd barstte bijna van de herrie en het licht en hij wilde gillen, maar dat kon niet, want hij had een prop in zijn mond en zijn tanden voelden los aan tegen de leren riem die om zijn hoofd zat gebonden. En hij had het koud, zo verschrikkelijk, verschrikkelijk koud...

Toen Carver bijkwam, ging zijn hart als een bezetene tekeer en leek zijn keel te worden dichtgeknepen door een alomtegenwoordige, onberedeneerde paniek. Het duurde even voordat hij weer scherp kon zien, dus greep hij blindelings naar haar hand... en voelde niets.

Hij fronste en schudde zijn hoofd heen en weer om de laatste resten van zijn nachtmerrie van zich af te schudden. Toen deed hij zijn ogen open... en Alix was er niet.

Nu had hij pas echt iets om over in paniek te raken. Carver zei tegen zichzelf dat hij rustig moest blijven. Er waren tegenwoordig nog maar weinig dingen die hij zeker wist, maar een ervan was dat Alix elke dag bij hem op bezoek kwam. Daarnet was ze er nog geweest, dat wist hij zeker, en ze kwam vast weer terug. Hij moest gewoon geduldig afwachten. Misschien was ze iets te eten gaan halen of iets te lezen. Dat deed ze wel eens, wanneer ze dacht dat hij sliep. Ja, dat moest het zijn. Ze zou zo weer terug zijn.

'Hallo, Samuel.' Er stond een vrouw in de deuropening. Ze glimlachte en haar stem klonk vriendelijk. Maar ze was niet Alix. Het was zuster Juneau, die hem zijn eten en medicijnen kwam brengen.

Toen ze de kamer binnenkwam keek ze even fronsend om zich heen en glimlachte toen nog een keer naar Carver.

'Is Alix er niet?' vroeg ze opgewekt, waarna haar stem een wat hese klank kreeg. 'Eindelijk, Samuel, zijn we eens een keer alleen.' Ze keek hem over haar schouder plagend aan. 'Na al die tijd – wat zullen we eens gaan doen?' Ze pakte een van zijn handen en streelde die.

Carvers gezicht vertrok bij haar aanraking. Hij vond mensen verwarrend. Hij begreep niet altijd wat ze bedoelden met de dingen die ze zeiden. Hij kwam er niet achter wat ze voelden wanneer ze tegen hem praatten. Hun bedoelingen waren onduidelijk. Hij zag wel dat zuster Juneau met hem flirtte, maar hij had het gevoel dat ze ook de spot met hem dreef. Dat vond hij niet prettig.

Hij besloot haar te negeren en zich te concentreren op wat hem dwarszat. 'Waar is Alix?' vroeg hij met schorre stem.

Zuster Juneau zette het dienblad naast zijn bed en haalde haar schouders op. 'Dat weet ik niet, Samuel.'

'Waar is ze naartoe gegaan?'

'Dat weet ik niet, Samuel,' herhaalde Juneau, met iets meer nadruk, terwijl ze hem een klein papieren bekertje voorhield met drie felgekleurde capsules erin. 'Ze is er gewoon niet.'

Ze bedoelde niets met die opmerking. zuster Juneau zag er niets verkeerds in dat Alix even wat tijd voor zichzelf had genomen. Dat arme kind verdiende het, gezien alle tijd die ze in deze kamer doorbracht.

Maar haar woorden troffen Samuel Carver als een schok van de riem waarmee hij was gefolterd. Hij hapte naar adem. Zijn ogen werden groot van schrik. Hij greep zijn laken vast. Toen hief hij opeens zijn armen op, gooide zijn beddengoed van zich af en smeet het dienblad op de grond, zodat borden, glazen en bestek op de grond kletterden.

Zuster Juneau was wel gewend aan Carvers woedeaanvallen, zijn kinderlijke verlatingsangst. Maar ditmaal, besefte ze plotseling, had zijn reactie op Alix' afwezigheid een heel nieuwe intensiteit.

Terwijl ze om hulp riep, sprong Carver uit bed met een energie die ze niet eerder bij hem had gezien. Zijn ogen spuwden vuur en zijn gezicht was vertrokken in een primitieve, onbeheerste woede. Ze deinsde naar achteren, maar hij kwam haar achterna. Hij klemde zijn vuisten om haar bovenarmen, zo hard dat ze ineenkromp van pijn en toen hield hij zijn gezicht vlak voor het hare en siste: 'Waar is ze?'

Zijn stem had elk restje kinderlijke onschuld verloren. Er klonk een dreiging in van echte woede, klaar om om te slaan in geweld.

Zuster Juneau schudde haar hoofd. 'Ik weet het niet,' zei ze op smekende toon. 'Ik zweer je dat dat de waarheid is. Ik weet niet waar Alix naartoe is gegaan. Maar je hoeft niet bang te zijn, je weet dat ze altijd weer terugkomt. Altijd.'

Carver smeet haar van zich af, de kamer door. Ze viel tegen de deurpost en slaakte een kreet van pijn.

'Alix!' riep Carver, die nog steeds naast zijn bed stond. 'Al-i-i-i-x!!'

Hij strompelde de kamer door, struikelde bijna over het versufte lichaam van de zuster, en liep de gang op.

Steken van pijn schoten door Carvers schedel. Zijn hart bonsde. Beelden uit zijn dromen flitsten voor zijn ogen. Maar nu, in deze levensechte nachtmerrie, was alles anders. Hij wist waar en wanneer hij in die woestijn had gevochten: een missie die hem tot ver in Irak had gevoerd, midden in de Desert Storm-campagne in 1991. Hij wist dat hij en zijn mannen de kabels hadden opgeblazen en veilig op de basis waren teruggekeerd. En de vrouw in de droom was Alix. Zij was erbij geweest, in dat chalet buiten Gstaad. Maar wat was daar nog meer gebeurd?

De herinnering wilde niet komen. In plaats daarvan een nieuwe steek achter zijn ogen.

Hij liep de gang door in zijn T-shirt en pyjamabroek, botste tegen een karretje aan dat vol lag met de medicijnen van patiënten, liep bijna de zuster omver die het van de ene kamer naar de andere reed, en duwde een patiënt uit de weg terwijl hij naar de trap probeerde te komen die naar de uitgang en de buitenwereld leidde. De droomvisioenen waren nu verdwenen en hij realiseerde zich dat hij alles om zich heen met een nieuw soort helderheid zag, een helderheid die voortkwam uit begrip. Het was alsof er een dikke glazen wand tussen hem en de wereld had gestaan – een wand die opeens was verbrijzeld. Hij begreep zijn omgeving, snapte de functie en betekenis van dingen en mensen die hem maandenlang niets hadden gezegd. En boven alles begreep hij wie en wat Samuel Carver in werkelijkheid was.

Achter hem klonken haastige voetstappen in de gang. Toen hij zich omdraaide zag hij twee van de verplegers van de kliniek, mannen die zowel om hun fysieke kracht als om hun verzorgende karakter waren aangenomen, op hem afstormen. Hij probeerde zich te verweren, maar zij negeerden zijn maaiende vuisten en liepen hem gewoon omver en hielden hem tegen de grond.

Een paar tellen later zat dokter Geisel op zijn knieën naast hem met een injectienaald in zijn hand. 'Dit is voor je eigen bestwil,' zei hij, terwijl hij de naald in Carvers bovenarm stak.

Voordat het kalmeringsmiddel begon te werken, keek Carver Geisel recht in de ogen. 'Ik weet het weer,' siste hij tussen zijn tanden. 'Ik weet het weer.'

Toen kregen de medicijnen greep op hem en wist hij niets meer.

Even later, terwijl de verplegers Carvers slappe lichaam weer op zijn bed legden, ging zuster Juneau naar dokter Geisel toe. Ze wreef met haar hand over haar achterhoofd. Haar ogen waren roodomrand en er blonken tranen in.

'Gaat het wel?' vroeg hij.

'Ik denk het wel,' zei ze, met een van pijn vertrokken gezicht. 'Maar ik maak me zorgen om Samuel. Hij leek er zo van te schrikken dat hij alleen was. Ik heb hem nog nooit zo erg gezien.'

'Denk je?' antwoordde Geisel. 'Me dunkt dat het tegendeel eerder waar is. De ene schok heeft een andere teruggedraaid. Dit trauma zou wel eens een louterende werking op hem kunnen hebben. Het gaat nu eindelijk de goede kant op.'

24

De kleedkamer van de Bierkeller stonk naar verschaalde rook, haarlak en goedkope parfum. Terwijl Carver door de gang van het sanatorium sjokte, drukte Alix een sigaret uit en vermande zich om weer aan de slag te gaan. Ze hees haar korte witte kousen op en liet het elastiek vlak boven haar knieën terugspringen. De serveersters droegen allemaal een soort Heidi-jurkjes, maar dan ordinair: een kort, rood rokje met een petticoatrandje aan de onderkant, een zwart veterkeurslijfje, en een dunne, laag uitgesneden witte blouse. Ze trok de veters strak en strikte ze onder haar borsten vast. Toen zette ze haar pruik weer op. Het was een helblonde pruik, met vlechtjes die waren vastgemaakt met kleine rode strikjes. Ze haalde een keer diep adem en ging de bar binnen.

Alix keek om zich heen, ogenschijnlijk de klanten begroetend met een glimlachje of een flirterig kushandje, terwijl ze hen in feite stuk voor stuk opnam, om te zien wie er zo op het eerste gezicht in aanmerking kwam voor meer dan gemiddelde dronkenschap of onhebbelijk gedrag. Aan de andere kant van de ruimte zag ze een vrouw alleen aan een tafeltje voor twee zitten, naast het tafeltje van de bankier en zijn cliënten.

De vrouw was klein en pezig. Haar broekpak – eenvoudig, maar perfect van snit – was net zo zwart als het haar dat haar gezicht in een strenge, geometrische boblijn omlijstte. Het gedempte licht in de Bierkeller veranderde haar dik gestifte lippen van felrood in de donkerpaarse kleur van een rijpe aubergine. Toen ze in Alix' richting keek, leek haar gezicht een ogenblik lang volkomen uitdrukkingsloos – tot zij elkaar in de ogen keken en de vrouw naar Alix glimlachte en een kus in de lucht gaf, haar gebaren nabootsend met een soort spottende minachting.

Alix bleef stokstijf staan. Ze leek niet in staat de informatie die haar ogen haar gaven te verwerken. Toen hield ze haar adem in, keek snel om zich heen, draaide zich om en vluchtte de kleedkamer weer in.

Terwijl Alix zich omdraaide en wegrende, keek de vrouw in het zwart de twee mannen aan die aan een ander tafeltje zaten en knikte in de richting van de kleedkamer. Zij stonden op en begonnen naar de deur te lopen waardoor Alix zojuist was verdwenen. De vrouw legde dertig frank op tafel en liep op haar gemak naar de uitgang.

Alix rende de kleedkamer door, in de gauwigheid haar jas en tas mee grissend. Terwijl ze door een tweede deur achter in de kleedkamer naar buiten stormde en een korte gang door naar de personeelsuitgang, duwde ze een vuist door de mouw van haar jas. Tegen de tijd dat ze op straat stond, had ze haar jas dicht om zich heen getrokken en boog ze haar hoofd tegen de ijskoude winterwind, net als de andere voetgangers op straat, haar kraag hoog opgezet en met één hand de revers van haar jas dicht rond haar nek trekkend.

Elke zenuw in haar lichaam schreeuwde haar toe om het op een lopen te zetten, maar ze dwong zich ertoe om normaal te lopen. Als het op hardlopen aankwam, had ze geen enkele kans aan haar achtervolgers te ontkomen. Onopvallendheid was haar enige hoop.

Ze had een meter of twintig afgelegd toen ze zich opeens realiseerde dat ze haar pruik nog op had. Niet dat het veel uitmaakte. De vlechtjes zaten onder haar jas. In het gele schijnsel van de straatverlichting, zou het ene blonde hoofd er waarschijnlijk net zo uitzien als alle andere. Maar Alix was te moe, te gestrest om zo koel te redeneren. Ze raakte in paniek en rukte de pruik van haar hoofd. Ze smeet hem in een afvalbak, trok toen het nylon kapje van haar hoofd en liet dat op straat vallen.

De plotselinge beweging verraadde haar. Alix hoorde onmiddellijk snelle, zware voetstappen achter zich. Toen ze omkeek zag ze twee mannen op zich af komen. Een van hen zei iets in een polsmicrofoontje. In haar wanhoop zette ze het op een rennen, waarbij ze elke keer dat haar hoge hakken het trottoir raakten door haar enkels zwikte. Ze bleef even staan om de schoenen uit te schoppen en moest machteloos toezien hoe haar achtervolgers steeds dichterbij kwamen, nog steeds gewoon lopend, alsof ze wisten dat ze zich niet moe hoefden te maken. Toen rende ze weer verder op haar kousenvoeten.

Het trottoir was ijskoud en de onderkant van haar kousen waren binnen een paar tellen door, maar ze kon in elk geval normaal rennen. Ze sloeg een andere straat in, de Rue du Prince. Voor de ingang van Le Prétexte, de grootste homobar in de stad, stond een groepje mannen, gekleed in strakke spijkerbroeken en leren jasjes.

'Help!' gilde Alix, op de twee mannen achter zich wijzend. Zij renden nu ook.

De mannen weken uiteen om haar erdoor te laten, waarna een van hen, de uitsmijter van de club, voor de twee mannen ging staan. Hij was een brede, geheel in het zwart geklede kerel. Zijn hoofd was kaalgeschoren, maar de onderkant van zijn gezicht was bedekt met een zwarte piratenbaard.

'Hé!' riep hij. 'Wat zijn jullie...'

Voordat hij zijn zin kon afmaken, sloeg een van de mannen de uitsmijter met één klap tegen de grond. De andere mannen stoven uiteen en verdrongen zich, zodra de twee mannen weg waren, rond het bewusteloze lichaam van de uitsmijter.

Alix stond er alleen voor. Ze had niet voldoende conditie om te rennen. Ze rookte te veel en trainde te weinig. Maar ze was nu bijna aan het einde van de straat, waar deze uitkwam op de Rue du Rhone, een van de drukste straten van de stad. Hier reden een stuk of wat tram- en buslijnen en op de trottoirs zou het wemelen van de mensen. Als ze nog even volhield, had ze nog een kans.

Ze rende naar de overkant van de straat, diagonaal naar de hoek waar hij uitkwam op de Rue du Rhone. Achter haar passeerde een auto, die de twee mannen dwong om even te blijven staan, zodat zij een paar kostbare seconden won. Ze keek links en rechts, op zoek naar een bus of een taxi en opeens lachte het geluk haar toe. Een meter of vijftig verderop, reed een taxi net weg van de stoeprand, de brede eenrichtingsstraat op. De chauffeur deed zijn 'Vrij' lichtje aan en Alix begon druk te wuiven.

De taxi kwam recht op haar af, hoewel de chauffeur zich nog niet bewust leek van haar wanhopige pogingen zijn aandacht te trekken. Achter haar begonnen nu ook de twee mannen over te steken.

'Alsjeblieft...' smeekte Alix en toen, als een antwoord op haar gebeden, zag ze de richtingaanwijzer van de taxi knipperen toen hij naar haar toe reed.

Een van de mannen had het ook gezien. Hij gebaarde naar zijn partner en ze begonnen nog harder te rennen.

Alix wachtte niet tot de taxi bij haar was. Ze rende de weg op, zonder aandacht te schenken aan het tegemoetkomende verkeer en dwong de taxichauffeur voor haar te stoppen. Hij seinde boos met zijn koplampen, en met haar hand boven haar ogen tegen het felle licht, rende ze om de taxi heen, rukte de passagiersdeur open, liet zichzelf naar binnen vallen en trok de deur achter zich dicht.

Hijgend en nog steeds verblind, slaagde ze erin om uit te brengen: 'Station Cornavin, zo snel mogelijk.'

Pas toen ze zich buiten adem en half kokhalzend tegen de rugleuning liet zakken, merkte Alix dat ze niet de enige was op de achterbank van de taxi.

Naast haar zat de vrouw die ze in de Bierkeller had gezien, half naar haar toe gedraaid, met haar benen over elkaar geslagen en haar rechterschouder tegen de zijkant van de auto geleund. Haar armen lagen gekruist boven haar schoot, met haar rechterpols op haar linker onderarm, om het pistool te steunen waarmee ze Alix onder schot hield.

'Goedenavond, lieverd,' zei Olga Zhukovskaya.

Zij was een van de machtigste vrouwen van Rusland, en plaatsvervangend directeur van de FSB, het inlichtingenbureau dat rechtstreeks was voortgekomen uit de Sovjet-KGB. Zij sprak echter met een vertrouwde hartelijkheid die suggereerde dat zij elkaar al lang kenden, of zelfs familie waren.

Zhukovskaya was inderdaad een soort moeder voor Alix geweest. Zij was nog de vrouw, in plaats van de weduwe van Yuri Zhukovski geweest toen zij Alix had opgemerkt tijdens een jeugdconventie van de Communistische Partij in Moskou, twaalf jaar geleden – een slungelige tiener uit de provincie, die zich verstopte achter dikke brillenglazen. Het geoefende oog van de oudere vrouw had echter een natuurlijke sensualiteit gezien waarvan het meisje zelf zich nog helemaal niet bewust was. En net zoals jaren van training een onwetende rekruut kunnen veranderen in een superieure vechtmachine, zo had ook de onhandige, onelegante Alexandra Petrova een transformatie ondergaan met behulp van een dieet, sport, plastische chirurgie en opleiding.

Zhukovskaya had Alix generaals, politici en industriëlen om haar vinger zien winden. Ze had haar eigen, inmiddels overleden, echtgenoot – vroeger, net als zij, KGB-agent en op het laatst een meedogenloze industrieel – als een blok voor Alix zien vallen, en had die relatie, zolang zij er zelf haar voordeel mee kon doen, ongestoord voort laten duren.

Alix was beeldschoon geweest. Maar moest je haar nu zien; een vermoeid, slonzig wezen met ladders in haar kousen en gekleed in een goedkoop, ordinair kostuumpje.

Even kwam Zhukovskaya in de verleiding haar te laten gaan. Waarom tijd verspillen aan iemand die al zo dicht bij de afgrond stond? Maar toen bedacht ze zich. Ze was per slot van rekening van ver gekomen en had hier heel veel moeite voor gedaan. Het had geen zin deze kans te laten lopen.

Ze hield haar hoofd een beetje schuin, zodat ze een verwonderde uitdrukking kreeg toen ze vroeg: 'Hoe kwam je erbij dat je weg kon lopen?'

25

Mary Lou Stoller woonde in Edmunds Street in het noordwesten van Washington DC, in het blok tussen Foxhall Road en Glover-Archbold Park.

Op die plek lijkt Edmunds Street meer op een landelijke laan dan op een woonstraat op slechts een paar kilometer afstand van het centrum van een hoofdstad. Aan de rechterkant van de straat loop je regelrecht het park in, een uitgestrekt, semi-landelijk bos.

Tegen vijven kwam Mary Lou thuis. Haar baas was de stad uit, dus was ze wat vroeger naar huis gegaan. Het was een prachtige wintermiddag, waarbij de lage zonnestralen door de kale takken vielen en de gevallen, bevroren bladeren knisperden onder je voeten, zodat ze niet kon wachten om een eind te gaan lopen met haar norfolkterriër Buster.

Er waren niet veel mensen in het park, hooguit een enkele moeder met haar kinderen, of een jogger die al rennend op zoek was naar onsterfelijkheid. Toen Mary Lou de twee mannen op zich af zag komen, schrok ze even. Er was verder niemand in de buurt. Haar eerste, instinctieve reactie, als vrouw, was om de twee grote kerels als een bedreiging te zien.

Ze zei tegen zichzelf dat ze niet zo mal moest doen. De mannen zagen er bepaald niet uit als boeven. Het waren zakentypes van een jaar of dertig, veertig, keurig in het pak. Bovendien waren ze diep in gesprek en besteedden ze geen enkele aandacht aan haar: twee typische 'Washintonians' die elkaar onder vier ogen wilden spreken.

Toen ze de mannen naderde, gingen zij beleefd aan de zijkant van het pad staan om haar en Buster te laten passeren. Een van hen glimlachte vriendelijk en bracht bij wijze van begroeting even zijn vinger naar zijn hoed. Mary Lou glimlachte terug. Ze was opgevoed als een keurige zuidelijke dame en zag graag dat een heer correcte omgangsvormen in acht nam.

Een ogenblik afgeleid, had ze de andere man pas in de gaten toen hij voor haar kwam staan. Ze was volledig onvoorbereid toen hij zijn vuist, versterkt door een stalen boksbeugel, keihard in haar middenrif stootte, zodat alle lucht uit haar longen werd geperst en zij voorover sloeg van pijn, waardoor haar nek en haar achterhoofd vrijkwamen voor de volgende klap. De met lood verzwaarde leren ploertendoder die de beleefde heer in zijn andere hand verborgen had gehouden sloeg tegen haar schedel, terwijl de andere man haar nog een vuistslag tegen haar slaap gaf. Op het moment dat ze door haar benen zakte, raakte de ploertendoder haar nog een keer.

Inmiddels sprong de terriër om zijn bazinnetje heen, daagde haar aanvallers uit met een hoog, schel geblaf en hapte met zijn tanden naar hun hielen. Hij werd beloond met een trap van een schoen met een stalen neus waardoor hij over het pad tuimelde tot hij met een ruk tot stilstand kwam door de hondenriem. Daar bleef hij half bewusteloos zachtjes liggen janken, terwijl de twee mannen een reeks snelle, wrede trappen afvuurden op het hoofd en bovenlichaam van zijn bazin.

Het duurde veertig minuten voor het lichaam werd gevonden en meer dan een uur voordat de politie ter plekke was. Tegen die tijd zaten de twee mannen al aan boord van een vroege avondvlucht van Austrian Airlines van Dulles International naar Wenen, waar zij direct konden overstappen naar Moskou. En ze hadden al honderden kilometers van hun reis afgelegd toen generaal Kurt Vermulen uit het vliegtuig uit San Antonio stapte, blij weer thuis te zijn na zijn ontmoeting met Waylon McCabe, en erachter kwam dat hij een nieuwe secretaresse moest gaan zoeken.

26

Olga Zhukovskaya's rechterhand, met daarin het pistool, was volkomen bewegingloos.

'Zo,' zei ze, 'vertel me nu maar eens hoe mijn man is gestorven.'

Alix zei niets. Ze vroeg zich af hoe de weduwe wraak zou gaan nemen. Maar Zhukovskaya verraste haar door haar linkerarm uit te steken en haar hand even op Alix' onderarm te leggen. Ze gaf er een zacht, geruststellend kneepje in.

'Het geeft niet. Jij kon er ook niets aan doen. Yuri had zichzelf in de nesten gewerkt. Ik heb hem die middag nog gesproken. Hij vertelde me dat de Engelsman naar Zwitserland vloog, in de hoop jou te kunnen redden. Dat vond hij grappig. Hij verheugde zich erop hem te kunnen vernederen.'

Ze zuchtte en schudde haar hoofd. 'Mannen en hun stomme ego's... Waarom heeft hij hem niet gewoon neergeschoten?'

Dat klonk als een retorische vraag. Alix had daar immers ook geen idee van.

'Ik probeer alleen te achterhalen wat er precies is gebeurd,' zei Zhukovskaya nonchalant. 'Je weet dat Yuri en ik altijd meer een professionele relatie hebben gehad dan een romantische. Anders had ik hem ook nooit aangemoedigd jou als minnares te nemen.'

Alix ontspande zich een beetje en stelde zelf ook een vraag: 'Heeft hij een testament achtergelaten?'

Zhukovskaya begon te lachen. 'Ah, zo ken ik mijn kleine Alix weer! Zo praktisch, zo direct. Ik heb je de afgelopen maanden echt gemist.'

'Nou...?'

'Eerlijk gezegd, ja, dat heeft hij inderdaad gedaan. Natuurlijk heb ik het grootste deel van zijn bezittingen geërfd, maar jou is hij niet vergeten. Te zijner tijd zal ik je meer vertellen. Maar eerst wil ik weten: die bom. Hoe heeft Carver dat gedaan?'

'Hij had een laptop bij zich – volgens hem stonden daar alle gegevens op over hoe Yuri de dood van de prinses had gepland. Die informatie hoopte hij voor mij te kunnen ruilen. Maar de computer bevatte geen bom – dat heeft Yuri laten controleren door zijn mannen. Dus moet de bom in de tas hebben gezeten waar de laptop in zat.'

'En jij wist daar niets van?'

'Nee. De laatste keer dat ik Carver had gesproken was in Genève, twee dagen eerder. Toen hadden we ruzie...' Ze zweeg even toen ze zich opeens iets bedacht: 'Dat moet de laatste keer zijn geweest dat ik Carver ooit heb gesproken. Echt heb gesproken, bedoel ik...'

Zhukovskaya knikte meelevend. 'Hij heeft je diep geraakt, die Carver. Na al die jaren was er eindelijk iemand die door je pantser heen kwam... En nu verwijt je jezelf wat hem is overkomen?'

Alix haalde vermoeid haar schouders op. 'Ik weet niet meer wat ik moet denken.'

Terwijl ze zaten te praten, was de taxi de stad uit gereden, en reed nu langs de noordoever van het Meer van Genève. Grote landhuizen langs het water droegen allemaal de onderscheidingstekenen van landen die waren vertegenwoordigd in het hoofdkwartier van de Verenigde Naties in de stad. Een van de toegangspoorten droeg de tweekoppige adelaar van de Russische Federatie. De poorten zwaaiden open en de taxi reed het voorplein op van een prachtige aan het water gelegen villa.

De chauffeur liep om de wagen heen om de twee passagiersdeuren te openen.

'Waarom ga je je binnen niet eerst even wat opfrissen?' zei Olga Zhukovskaya. 'In je kamer vind je alles wat je nodig hebt.'

Boven hing een met sabelbont afgezette nertsmantel naast japonnen van Chanel, Versace en Dolce & Gabbana: Alix' jas, haar jurken. Ze liet haar vingers over het zachte, luxueuze bont glijden en vervolgens over een kleurige veelheid aan zijde, pailletten en kant. Onder de kleding stond een hele rij schoenen in de kast, het ene paar hakken nog hoger dan het andere.

Dit waren de trofeeën van een Moskouse minnares, alle mooie, kleine spulletjes die haar inspanningen haar hadden opgeleverd.

Haar ondergoed, blouses en topjes lagen opgevouwen in een mahoniehouten ladekast; haar make-up stond uitgestald op de kaptafel; haar zeep en massageolie in de badkamer naast de slaapkamer; haar lievelingsfoto van haar ouders stond op het nachtkastje. Alix ging op de rand van haar bed zitten, nog steeds gekleed in haar belachelijke Heidi-pakje, keek om zich heen naar alle luxe die haar omringde en dacht na over dit vrouwelijke machtsspel.

Yuri en Carver hadden met elkaar gevochten als mannen, in een hardhandig, fysiek gevecht. Olga Zhukovskaya echter had voor een heel ander soort aanval gekozen. Zij was naar Alix' appartement in Moskou gegaan, had haar intiemste bezittingen meegenomen en ze bijna vijfentwintighonderd kilometer verder weer uitgestald in een kamer in Genève, Zwitserland, in de absolute zekerheid dat ook Alix daar uiteindelijk terecht zou komen.

En nu bracht zij haar in verleiding: geef toe, buig je naar mijn wil en dit kan allemaal weer van jou zijn.

Zhukovskaya moest hebben geweten dat Alix zich het binnendringen in haar huis en het weghalen van haar eigendommen heel erg zou aantrekken. Ook dat was pure berekening geweest: verzet je tegen mij en ik verwijder je net zo gemakkelijk als ik die jurken heb verwijderd.

Alix kleedde zich uit en nam een douche. Daarna trok ze haar werkkleding weer aan. Ze trok geen schoenen aan en maakte zich niet op.

Ze verliet de kamer en liep een grote, statige trap af. Onder aan de trap stond een bediende in een wit jasje op haar te wachten. 'Madame Zhukovskaya verwacht u,' zei hij, terwijl hij haar voorging naar de ontvangstruimte.

De adjunct-directeur zat in een leunstoel bij een enorme open haard, vol brandende houtblokken. Ze droeg een leesbril en zat de inhoud van een ringbandmap te lezen. Naast haar stond net zo'n stoel voor Alix klaar.

Toen Alix dichterbij kwam, sloeg Zhukovskaya de map dicht, zette haar bril af en nam haar met afkeurende blik van top tot teen op. 'Kon je niet kiezen wat je aan zou trekken?'

Alix reageerde niet en liet haar kijken, waarna ze plaatsnam in de lege stoel.

Zhukovskaya bleef nog even kijken en knikte toen. 'Juist ja. Nou, laten we dan maar eens beginnen.'

Ze sloeg de map weer open en zette haar bril weer op. Aan de binnenkant van de omslag zat met een paperclip een foto bevestigd, een kleurenportret van een Amerikaanse legerofficier in groot tenue. Hij zag er sterk en vastberaden uit, met blond haar en een vierkante kaaklijn. Ze gaf de foto aan Alix, die er even naar keek en hem toen weer teruggaf.

'Een knappe man,' zei ze, zonder enig enthousiasme.

'Dat is luitenant-generaal Kurt Vermulen,' zei Zhukovskaya. 'Deze foto is drie jaar geleden genomen. Destijds stond hij aan het hoofd van het Amerikaanse Special Forces Operations Command in Fort Bragg, nadat hij eerder het commando had gevoerd over het 1ste bataljon van het 75ste Ranger Regiment en in het buitenland had gezeten voor de inlichtingendienst van het ministerie van Defensie.'

'Een echte Amerikaanse held,' mompelde Alix droogjes.

'O ja,' vervolgde Zhukovskaya, 'een echte soldaat. Hij begon zijn carrière als onderdeel van het Amerikaanse imperialistische avontuur in Vietnam. Daar heeft hij een Distinguished Service Cross voor gekregen, een van de hoogste onderscheidingen voor betoonde moed die het Amerikaanse leger kent. Je kunt niet anders dan respect hebben voor een man, zelfs een vijand, die zo'n onderscheiding heeft ontvangen.'

Alix tuitte ongeïnteresseerd haar lippen. Desondanks vervolgde Zhukovskaya haar verhaal.

'Vermulen trok zich in mei 1995, kort nadat deze foto werd genomen, terug uit het leger. Zijn vrouw had terminale kanker en hij wilde die laatste maanden bij haar zijn. Daarna ging hij, zoals het een goed Amerikaan betaamt, aan de slag om rijk te worden.'

'Waarom vertel je me dit allemaal?'

'Hierom.'

Zhukovskaya haalde nog een foto uit het dossier. Het was een grofkorrelige foto, van grote afstand genomen, van Vermulen, nu in burgerkleding, in gesprek met een man van middelbare leeftijd met een snor.

'Dat is Pavel Novak, een voormalig officier van de Tsjechische inlichtingendienst.'

'Wat doet hij met Vermulen?'

'Dat is precies wat wij willen weten. Vijfentwintig jaar geleden werd Novak een dubbelagent die geheimen doorgaf aan de Amerikanen. Hij wist niet dat wij van zijn verraad op de hoogte waren, zodat wij hem konden gebruiken om valse, misleidende informatie door te spelen. In wezen heeft hij al die tijd voor ons gewerkt. Voor een deel van die periode was Vermulen Novaks Amerikaanse tussenpersoon. In de afgelopen jaren is Novak, net als Vermulen, zakenman geworden, alleen niet zo'n fatsoenlijke. Vandaag de dag verkoopt hij onze geheimen aan Arabieren, Aziaten en derdewereldlanden. En natuurlijk weten wij nog steeds alles wat hij doet.

'Maar hij heeft nooit eerder zaken gedaan met de Amerikanen. Dus waarom legt hij nu contact? Wat heeft hij hun te bieden dat zij zouden willen hebben? Misschien hoopt Novak Vermulen als een soort tussenpersoon te gebruiken. Of misschien spelen de Amerikanen een ander spelletje waar wij nog niets van afweten. En daar moet jij nu voor ons achter zien te komen.'

Alix fronste. 'Ik? Hoe?'

'Door te doen wat je het allerbest kunt, liefje. Sinds het overlijden van zijn vrouw heeft Vermulen hooguit één of twee kortstondige verhoudingen gehad. Het wordt tijd dat hij weer eens verliefd wordt.'

'Niet op mij. Ik ga geen val meer opzetten – niet voor hem of voor wie dan ook.'

De vriendelijke klank was ogenblikkelijk uit Zhukovskaya's stem verdwenen en maakte plaats voor een Siberische ijzigheid. 'Jij doet precies wat ik zeg dat je moet doen, en ik zal je vertellen waarom.'

Ze begon door het dossier te bladeren.

'Op dit moment ben je de Montagny-Dumas Kliniek een bedrag schuldig van, eens even zien...'

Ze vond de pagina die ze zocht: 'Zevenenveertigduizendzevenhonderdtweeëndertig frank. Dat was het totaalbedrag om zes uur vanavond. Zodra ze morgenochtend weer een nacht in rekening hebben gebracht, zal het nog meer zijn.'

Alix siste: 'Vuil kreng.'

'Kom, kom. Zoiets zeg je toch niet tegen degene die op het punt staat al je problemen voor je op te lossen? Als jij ermee akkoord gaat om je op Vermulen te richten, zorgen wij ervoor dat alle onkosten voor de medische verzorging van meneer Carver worden betaald, zolang hij die verzorging nodig heeft. Geloof me, je zult het nauwelijks missen. Yuri heeft je goed beloond voor je diensten.'

'En als ik nee zeg?'

'Dan zullen jij en je vriendje de consequenties moeten accepteren van het doden van mijn man. Op moord staat de doodstraf. Misschien dat jij bereid bent jezelf op te offeren voor je principes. Maar offer je je vriend ook op?'

‘Ik moet Samuel spreken en hem laten weten wat er aan de hand is.’

‘Nee,’ zei Zhukovskaya op bitse toon. ‘Dat zal niet gaan. Jij brengt hier de nacht door. Je vlucht naar Washington DC vertrekt morgenochtend om negen uur.’

‘Maar...’ begon Alix, maar haar werd onmiddellijk de mond gesnoerd.

‘Geen gemaar. Zo luiden je orders. Je weet toch nog wel wat dat zijn... Agent Petrova?’

Alix sloeg onderdanig haar oogleden neer.

‘Jazeker, mevrouw de directeur. Mag ik vragen hoe ik generaal Vermulen moet benaderen?’

‘Je zult worden aangenomen als zijn persoonlijk assistente. Je dekmantel, volledige levensloop en sollicitatie zijn al voorbereid. Aanstaande woensdag moet je klaar zijn voor je sollicitatiegesprek. Je zult uitstekende referenties meekrijgen. Er zijn nog steeds voldoende invloedrijke figuren die weten dat het in hun belang is om ons te helpen.’

‘Je hebt zoals altijd overal aan gedacht,’ zei Alix, terwijl ze haar vinger over haar champagneglas liet glijden. ‘Maar er is één ding dat ik niet begrijp. Hoe weet je dat Vermulen een nieuwe assistente nodig heeft?’

‘Daar wordt voor gezorgd...’ Zhukovskaya keek op haar horloge. ‘... Correctie. Daar is zojuist voor gezorgd.’

Maart

27

Tien minuten op de loopband en Carver was uitgeput. Dokter Geisel had met hem te doen, wat het alleen maar erger maakte.

'Maakt u zich geen zorgen, dit is heel normaal,' zei hij, terwijl hij naast het apparaat kwam staan, net zo rustig en onberispelijk als anders. 'U bent vele maanden ziek geweest. U kunt niet verwachten meteen weer fit te zijn. Het belangrijkste is dat u geweldig goed vooruitgaat.'

Carver hijgde zo zwaar dat hij amper kon praten. 'Hoe lang gaat het duren voordat ik klaar ben om hier te worden ontslagen? Ik moet erachter zien te komen wat er met haar is gebeurd.'

'Dat begrijp ik, meneer Carver, maar u moet wel goed begrijpen dat u nog lang niet genezen bent. Toen u hier werd opgenomen, had u een bijzonder ernstig psychisch trauma doorgemaakt, een kloof die u afsneed van uw eigen identiteit. Normaal gesproken had ik in een geval als dit verwacht dat een bijkomend trauma, zoals het vertrek van juffrouw Petrova, u een zware terugslag zou hebben bezorgd. Maar in uw geval, meneer Carver, lijkt het wel alsof de schok een soort obstakel heeft losgewrikt. Het rotsblok is weggerold, de grot is open, uw bewustzijn is bevrijd. In feite is het een soort psychische wederopstanding.'

'Maar als ik zoveel beter ben,' hijgde Carver piepend, 'waarom laat u me dan nog niet gaan?'

'Omdat niets in de psychologie ooit zo simpel is. Ja, uw langetermijngeheugen begint weer terug te komen, maar chaotisch, willekeurig en traumatisch. Uw prognose is nog steeds onduidelijk. Het kan zijn dat dit opmerkelijke herstel doorzet. Maar voor hetzelfde geld kan de schok van die hervonden herinneringen u juist weer over de rand duwen, zelfs nog verder dan eerst.'

'Wanneer is het dan wel veilig voor mij om hier weg te gaan?'

'Wanneer de uitkomst wat minder dubieus is. En geniet nu maar van de rest van uw training. Lichamelijke fitheid zal u heel goed helpen bij uw geestelijke herstel.'

Toen Geisel weg was, stapte Carver van de loopband. Zijn dijen trilden en zijn benen konden hem nauwelijks dragen toen hij naar de apparaten met gewichten liep. Hij haalde net twintig kilo op de *lat pulldown*, en dertig op de *bench press*; niet te veel herhalingen en weinig gewicht aan de apparaten voor de beenspieren; sit-ups in series van zes.

Carver kon zich nu weer herinneren hoe het was om over de extreem goede conditie te beschikken die werd verwacht van een officier van de Special Boat Service. Zijn moeizame worsteling met dit programma was zoiets als een topvoetballer die werd ingemaakt bij een potje straatvoetbal. Maar het zweten, het branden van zijn spieren en het ondanks alles doorzetten gaf hem wel weer het gevoel dat hij leefde.

Hij accepteerde dat zijn geest nog steeds op het randje tussen herstel en terugval balanceerde, zoals Geisel had gezegd. Hij had het gevoel dat sommige van zijn geestelijke deuren nog wel een tijdje stevig op slot zouden blijven zitten. Maar na het afschuwelijke niet-bestaan van de afgelopen maanden weigerde hij onder ogen te zien dat het mis zou kunnen gaan.

'Kom op,' hijgde hij, terwijl hij weer op de loopband stapte. 'Sneller.'

Toen hij begon te rennen, kwam de herinnering naar boven aan een andere keer dat hij had gerend, door een straat in Genève, 's avonds laat. Hij zag een wit bestelbusje voor zich, met het logo van de Swisscom-telefoonmaatschappij erop. Hij kon de man achter het stuur niet zien, maar hij wist wie het was: Kursk, een van de Russen. Carver voelde zijn maag ineenkrimpen van spanning bij de herinnering aan die naam. Hij wist ook wie er achter in dat busje had gezeten. Alix was Kursks gevangene geweest, de Rus was met haar weggereden. Maar Carver was haar achternagegaan, ook al wist hij niet precies meer wat er was gebeurd.

Eén ding wist hij echter wel. Hij had haar teruggekregen. Hoe had ze anders al die maanden aan zijn bed kunnen zitten?

Zijn ontwaken had een diepe overtuiging van zijn liefde voor haar en de hare voor hem met zich meegebracht. Carver wist zeker dat Alix nooit uit vrije wil bij hem weg zou zijn gegaan zonder eerst afscheid te nemen. Waar ze ook was, ze had er niet zelf voor gekozen om daar te zijn. Hij zou niet rusten voordat hij haar had gevonden en haar weer tot de zijne had gemaakt.

Een van de medewerkers van de sportzaal kwam naar de loopband toe gelopen en keek bezorgd naar Carvers rood aangelopen gezicht, zijn zwoegende borst en zijn lichtgrijze T-shirt, dat donkere zweetplekken vertoonde onder de armen en op de rug.

'Misschien kunt u beter stoppen,' zei hij.

'Nee,' zei Carver. 'Ik wil blijven lopen.'

Aan de andere kant van de stad bereidde een man zich voor op een moeilijk telefoongesprek. Hij was ruim één meter tachtig lang en zo dun als een bonenstaak. Hij had een melkwit sproetengezicht met zachtmoedige blauwe ogen en een enorme bos roodblonde dreadlocks.

Thor Larsson haalde een keer diep adem en begon toetsen in te drukken. Hij moest even wachten tot de telefooncentrale van de kliniek opnam, waarna hij zei: 'Het kantoor van Monsieur Marchand, alstublieft.'

Nerveus ijsberend wachtte hij tot hij werd doorverbonden met de financieel directeur.

'Het gaat om de rekening van monsieur Carver...' begon Larsson. 'Kunt u mij alstublieft nog enkele dagen de tijd geven? Ik denk dat ik wel aan wat geld kan komen. Misschien niet alles, maar in elk geval een groot deel, dat garandeer ik u.'

Tot zijn grote verbazing klonk de stem aan de andere kant van de lijn geruststellend, bijna onderdanig. 'Monsieur, alstublieft, doet u toch geen moeite,' zei Marchand. 'U hoeft zich nergens zorgen om te maken. Monsieur Carvers rekening is geheel voldaan en ik heb instructies ontvangen voor alle toekomstige uitgaven. Hij kan zo lang bij ons blijven als hij wil.'

'Wat? Wanneer is dat gebeurd?' vroeg Larsson.

'Pff! Eens even zien... een dag of twee geleden, dacht ik.'

'En wie betaalt de rekeningen dan?'

'Het spijt me, Monsieur, maar dat kan ik u niet vertellen. Wij hebben instructies gekregen om uitstaande nota's door te spelen naar een advocaat, die handelt namens een cliënt. Wie die cliënt is, tja... dit is Zwitserland, monsieur. Wij respecteren de privacy van mensen.'

28

Op het moment dat zij zijn kantoor binnenwandelde, wist Kurt Vermulen al dat Natalia Morley zijn nieuwe assistente zou worden. Hij was al behoorlijk onder de indruk geweest van haar cv. Ze was dertig jaar, geboren in Rusland, maar was in het bezit van een Canadees paspoort, dankzij haar huwelijk (dat inmiddels was ontbonden) met een investeringsbankier, Steve Morley. Ze hadden elkaar in Moskou leren kennen, waar zij allebei voor een Zwitserse investeringsbank hadden gewerkt – zij was de assistente van zijn baas en toen Morley was overgeplaatst naar het hoofdkantoor in Genève had zij daar een prestigieuze baan als persoonlijk assistente aangenomen. Vervolgens waren ze opnieuw verhuisd, nu naar de Verenigde Staten, waar het huwelijk op een scheiding was uitgelopen. Nu wilde ze een nieuwe start maken. Het zag er niet naar uit dat ze daar veel moeite mee zou hebben. Ze had uitstekende getuigschriften en toen hij de mannen belde van wie ze die had gekregen, waren ze allemaal een en al lof over haar. Toen hij haar zag begreep hij waarom.

Natalia Morley was een schoonheid naar wie ongetwijfeld alle mannen met open mond omkeken. Gedurende de afgelopen paar weken had Vermulen een paar gezellige, maar niet echt bijzondere afspraakjes gehad met Megan, de advocate die hij die avond in het Italiaanse restaurant in Georgetown had leren kennen. Megan was een mooie vrouw. Natalia was van een heel ander kaliber.

Maar uiterlijk was ook niet alles. Kurt Vermulen had dezelfde primitieve instincten als elke heteroseksuele man, maar hij was ook intelligent en bedachtzaam. Wat hem werkelijk overstag deed gaan was iets wat dieper ging, iets wat wees op een bepaalde kwetsbaarheid, treurigheid misschien, alsof het leven haar op de een of andere manier had gekwetst. Misschien was het de scheiding, dacht hij, hoewel het Vermulens ervaring was dat een scheiding een vrouw eerder boos of zelfs bitter maakte. Het enige wat hij wist was dat hij een persoonlijk verlies bij Natalia Morley bespeurde dat veel weg had van zijn eigen verlies.

Tijdens hun eerste kennismaking begon hij op een bepaald moment zelfs over Amy en haar dood te praten. Het was, zo besefte hij zelf ook wel, geen geschikt onderwerp voor een sollicitatiegesprek. Maar het gebeurde zo natuurlijk, en Natalia ging er zo lief op in, dat hij voelde dat hij haar in zijn leven wilde. De baan die hij haar aanbood was eigenlijk alleen maar een middel, een excuus zelfs, om haar dicht bij zich te kunnen hebben. Ze zou de maandag erop al beginnen.

Sindsdien was haar werk onberispelijk gebleken. Zijn afspraken, correspondentie en reizen werden met vlekkeloze efficiëntie georganiseerd. De brute moord op de secretaresse van een generaal, midden in de hoofdstad, had heel wat aandacht gekregen in de media, maar Natalia was er heel handig in gebleken zelfs de meest vasthoudende verslaggevers op afstand te houden. Omdat ze wist dat er thuis niemand was die voor hem zorgde, regelde ze dat zijn was naar de stomerij ging, vond ze personeel dat huishoudelijke taken en tuinonderhoud voor hem waarnam en zorgde ze ervoor dat de vestiging van Dean en DeLuca in Washington regelmatig verse producten en delicatessen kwam afleveren bij zijn huis in Dumbarton Oaks. De rest van het personeel van Vermulen Strategic Consulting leek haar ook aardig te vinden, inclusief de andere vrouwen. Dat vond Vermulen een behoorlijke prestatie. Hij had eerder verwacht dat zij aanstoot zouden nemen aan haar uiterlijk en het feit dat zij en hun baas zo intiem met elkaar omgingen.

Aan de andere kant, zo intiem werd het eigenlijk nooit. Natalia Morley was de vriendelijkheid zelve. Ze lachte om zijn grapjes, luisterde naar zijn problemen en bracht elke klant die voet over de drempel zette in verrukking. Als ze ooit een slecht humeur had, merkte Vermulen daar in elk geval niets van. Maar hij zag ook geen tekenen dat zij net zo in hem geïnteresseerd was als hij in haar. Ze gedroeg zich altijd even keurig. Ze flirtte niet met hem en hoewel het onvermijdelijk was dat haar elegante kleding haar vormen goed liet uitkomen, kwamen haar rokjes altijd tot op de knie en waren haar blouses hooggesloten. Als hij wilde dat er ooit iets zou gebeuren, zou hij daar toch zelf het initiatief toe moeten nemen.

Intussen had hij nog steeds een bedrijf te runnen en, wat nog belangrijker was, een valsevlagoperatie te organiseren. Vermulen had zichzelf ervan weten te overtuigen dat het, als hij gelijk had wat de moslimdreiging betreft, onvergeeflijk zou zijn om rustig te gaan zitten afwachten wat er zou gebeuren. Ook al waren zijn plannen dubieus, ze waren altijd nog beter dan het alternatief.

Zijn plannen begonnen nu echt vorm te krijgen. Hij zou er een paar maanden tussenuit gaan op zijn werk. Als iemand ernaar zou vragen, zou hij vertellen dat hij wat ging rondreizen door Europa, om een beetje vakantie te combineren met het leggen van nieuwe contacten. Hij zou er echter niet bij zeggen dat het om contacten ging die nodig waren om aan een nucleaire bom te komen. Zijn reisschema zou hem om te beginnen naar Amsterdam, Wenen en Rome voeren; daarna zou hij wel zien hoe het liep. Natalia kon zijn vervoer en hotels voor hem regelen.

En toen kreeg hij een idee. Als hij in Europa was en zij in Washington, zou het altijd lastig zijn om contact te houden en ervoor te zorgen dat alles gladjes verliep. Het zou echt veel efficiënter zijn als zij bij hem was, ter plekke, om dag in dag uit voor hem te zorgen. Hij kon haar natuurlijk niet vertellen wie de mensen die hij ontmoette in werkelijkheid waren, en hij zou haar ruim voor de laatste fase van de operatie naar huis moeten sturen. Maar in de tussentijd zouden ze wel op elkaar aangewezen zijn in een aantal van de meest romantische steden ter wereld. Als er dan nog niets gebeurde, zou het er nooit meer van komen.

Vermulen had Natalia gewoon opdracht kunnen geven hem te vergezellen, maar dat leek hem niet de beste manier om haar voor zich in te nemen. Hij zou haar vragen een aantal weken met hem naar het buitenland te gaan, waar ze dan wel vierentwintig uur per dag beschikbaar moest zijn, en hij haar enige gezelschap zou zijn. Als ze dat niet wilde, had het weinig zin haar te dwingen.

Toen hij haar vroeg naar zijn werkkamer te komen, ging zijn hart als een bezetene tekeer. Hij voelde zich als een pukkelige tiener die al zijn moed bij elkaar heeft geraapt om een meisje mee te vragen naar het schoolbal.

Vermulen moest zichzelf eraan herinneren dat hij een veelvuldig onderscheiden oorlogsveteraan was die op drie verschillende continenten onder vijandelijk vuur had gelegen en duizenden soldaten onder zijn bevel had gehad. Hoe moeilijk kon het zijn om één mooie vrouw het hoofd te bieden?

'Zoals je weet,' zei hij, op een naar hij hoopte ontspannen maar zakelijke manier, 'zal ik het komend voorjaar enige tijd in Europa doorbrengen. Ik moet er even tussenuit; ik heb een paar zware jaren achter de rug.'

'Natuurlijk,' zei ze. 'Dat begrijp ik heel goed.'

'Mooi... mooi... Hoe dan ook, zoals je weet, zal ik me tijdens mijn verblijf in het buitenland ook met zaken bezighouden, door hier en daar vergaderingen en bijeenkomsten te bezoeken, wat behoorlijk wat administratief werk zal vergen, dat het beste ter plekke kan worden afgehandeld. Daarom vroeg ik me af of jij wellicht bereid zou zijn me op mijn reis te vergezellen. Het zou natuurlijk puur beroepsmatig zijn en ik zou het verlies van weekends en vrije tijd financieel compenseren. Lijkt je, eh... dat wat?'

Ze keek hem even aan en fronste. 'Zal ik aparte tickets voor mezelf regelen, tweede klas?'

'O, nee, dat wil ik niet hebben. Jij reist gewoon eersteklas, samen met mij.'

Ze leek verbaasd. 'Dat is heel vriendelijk van u, meneer. En wat accommodatie betreft?'

'We logereen in dezelfde hotels. Dus, ben je geïnteresseerd?'

Ze dacht even na.

'Ik moet wel een paar persoonlijke dingen regelen. En ik zou iemand moeten zoeken die tijdens mijn afwezigheid voor mij kan waarnemen. Maar dat lijkt me wel mogelijk, dus, ja, ik zal u graag vergezellen, meneer.'

'Uitstekend,' zei Kurt Vermulen.

Die avond ontmoette Alix Petrova op de trappen van het Lincoln Memorial de FSB-agent die in Washington haar tussenpersoon was.

'De opdracht verloopt geheel volgens plan,' zei ze. 'Vermulen is duidelijk verliefd. Hij heeft me gevraagd met hem mee te gaan op een reis naar Europa. Hij vertelt iedereen, ook mij, dat het om een soort lange vakantie gaat, maar ik weet zeker dat er meer aan de hand is.'

Ze overhandigde hem een witte enveloppe.

'Hierin zit het reisschema voor de eerste drie weken, inclusief vluchtnummers en hotels. Het zou niet moeilijk moeten zijn om ontmoetingen te arrangeren op plekken die we gaan bezoeken.'

'Prima,' zei de tussenpersoon. 'Wat is hij voor iemand, die generaal Vermulen?'

'Als je het echt wilt weten,' antwoordde ze, 'hij is een ontzettend aardige man. Ik mag hem graag, waardoor ik alleen maar een grotere hekel aan mezelf krijg om wat ik hem aandoe.'

De tussenpersoon trok een wenkbrauw op. 'Die laatste opmerking zal ik maar niet in mijn verslag aan de adjunct-directeur zetten.'

'Nee,' zei Alix, 'doe dat maar niet. Het zou haar alleen maar goeddoen dat ik lijd.'

29

Een week later was Vermulen in Amsterdam. Hij had de vrouw die hij kende als Natalia Morley een vrije dag gegeven. Nu stond hij op een braakliggend terrein bij de haven, waar onkruid groeide tussen de boten die op de kant waren getrokken en een eind verderop een roestig oud binnenschip in het water lag. Nog even en hij zou eindelijk het gezicht zien dat hoorde bij een naam die hij al meer dan tien jaar kende, en zou een oud dossier van de inlichtingendienst worden getransformeerd tot een levend wezen.

Er reed een auto van de weg af en langs hem heen, om een meter of vijftien verder tot stilstand te komen. Een magere man in een zwart pak, met haar dat tot over zijn kraag viel, stapte uit. Hij rookte een sigaret, maar gooide de peuk op de vochtige aarde, drukte hem uit met zijn hak en stak onmiddellijk een nieuwe op, waarna hij op Vermulen af kwam lopen. Ze namen niet de moeite elkaar de hand te schudden.

'Jonny Koolhaas?' vroeg Vermulen.

De man haalde zijn schouders op. Hij hield zijn hoofd een beetje schuin en blies rook in de lucht, weg van Vermulen, terwijl hij hem vanuit zijn ooghoeken aan bleef kijken. 'Wat wil je?'

'Een leverancier van niet op te sporen wapens, die op korte termijn leverbaar zijn. Ik heb pistolen nodig, machinepistolen, granaten, plastic explosieven. Niks bijzonders. En voertuigen. Ook niet te traceren natuurlijk.'

'En wat moet een fatsoenlijke Amerikaanse legerofficier met al die spullen?'

Er lag een geamuseerde schittering in Koolhaas' ogen. Hij vond het altijd grappig om te zien hoe rechtschapen, gezagsgetrouwe burgers zich in zijn criminele wereld gedroegen.

'Nou ja, misschien vertel je me dat nog wel eens wanneer het allemaal achter de rug is,' zei hij, toen Vermulen niet antwoordde. 'Maar ja, ik kan die goederen op elk gewenst tijdstip leveren.'

'Dat is mooi. Bestrijkt jouw netwerk ook Oost-Europa?'

'Daar heb ik ook contacten, ja.'

'Ook in voormalig Joegoslavië?'

'Mogelijk, ja.'

De volgende dag maakte Vermulen de eerste termijn van zijn betaling aan Koolhaas over naar een rekening op de Nederlandse Antillen. Natalia Morley was met hem meegegaan naar de bank waar de transactie plaatsvond.

Toen ze wegliepen gaf hij haar een arm.

Ze leek het niet erg te vinden. Misschien boekte hij vooruitgang.

Drie dagen later namen zij hun plaatsen in in het prachtige wit met gouden hoefijzer van loges die het auditorium van de Weense Staatsopera omringen. Die avond werd Mozarts *Don Giovanni* ten gehore gebracht. Vermulen kwam echter niet voor de muziek.

Wenen was de stad waar Pavel Novak zaken deed en in mensen, wapens en informatie handelde. Het was absoluut geen toeval dat Vermulen en Alix voor de voorstelling Novak en zijn vrouw Ludmilla tegenkwamen in de bar. Toen iedereen aan elkaar was voorgesteld en de dames elkaars jurken stonden te bewonderen, fluisterde Novak Vermulen iets in zijn oor, zoals je dat doet wanneer je van middelbare leeftijd bent en het steeds moeilijker wordt om elkaar te verstaan tegen een achtergrond van luidruchtige gesprekken. Of wanneer je geheimen doorgeeft over massavernietigingswapens.

'De verkoop van de documenten is bevestigd. De verkoper is een Georgiër, Bagrat Baladze. Hij is heel erg achterdochtig en weet niet precies hoe hij dit moet aanpakken. Hij weigert zijn goederen naar een bank te brengen en staat erop ze te allen tijde bij zich te hebben. Verder is hij als de dood dat een andere, grotere gangster erachter zal komen wat hij heeft en het van hem af zal pakken. Daarom heb ik voor hem geregeld dat hij zich, terwijl de verkoop plaatsvindt, verscholen kan houden op een hele serie onderduikadressen. Over vier weken arriveert hij op een boerderij in Zuid-Frankrijk. Dat lijkt me je beste kans. Tegen die tijd heb ik meer details voor je...' Novak keek met een glimlach op zijn gezicht en een twinkeling in zijn ogen naar de dames.

'Je bent een bofkont, Kurt. Ik ben dol op mijn Ludmilla, dat spreekt vanzelf. Maar om zo'n vrouw in bed te hebben, nou ja... ik ben jaloers op je.'

Vermulen schudde zijn hoofd.

'Dat hoeft niet, ze ligt niet in mijn bed.'

'Dat meen je niet!'

'Ik maak geen grapje...'

Hij gaf Novak een vriendschappelijke klap op zijn schouder.

'... maar geloof me, kerel, ik doe mijn uiterste best.'

Tijdens de eerste pauze liep Alix naar het dichtstbijzijnde damestoilet. Er stond al een rij. Voor Alix stond een grijze, Weense matrone, uitgedijd door een leven vol chocoladetaartjes en slagroom. Alix schonk haar een beleefd glimlachje, nam haar plaats in de rij in en keek nonchalant om zich heen naar de operabezoekers in hun smokings en avondjaponnen.

Zelf droeg ze een eenvoudige, lange, rechtvallende japon van parelkleurig satijn; in haar hand had ze een bijpassend met kraaltjes bezet avondtasje. Opeens werd haar aandacht door iets of iemand getrokken. Haar ogen lichtten op en ze draaide zich om om te zwaaien, maar net op het moment dat ze haar hand met het tasje daarvoor optilde, kwam er een slanke brunette van een jaar of veertig, met ingevallen wangen van overmatig diëten en te veel energie, achter haar in de rij staan. Alix' arm raakte de vrouw, wier zilverkleurige, leren enveloppetasje op de grond viel. Het was een ongelukje, maar Alix schaamde zich dood. Terwijl de andere vrouw sissend van woede toekeek, hurkte zij op het rode tapijt, raapte het tasje op, dat open was gevallen, en gaf het, nadat ze het had dicht geknipt, terug aan de woedende eigenaresse.

'Het spijt me ontzettend,' zei Alix, met ogen die om vergiffenis smeekten. 'Het was werkelijk niet mijn bedoeling om...'

Ze kreeg een stortvloed van onbegrijpelijke Duitse beledigingen naar haar hoofd geslingerd die de gezette matrone gloeiende oortjes bezorgde. Zij kon een gilletje van verrukking nauwelijks onderdrukken: dit was nog eens een verhaal om aan haar vriendinnen te vertellen wanneer ze weer op haar plaats zat! Toen draaide de brunette zich op haar stilettohakken om en liep weg, op zoek naar een meer beschaafde plek om te plassen.

Maar Maria Rostova, wier diplomatieke geloofsbrieven vermeldden dat ze eerste secretaris op de afdeling Handel en Investeringen van de ambassade van de Russische Federatie in Wenen was, ging niet naar binnen toen ze de volgende toiletgroep bereikte. In plaats daarvan liep ze de trap af en door de prachtige overwelfde loggia naar buiten, de Opernring op. Toen zij de rand van het trottoir bereikte stopte er een wagen voor haar. Rostova stapte in en opende, terwijl de wagen wegreed, haar tasje. Ze rommelde er wat in rond en haalde een klein kokertje van opgerold papier te voorschijn, ongeveer zo groot als een sigaret, dat met een klein stukje plakband zat dichtgeplakt. Ze peuterde het plakband eraf, rolde het kokertje open en zag een pagina voor zich liggen van een ouderwets codeerblok, volgeschreven met rijen cijfers, telkens in groepjes van drie.

Rostova stopte het papier weer in haar tasje, pakte er een mobiele telefoon uit en toetste een nummer in Moskou in. Toen ze verbinding kreeg zei ze alleen maar: 'Ik heb de aflevering van deze week.'

30

Het was even voor halfzes in de namiddag en Clément Marchand stond op het punt zijn kantoor in de Montagny-Dumas-kliniek te verlaten, toen hij een telefoontje kreeg van een man met een Russisch accent. Marchand kreeg te horen dat zijn vrouw was gegijzeld. Bij wijze van bevestiging werd de hoorn lang genoeg bij haar gezicht gehouden om hem ervan te overtuigen dat de paar gesnikte woorden die hij hoorde afkomstig waren van zijn Marianne.

'Alstublieft, doe haar geen pijn,' stamelde hij. En toen: 'Wat wilt u van mij?'

Marchand kreeg een paar eenvoudige instructies. Ten eerste werd hem verzekerd dat dit geen gewone kidnapping was. De ontvoerders van zijn vrouw waren niet op geld uit. Derhalve hadden zij geen motivatie om haar in leven te houden. Als hij weigerde te doen wat zij hem opdroegen, op exact de aangegeven tijd, of ook maar de geringste poging deed contact op te nemen met de autoriteiten, zouden ze haar vermoorden.

'Ik doe alles!' riep hij uit. 'Vertel maar wat ik moet doen!'

'Blijf op kantoor,' zei de stem aan de andere kant van de lijn. 'Verzin maar een excuus. Om exact halftwaalf vannacht bel je de dienstdoende verpleegster op de derde verdieping van de kliniek. Je zegt tegen haar dat je haar wilt spreken. Als ze protesteert, dring je aan. Zeg maar dat je een foutje hebt ontdekt in de lijsten van medicijnen die aan de patiënten worden toegediend. Zeg wat je wilt. Het enige wat telt is dat de verpleegster tussen halftwaalf en kwart voor twaalf in jouw kantoor moet zijn, in jouw aanwezigheid, en niet op haar post. Daarna kan ze gewoon weer teruggaan. Om middernacht kun je de kliniek verlaten en naar huis rijden. Als alles goed gaat, zal je vrouw daar ongedeerd op je wachten.'

'Dank u, dank u.' Marchand huilde bijna van opluchting.

'Je kunt ons beter pas bedanken wanneer je taak is volbracht,' zei de stem. 'En dan nog iets. Mocht je ooit besluiten iemand over dit gesprek te vertellen, of over wat er met je vrouw is gebeurd, dan zullen wij dat weten. En zullen jullie allebei worden koud gemaakt.'

Marchand legde de telefoon neer, veegde het zweet van zijn voorhoofd en zei tegen zijn secretaresse dat hij nog wat bleef werken, maar dat zij op haar gewone tijd naar huis mocht.

Carvers herstel was niet onopgemerkt gebleven in Moskou, evenmin als de mogelijke consequenties. Adjunct-directeur Olga Zhukovskaya had haar staf duidelijk gemaakt dat zij wilde dat de kwestie onmiddellijk werd aangepakt. Nu volgden zij haar bevelen op.

31

Toen Carver wakker werd, zag hij tot zijn verbazing dat hij niet al de halve nacht geslapen had, zoals hij eigenlijk had gedacht. De wekker naast zijn bed stond op 23.35 uur – hij was nog geen uur onder zeil geweest. Hij wreef in zijn ogen en fronste. Er was iets mis, er was iets niet in orde, maar hij wist niet wat het was.

Opeens wist hij het. Hij hoorde geen tv. De nachtzuster die deze week dienst had was een meisje dat Sandrine heette, en zij zette altijd een nachtfilm op in de personeelskamer wanneer ze dacht dat alle patiënten sliepen. Waarom was vanavond dan een uitzondering?

Carver stapte uit bed en liep zonder het licht aan te doen door zijn kamer naar de deur. Hij opende hem op een kier en bleef even staan luisteren of hij misschien ongewone geluiden hoorde. Hij meende aan de andere kant van de verdieping voetstappen te horen. Heel langzaam duwde hij de deur nog iets verder open, net genoeg om om een hoekje te kijken. Hij zag de gestalte van een man, die over de balie van de zusterspost gebogen stond en zijn vinger langs het bovenste velletje van een klembord liet glijden. Hij bekeek de lijst van kamers en de namen van de patiënten die er lagen.

Het kon natuurlijk dat hij iemand anders zocht, maar dat risico wilde Carver niet nemen. Hij sloot de deur, keek om zich heen en gunde zichzelf niet meer dan een paar seconden om een beslissing te nemen. Toen ging hij naar de badkamer, knipte het licht aan, zette de kraan aan en liet hem zodanig druppelen dat het geluid leek op dat van een man die staat te plassen. Bij het verlaten van de badkamer liet hij het licht aan en de deur halfopen, alvorens naast de deur van zijn kamer te gaan staan, met zijn rug tegen de muur tussen hem en de gang.

Er klonken voetstappen op de gang. De rubberzolen van de man piepten op de vinyltegels op de vloer. Vlak voor Carvers deur kwamen ze tot stilstand en hij zag de deurknop bewegen toen die vanaf de buitenkant werd omgedraaid. De deur ging open. Die bevond zich nu tussen Carver en de andere man, wie dat ook mocht zijn, zodat ze elkaar niet konden zien.

Carvers ochtendjas hing aan een haakje aan de achterkant van de deur. Er zat een ceintuur omheen. Voorzichtig trok Carver de ceintuur uit de lussen en vormde er een lus van, als een soort lasso. Hij wist dat hij niet al te veel kracht en uithoudingsvermogen bezat. Wat hij ook deed, hij moest het snel doen.

De man deed de deur achter zich dicht. Zijn aandacht was op de badkamer gevestigd en hij had geen erg in Carver, die achter hem stond. Hij had iets in zijn rechterhand, een dun buisje dat een paar centimeter uit zijn vuist stak. Op het eerste gezicht dacht Carver dat het een klein zaklampje was, maar toen bewoog de man zijn hand en viel het licht uit de badkamer erop. Het buisje was een plastic injectiepen, van het soort dat diabetici gebruiken voor hun dagelijkse doses insuline.

Nu begreep hij het. Een overdosis insuline, toegediend aan een slapende patiënt, zou al snel tot een hypoglykemisch coma leiden door een tekort aan glucose in de hersenen. Indien er geen behandeling volgde zou de dood intreden en als de plek van de injectie niet werd ontdekt, zou er geen enkele reden zijn om een misdrijf te vermoeden. Insuline was een van de effectiefste moordwapens die een ziekenhuis te bieden had.

Carver was niet van plan er het recentste slachtoffer van te worden. Hij ging geruisloos achter de indringer staan, gooide de ceintuur over zijn hoofd en trok hem strak om zijn nek.

De man reageerde onmiddellijk. Hij bracht zijn hand naar de ceintuur en probeerde hem weg te trekken van zijn keel. Tegelijkertijd sloeg hij heel hard met zijn hoofd naar achteren, in de hoop Carver in het gezicht te raken.

Carver had dit voorzien en deinsde naar achteren, waarbij zijn eigen beweging de ceintuur nog strakker trok. Maar nu had hij een ander probleem, want de man zwaaide zijn rechterarm naar achteren en prikte met de injectiepen in het wilde weg naar Carver. De pen was net een dodelijke slang, met de insuline als gif.

Carver draaide weg om de pen te ontwijken. De beweging bracht hem even uit balans en dat gaf zijn tegenstander de kans om zijn lichaam naar achteren te duwen. Carver viel met een klap tegen de muur tussen zijn kamer en de kamer ernaast. Alle lucht werd uit zijn longen geperst, maar hij dwong zichzelf om de ceintuur vast te houden. Tien tot vijftien seconden druk op de halsslagader moest voldoende zijn om iemand het bewustzijn te laten verliezen, maar vijftien seconden waren een eeuwigheid wanneer twee mannen vochten op leven en dood.

Ze slingerden door de kamer, hun lichamen dicht tegen elkaar aan als twee dronken danspartners. Ze gooiden een stoel omver, liepen tegen het bed aan en vervolgens tegen het nachtkastje, zodat er een glas water op de grond kletterde. En intussen bleef de injectiepen naar Carver prikken, op zoek naar zijn vlees en het moment waarop hij eindelijk zijn dodelijke lading kwijt kon.

Aan beide zijden van Carvers kamer klonken slaperige protesten van andere patiënten. Een van hen begon op de muur te bonzen en riep om de zuster. Het zou niet lang duren voordat iemand kwam kijken wat er aan de hand was.

Naarmate de seconden wegtikten, veranderde het gevecht in een wedstrijd wie het het langst volhield: Carvers verzwakte spieren, die zich wanhopig vastklemden aan zijn geïmproviseerde strop, en het brein van zijn tegenstander, dat opeens zonder zuurstof zat. Wie het eerst toegaf zou sterven. Opeens lachte het geluk hem toe. De in het rond maaiende hand van de moordenaar sloeg tegen het ijzeren frame van Carvers bed en hij verloor de injectiepen. Wanhopig probeerde hij zich nog te bukken om hem op te rapen, maar dat gaf Carver alleen maar de kans om zijn voeten stevig neer te zetten en een laatste ruk aan de ceintuur te geven.

Hij voelde de man in bewusteloosheid wegzakken en liet de ceintuur door zijn vingers gaan, zodat het levenloze lichaam op de grond gleed.

Opeens werd er op de deur gebonsd.

Carver sleepte het lichaam naar de badkamer en deed toen de deur open. Christophe, de aan crack verslaafde zoon van een belangrijke plaatselijke bankier, stond in zijn onderbroek en een oud T-shirt op de gang, zijn anders zo bleke gezicht rood aangelopen van verontwaardiging.

'Wat ben jij daarbinnen in vredesnaam aan het uitspoken?' riep hij, zonder een poging te doen zachtjes te praten.

Nu verschenen er ook andere hoofden om hoeken van deuren.

'Niks aan de hand, het spijt me,' zei Carver, terwijl hij links en rechts de gang in keek en zijn handen verontschuldigend in de lucht stak.

'Ik denk dat ik aan het slaapwandelen was. Ik had weer eens een van mijn nachtmerries en toen ik wakker werd stond ik midden in mijn kamer en had ik alles overhoop gegooid. Ik weet niet wat er is gebeurd. Maar het spijt me ontzettend als ik jullie wakker heb gemaakt, oké?'

Hij keek met geveinsde verbijstering om zich heen. 'Heeft er iemand een zuster gezien? Ik zou nu wel een pilletje kunnen gebruiken...'

De anderen schudden hun hoofd en verdwenen weer in hun kamers, als krabben die terugkruipen in hun holletjes. Zij wilden er niets mee te maken hebben. Carver wachtte tot ze weg waren en liep toen zijn kamer weer in. Waar de zuster ook was, ze kon nu elk moment terugkomen. Hij hoorde gekreun vanuit zijn badkamer. Zijn aanvaller begon bij te komen.

Carver keek om zich heen tot hij de injectiepen naast zijn bed op de grond zag liggen. Hij raapte hem op, liep de badkamer binnen, ging schrijlings bovenop de man zitten, duwde met één hand zijn hoofd op de grond en stak met de andere hand de pen in zijn halsslagader. Zodra het plastic buisje de huid raakte, drukte Carver het knopje in en zond een dosis insuline regelrecht de bloedbaan in. Toen deed hij het nog een keer, en nog twee keer, om er zeker van te zijn dat de maximumdosis was toegediend en de injectiepen helemaal leeg was. De man kreunde nauwelijks hoorbaar. Hij was nog niet dood. Maar dat zou niet lang meer duren.

Nu het gevecht achter de rug was en zijn adrenalinepeil snel daalde, voelde Carver zich gebroken, maar hij kon het zich niet veroorloven het er nu bij te laten zitten. Hij schoof het nachtkastje recht en zette de stoel overeind. Op de een of andere manier wist hij ergens de kracht vandaan te halen om het comateuze lichaam de badkamer uit te slepen en over de vloer naar het bed te trekken.

De man droeg een dikke winterjas. Carver trok zijn armen uit de mouwen, hees hem vervolgens op het bed en dekte hem toe met een deken en een sprei, zodat alleen zijn kruin nog zichtbaar was op het kussen. Veel meer dan een vluchtige blik zou deze list niet verdragen, maar misschien dat Carver er net genoeg tijd aan overhield om weg te komen.

Hij trok snel wat kleren en schoenen aan, gevolgd door de overjas van de stervende man. In een van de zakken zaten autosleuteltjes en een mobieltje. In de binnenzak zat een portefeuille. Carver maakte hem open. Hij vond geld, creditcards en een legitimatie op naam van dokter Jean du Cann, consulterend psychiater. Daarmee was de aspirant-moordenaar langs de bewaking bij de poort gekomen. Waarschijnlijk had hij hem bij de balie nog een keer gebruikt, of was hij via een zij-ingang naar binnen geglipt. Die deuren zaten allemaal op slot, maar dat moest voor een beroepscrimineel geen probleem zijn. Carver zou zich er evenmin door laten tegenhouden.

Hij stond op het punt de kamer te verlaten, toen hij voetstappen hoorde: de iets lichtere tred van een verpleegster. Sandrine was terug. Het geluid dat zij maakte volgde een bekend patroon: een paar stappen, gevolgd door een korte stilte wanneer ze door de raampjes in deuren in de kamers van de patiënten keek, een routinecontrole om zich ervan te verzekeren dat alles in orde was.

Toen haar voetstappen zijn kamer naderden, rolde Carver onder het bed. Hij hield zijn adem in en bleef doodstil liggen toen zij voor zijn kamer bleef staan en haalde opgelucht adem toen zij weer verder liep. Een paar minuten later hoorde hij nog één laatste, ononderbroken wandeling door de gang, gevolgd door het geluid van de tv die weer werd aangezet. Hij wachtte nog een paar minuten. Om de zuster de tijd te geven een kopje koffie voor zichzelf in te schenken, haar schoenen uit te schoppen en op haar gemak voor de beeldbuis te gaan zitten.

Hij gebruikte die tijd om de bezittingen van de dode man uit te zoeken. Carver hield de jas, het mobieltje, de autosleutels en het geld. De portefeuille, met de artsenlegitimatie er nog in, legde hij op het nachtkastje, naast de injectiepen. Dat zou de politie voldoende materiaal geven om mee te werken wanneer ze gingen uitzoeken wat hier was gebeurd – materiaal dat duidelijk bewees dat het slachtoffer verre van onschuldig was. Ten slotte glipte Carver door de deur naar buiten en sloop de gang door naar de nooduitgang.

Nog geen minuut later zat hij achter het stuur van de auto van zijn aanvaller. Hij trok de kraag van zijn overjas hoog op, reed naar de slagboom en stak in het voorbijgaan zijn hand even op naar de bewaker. Terwijl de slagboom achter hem weer op zijn plek zakte, gaf hij plankgas en reed met hoge snelheid richting Genève.

Om kwart over twaalf kwam Clément Marchand door de voordeur zijn flat binnen met een verwachtingsvolle blik op zijn gezicht. 'Marianne? Liefje?' riep hij.

Toen kleurde de voorkant van zijn overhemd rood, spetterde het bloed over zijn voorhoofd en volgde hij zijn vrouw in de dood.

De moordenaar verliet het appartement zonder problemen. Terwijl hij wegreed, belde hij zijn baas, bracht verslag uit van de situatie in de flat en informeerde naar zijn nieuwe instructies.

32

Carver keek voortdurend in zijn binnenspiegel om te zien of hij werd gevolgd. Hij werd al nerveus als hij langer dan twee kilometer dezelfde koplampen zag. Telkens wanneer een auto de grote weg verliet of hem inhaalde zonder dat er iets gebeurde, liet hij zijn schouders zakken van opluchting en dankbaarheid, om ze onmiddellijk weer op te trekken zodra er een andere auto in zicht kwam.

Hij hield zich voor dat hij niet zo idioot moest doen. Hij had bijna altijd alleen gewerkt. Waarom zou de man die nu in zijn bed lag niet hetzelfde hebben gedaan? Toch was hij bang voor achtervolgers. Intussen was zijn lichaam volkomen uitgeput. Hij was vergeten hoe dodelijk vermoeiend vechten kon zijn. Het mocht dan maar een paar seconden hebben geduurd, maar de angst en spanning die eraan voorafgingen, de intense fysieke inspanning van het gevecht zelf en de opluchting het overleefd te hebben hadden hem overweldigd. Zijn spieren deden pijn. Zijn brein voelde loom en verward. Hij had de buitenwijken van Genève al bereikt toen hem plotseling een gedachte te binnen schoot: wat als de auto was uitgerust met een elektronisch volgsysteem?

Hij vervloekte zijn slordigheid. Het hoorde een automatisme te zijn: een onbekende wagen altijd controleren op volgsystemen of boobytraps. Maar het was niet eens bij hem opgekomen voordat het al veel te laat was. Geen wonder dat hij niet werd gevolgd. Dat was nergens voor nodig. Ze wisten al waar hij was.

Toen dacht hij aan het mobieltje van de moordenaar, dat nog steeds in zijn jaszak zat. Zolang het aanstond, kon iedereen met toegang tot de plaatselijke netwerken het eveneens gebruiken om hem op te sporen. Hij stak zijn hand in de jaszak en zette het mobieltje uit. Na een laatste blik in de binnenspiegel reed hij naar de kant van de weg, zette de wagen stil, stapte uit en keek om zich heen. Hij bevond zich ergens in de strook van buitenwijken en kleine voorstadjes die zich ten noordoosten van de stad uitstrekten en langs de noordoever van het meer helemaal doorliepen tot in Lausanne en Montreux. De weg waarop hij zich bevond liep parallel aan een spoorlijn. Een eindje verderop zag hij een bord waarop een station stond aangegeven, niet veel meer dan een halte op de lijn, Creux de Genthod genaamd. Hij kende die naam. Hij was daar eerder geweest.

Hij begon langs de kant van de weg in de richting van het station te rennen en had de ingang bijna bereikt toen hij zag dat er aan de overkant van de weg, aan het meer, een restaurant was. Hij had vrouwen meegenomen voor lome dineetjes aan de waterkant. Hij had ook wel eens een dagje een zeilboot gehuurd om wat rond te varen en had dan aangelegd aan de steiger naast het terras waar ze 's zomers tafeltjes neerzetten. Hij zag duidelijk voor zich hoe hij naar de ingang liep, zag blauwe parasols en gestreepte luifels en voelde hoe het meisje met wie hij was een kneepje in zijn arm gaf, helemaal blij om met een boot bij een restaurant aan te komen. Toen herinnerde hij zich nog iets anders, namelijk hoe hij zich op zulke momenten had gevoeld: niet net zo blij als de ander, maar afstandelijk, met zijn gedachten nog bij de moord die hij zojuist had gepleegd, of nog ging plegen.

Carver overwoog om naar het restaurant te gaan om daar gebruik te maken van de telefoon. Het was al na middernacht en waarschijnlijk waren ze aan het sluiten, maar hij kon altijd zeggen dat zijn auto het had begeven. Hij wilde Thor Larsson bellen. Hij had een bondgenoot nodig. Maar toen zag hij vanuit zijn ooghoeken een lichtflits, de koplampen van een naderende trein. Als hij hard rende, kon hij hem nog halen en naar de stad rijden. De rit duurde niet langer dan een kwartier. Hij kon Larsson bellen wanneer hij er was.

In de trein vond hij helemaal achter in een rijtuig een zitplaats waar hij iedereen in de gaten kon houden die door de schuifdeur naast hem binnenkwam, of door het gangpad liep. Waarschijnlijk was dit de laatste trein; er zaten niet veel mensen in. Toch kon hij zich niet ontspannen. Hij staarde naar de andere passagiers en probeerde te zien wie van hen een dreiging zou kunnen vormen. Hij zei tegen zichzelf dat hij ermee op moest houden; ze zouden denken dat hij stapelgek was. Maar hij bleef het toch doen. Het was voor het eerst sinds maanden dat hij weer in de buitenwereld was, omringd door vreemdelingen. Het viel niet mee om zich meteen weer thuis te voelen.

Toen hij in Genève uitstapte bleef hij heimelijke blikken werpen op de andere mensen die over het perron liepen. Een tiener, die in het gezelschap was van een groepje vrienden, zag hem kijken.

'Wat valt er te zien?' riep de jongen.

Een van zijn vrienden, aangemoedigd door de aanwezigheid van de anderen, viel hem bij: 'Ben jij soms een of andere viezerik?'

'Het is een pedofiel,' zei een van de anderen en onmiddellijk begonnen ze te joelen: 'Pedo! Pedo!'

Carver draaide zich om en trok zijn schouders hoog op. Tegen de tijd dat hij een telefooncel had gevonden voelde hij zich helemaal klam van schaamte. Hij belde Larsson.

'Ik moet je spreken. Mijn flat, zo snel mogelijk.'

'Wacht eens even,' zei Larsson. 'Waar bel je vandaan? Hoe komt het dat je niet in de kliniek bent?'

'Daar heb ik een probleempje gehad. Ik ben nu in de stad. Ik moet hier vannacht nog weg. Maar eerst moet ik nog een paar dingen doen.'

'Wat voor dingen?'

'Niets dramatisch. Ik moet Alix gaan zoeken. Luister, kun je naar de flat komen of niet?'

'Ja, dat kan wel.'

'Mooi. En breng de sleutels mee. Die heb je toch nog wel?'

'Ja. Alix had de oorspronkelijke set, maar ik heb er een paar bij laten maken.'

'Dan zie ik je daar.'

Carver nam een taxi en bleef de hele weg uit het raam zitten kijken, om weer een beetje te wennen aan de aanblik van de stad. Hij liet zich een paar straten voor zijn appartement afzetten, begon in de verkeerde richting te lopen, corrigeerde dat toen weer en baande zich een weg door de doolhof van smalle straatjes in het hart van de Oude Stad. Hij keek voortdurend over zijn schouder, gluurde in geparkeerde auto's en schrok van elke onverwachte beweging of geluid.

Een paar deuren vóór zijn bestemming bleef Carver even voor een klein café staan waarvan de ingang zich ongeveer een meter onder straatniveau bevond, een kort trapje af. Het gebouw zag er vertrouwd uit, maar er was ook iets veranderd. Het was het bord boven de deur – hij wist zeker dat dat anders was. Hij probeerde zich te herinneren wat er vroeger op had gestaan en wat het café voor hem had betekend, maar ditmaal wilden de beelden niet komen. Hij bleef een ogenblik fronsend staan, in een poging bij de herinnering te komen die zo ergerlijk buiten zijn bereik bleef. Hij vroeg zich af wat hier was gebeurd wat zo erg was dat zijn brein het nog steeds niet wilde accepteren. Toen wendde hij zich af en liep verder, zichzelf vervloekend om het feit dat hij daar doodstil midden op straat was blijven staan, waar iedereen hem kon zien.

Aan de andere kant van de stad hield een agent van de Russische Staatsveiligheidsdienst, ene Piotr Korsakov, de man die zojuist Marianna Marchand en haar man Clément had vermoord, een taxi aan. Hij vertelde de chauffeur precies waar hij naartoe wilde: de meest waarschijnlijke plek, zo hadden zijn superieuren beslist, waar Carver naartoe zou gaan. Zijn eerstvolgende doelwit was al op weg. Er was geen tijd te verliezen.

33

Aan de oevers van Gull Lake, Minnesota, waar de laatste resten daglicht uit de loodgrijze hemel verdwenen en de bomen aan de overkant van het meer nauwelijks meer zichtbaar waren, maakte dr. Kathleen Dianne 'Kady' Jones zich op om kennis te maken met haar eerste echte nucleaire bom.

Kady was onderzoeksanalist op de nucleaire basis in Los Alamos, New Mexico en een van de vrijwilligsters van een speciale eenheid van het Amerikaanse ministerie van Energie, ook wel NEST genoemd. Die afkorting stond voor Nuclear Emergency Search Team en de taak van de eenheid bestond eruit het hoofd te bieden aan de grootste nachtmerrie van de nationale veiligheid: een slechterik met een atoombom.

Sinds NEST in 1975 was opgericht waren er meer dan honderd meldingen geweest van mogelijke dreigingen. Van die meldingen waren er rond de dertig onderzocht. Ze waren allemaal vals gebleken. Zelf in elkaar geknutselde draagbare atoombommen vormden geweldig materiaal voor filmscripts. Een team van zeventien geleerden in overheidsdienst had bij wijze van experiment geprobeerd zelf een bom te bouwen, gewoon om te zien of het kon. Maar in werkelijkheid hadden er zich nooit ongeautoriseerde nucleaire wapens, van welke soort dan ook, op Amerikaanse bodem bevonden.

Tot nu toe.

De melding had via de FBI in Minneapolis-St. Paul het crisiscentrum van het ministerie van Energie in Washington bereikt. Daar vandaan was hij doorgegeven aan het hoofdkwartier van NEST op luchtmachtbasis Nellis in het noordoosten van Las Vegas. Binnen enkele minuten had Kady opdracht gekregen leiding te geven aan een uit zeven mensen bestaand NEST-team. Binnen een uur waren ze opgestegen van de luchthaven van Los Alamos County, op weg naar Minneapolis.

De bestemming van het team was een vakantiehuis aan de oevers van Gull Lake, een populaire bestemming voor stadsbewoners die op zoek waren naar frisse lucht en lekker wilden vissen en plezier maken op het water. Er waren schijnwerpers aangevoerd om de bescheiden houten blokhut te verlichten. De FBI-agent die de leiding had was Tom Mulvagh.

'Wat is het verhaal?' vroeg Kady, terwijl haar team vast spullen begon uit te laden uit een van de twee zwarte Econolinebusjes die hen hier naartoe hadden gebracht. Ze hield een gehandschoende hand tegen haar voorhoofd om de regen uit haar ogen te houden. Op haar kastanjebruine haar droeg ze een vuurrode fleecemuts.

'De eigenaar van deze vakantiewoning, ene Heggarty, heeft het vier jaar geleden gekocht,' zei Mulvagh, zijn gezicht half in de schaduw onder de capuchon van zijn parka. 'Hij wil de zolderruimte ombouwen tot een extra slaapkamer. Maar goed, hij is alles aan het opmeten en het lijkt maar niet te kloppen. De afmetingen binnen kloppen niet met de uitwendige afmetingen van het huis. Hij komt steeds weer negentig centimeter tekort. Dan realiseert hij zich opeens dat de achterwand van de zolder in werkelijkheid een afscheiding is, met ruimte erachter. Hij haalt de wand weg en op dat moment ziet hij een grote, bruine leren koffer staan – hij beschreef hem als een ouderwetse koffer, niet zo'n moderne. Wanneer hij nog eens goed kijkt, ziet hij dat er een elektriciteitskabel uit steekt, die is verbonden met een stopcontact in de muur.'

Kady vertrok haar gezicht. 'Zeg dat hij de koffer niet heeft opengemaakt.'

'Natuurlijk heeft hij die koffer opengemaakt – niet meer dan menselijk. En toen zag hij een metalen buis, een zwart doosje met een knipperend rood lampje en wat hij zelf noemde, en ik citeer: "Van die achterlijke kriebelletters."'

Ze fronste: 'Arabisch?'

'Ik denk het niet. Volgens zijn beschrijving, leek het ons eerder Cyrillisch schrift – Russisch dus.'

'Oké, maar is hij wel met zijn vingers van de buis en het doosje afgebleven?'

De FBI-agent grinnikte. 'Ja, hij was slim genoeg om op dat moment bang te worden. Hij heeft de politie in Nisswa gebeld en die heeft hem doorverbonden met het kantoor van de sheriff van Crow

Wing County in Brainerd. Zij hebben weer contact opgenomen met ons en hier staan we dan met z'n allen.'

'Laten we dan maar eens een kijkje gaan nemen.' Kady keek om zich heen. 'Wij trekken beschermende kleding aan. Ik denk dat we ons wel in de busjes kunnen omkleden.'

'Mij best,' zei Mulvagh, 'maar schiet wel een beetje op. Het maakt me behoorlijk nerveus om hier te staan, zonder precies te weten wat zich daarbinnen bevindt.'

Ze gaf hem een geruststellend schouderklopje, alsof ze zijn beschermer was, ook al leek Mulvagh op z'n minst tien jaar ouder dan zij, en was hij vijftien centimeter langer en zeker twintig kilo zwaarder.

'Geloof me, dat zit wel goed. Als die bom werkelijk van Russische makelij is, is hij vrijwel zeker voorzien van een specifieke code die moet worden ingevoerd om hem op scherp te stellen. Zonder die code gebeurt er niets. Ik denk dat hij daar misschien al tien jaar heeft gelegen, waarschijnlijk zelfs langer. En als hij al die tijd niet is afgegaan, waarom zou hij dat nu dan opeens wel doen?'

'Omdat hij niet graag wordt gestoord?'

'Maak je geen zorgen. Ik zal extra beleefd zijn.'

34

Larssons gebutste Volvo-stationcar stond al voor Carvers gebouw te wachten toen hij daar eindelijk aankwam. De Noor stapte uit en nam Carver van top tot teen keurend op, op zoek naar zichtbare tekenen van problemen.

'Alles oké?' vroeg hij.

'Laten we naar binnen gaan,' antwoordde Carver. 'Ik sta niet graag zomaar op straat, veel te open en bloot.' Zijn stem klonk gespannen en nerveus.

'Gaat het wel een beetje met je?' vroeg Larsson. 'Je klinkt niet zo best.'

'Mij mankeert niets.'

'Goed, als jij het zegt.'

Carver haastte zich het appartementengebouw in en begon de trap op te lopen naar zijn woning op de bovenste verdieping. Larsson keek hem een ogenblik sceptisch na en volgde hem toen naar boven over de oude houten trap, die vijf verdiepingen omhoog voerde en bij elke stap onder hun voeten kraakte. Toen hij Carvers flat bereikte, stond de deur al open. Carver stond in de woonkamer en keek om zich heen, stomverbaasd om wat hij zag – of liever gezegd, niet zag.

'Waar is alles?' vroeg hij.

Er stonden geen meubels meer in de kamer.

'Verkocht,' zei Larsson. 'We konden niet anders.'

Carver werd iets rustiger toen hij tot zich door liet dringen wat Larsson had gezegd. Toen gleed er een blik vol afgrijzen over zijn gezicht en rende hij de keuken in. 'Christus, jullie hebben toch niet...'

Larsson rende achter hem aan. 'Wat hebben we niet?'

'Het is al goed...' Carver stond bij het keukeneiland. De wijnrekken waren leeg. De lage inbouwkoelkast was verdwenen. Het enige wat er nog stond was het skelet van de keuken. Maar daar leek hij niet mee te zitten. 'Ik was even bang dat jullie de keukenblokken ook hadden verkocht,' zei hij.

Voor het eerst die avond verscheen er een grijns op Larssons gezicht. 'Wie zou die rotzooi nou willen kopen?'

Nu was het Carvers beurt om te lachen, ook al was het maar heel even. Hij bukte zich en stak zijn hand in het wijnrek, in het midden van de tweede rij, drie plekken vanaf de zijkant. Zijn gezicht vertrok heel even toen zijn vingers aanvankelijk niets voelden, maar zijn glimlach keerde terug toen ze vonden wat hij zocht.

'Kijk maar eens goed,' zei hij.

Er klonk een nauwelijks hoorbaar gonzend geluid. Larsson keek vol verbazing toe hoe het midden van het granieten aanrechtblad omhoog kwam van het eiland. Eronder was een metalen frame zichtbaar, waarin een grote plastic gereedschapskist was ingebouwd, onderverdeeld in een aantal schuiflades van verschillende afmetingen met doorzichtige plastic voorkanten.

'Ongelooflijk!' riep Larsson uit.

'Zo te zien is mijn kist nog helemaal intact,' zei Carver. Hij begon wat rustiger te worden, gerustgesteld door de vertrouwde omgeving en de aanwezigheid van zijn gereedschapskist. 'Oké, als het goed is zitten de bovenste twee lades vol met de gebruikelijke spullen...'

Toen Carver de bovenste lade opentrok zag Larsson een dik stuk donkergrijs schuimrubber, waarin een reeks voorgestanste openingen een keur aan onberispelijk glanzende moersleutels, schroevendraaiers, zagen en hamers bevatten. De tweede lade was bestemd voor kleine elektrische gereedschappen en soldeerbouten.

'Het ligt er allemaal nog,' zei hij. 'In de volgende twee laden zitten dacht ik allerlei handige instrumentjes, elektronica, dat soort dingen.'

Larsson zuchtte vergenoegd bij het zien van de verzameling tijdschakelaars, ontstekingen, apparaatjes om op afstand remmen en versnellingen mee te beïnvloeden en afstandsbedieningen. 'O ja, sommige van die schatjes herken ik wel. Fijn om te weten dat je ze zo'n goed tehuis hebt bezorgd.'

'Oké, in de volgende la vinden we...'

Larsson zag blokken plastic explosieven en thermiet.

'En ten slotte...'

Carver trok de laatste, diepste lade open. Die bevatte een Heckler en Koch MP5K-machinepistool met korte loop, compleet met een geluiddemper en drie magazijnen, plus een SIG Sauer P226 met dezelfde essentiële accessoires. Larsson gaf een begrijpend knikje. Beide wapens behoorden tot de standaarduitrusting van Britse speciale eenheden.

'En dan is er nog iets...' zei Carver.

Hij trok de gereedschapskist uit zijn behuizing en zette hem voor zich op de grond. Toen ging hij op zijn hurken zitten. Het deksel van de kist was enkele centimeters dik. Hij tilde hem op en meteen werd er nog een bergruimte zichtbaar, in het deksel zelf, afgesloten met een scharnierend plastic luikje. Toen hij dit opende kwam er een dikke bruine enveloppe, grofweg A3-formaat, tevoorschijn.

'Dit konden jullie natuurlijk ook niet weten...' zei hij.

Carver haalde de enveloppe eruit en sloot de bergruimte weer af. Toen nam hij de SIG, de geluiddemper en twee magazijnen uit de onderste lade. Hij deed de gereedschapskist weer dicht, maar liet hem op de grond staan terwijl hij weer op het knopje in het wijnrek drukte. De lege behuizing zakte weer weg in het keukeneiland. Carver legde de enveloppe en het wapen op het aanrechtblad.

'Zit daar geld in?' vroeg Larsson, met een knikje naar de enveloppe. Opeens voelde hij zich niet zo vrolijk meer.

'Ja.'

'Genoeg om de rekeningen van te betalcn?'

'Met gemak.'

'En wanneer herinnerde je je dit weer, exact?'

Zijn woorden hadden iets bitters en sarcastisch.

'Een paar weken geleden, vrij snel nadat mijn geheugen terug begon te komen.'

'Dus je had haar geld eigenlijk helemaal niet nodig?'

'Natuurlijk wel. Zolang er werd betaald, wist ik dat zij nog leefde.'

Larsson kon niet anders dan de logica van Carvers argument accepteren. Maar hij had zelf ook nog een appeltje met hem te schillen. 'Mij ben je ook geld schuldig. Meer dan twintigduizend dollar.'

Carver knikte zwijgend. Hij stak zijn hand in de enveloppe en haalde er een met sierlijke letters bedrukt document uit. Het was een obligatie aan toonder ter waarde van $ 50.000, op naam van een Panamese corporatie en aan de achterzijde door hem getekend. In wezen was het net zo goed als contant geld. Hij gaf het aan Larsson.

'Bedankt, maar dat is veel te veel,' zei de Noor.

'Uiteindelijk niet,' zei Carver droogjes, 'niet op de lange termijn. Luister, ik betaal Alix ook alles terug... maar dan moet ik haar eerst zien te vinden. We moeten beginnen op de laatste plekken waar ze nog is gezien. Ik weet dat ze 's nachts in de een of andere bar werkte. Weet jij waar dat was?'

'De Bierkeller? Natuurlijk, ik gaf haar wel eens een lift naar haar werk.'

'Mooi, dan mag je mij ook een lift geven. Geef me een paar minuten om me op te knappen.'

Carver pakte de enveloppe, het pistool en de munitie en liep de keuken uit. Toen hij door de woonkamer liep, zag hij het schilderij van Lulworth Cove aan de muur hangen, het enige van zijn waardevolle bezittingen wat niet was verkocht. Hij herinnerde zich dat hij er met Alix over had gepraat. Zij had een oud T-shirt van hem aangehad en zat opgekruld in de stoel, fris uit de douche. Hij had hier best nog even met zijn ogen dicht aan haar willen denken, maar vanavond kon dat niet. Hij moest in beweging blijven.

In zijn slaapkamer opende hij zijn garderobekast. Al zijn spullen hingen er nog, naar één kant geschoven om plaats te maken voor Alix' treurige kleine verzameling kleren. Hij pakte een jasje uit haar kant van de kast, hield het bij zijn gezicht en rook nog vaag haar geur, die hij in zich opnam als een hond die op een spoor wordt gezet. Toen ging er, heel onverwacht, een schakelaartje om in zijn hoofd – een automatische, onwillekeurige reflex die de emotionele, gevoelige, onpraktische kant van zijn bewustzijn uitschakelde en hem kil en helder maakte.

De paniek en onzekerheid waren verdwenen. Hij voelde geen drukkende, misselijkmakende angst meer in zijn maag, alleen nog maar een sterk gevoel van haast en vastberadenheid.

Hij reikte naar een plank boven het kledingrek en haalde een leren weekendtas tevoorschijn. Toen stak hij zijn arm nog wat verder uit en trok een schouderholster en een brede geldriem uit de kast. Het kostte hem hooguit een halve minuut om de weekendtas in te pakken met twee effen witte T-shirts, twee paar sokken en twee onderbroeken; gevolgd door een spijkerbroek en een lichtgewicht fleecetrui, allebei zwart. Vervolgens kostte het hem nog een minuut om zich om te kleden in een set kleding die identiek was aan wat hij zojuist had ingepakt, alleen met een antracietkleurige pullover met een V-hals in plaats van de zwarte fleece. Hij koos een paar simpele zwarte veterschoenen, met dikke zachte zolen.

De geldriem ging om zijn middel. Uit de bruine enveloppe haalde hij een stapeltje biljetten van honderd dollar, en nog twee obligaties aan toonder, dezelfde als die hij aan Larsson had gegeven. Ook haalde hij er twee paspoorten uit, één Australisch en één Zwitsers. Ze stonden allebei op verschillende namen, maar zijn foto stond erin. Hij haalde een paar bankbiljetten van het stapeltje en stopte ze in zijn broekzak, samen met de Zwitserse contanten die hij van de moordenaar in de kliniek had afgepakt. Verder ging alles in de riem. Toen deed hij de enveloppe, die nog voor meer dan de helft vol zat, dicht en legde hem in de tas.

Hij deed de schouderholster om. Met de SIG erin voelde het heel erg vertrouwd, want de holster stond al zo afgesteld dat hij hem als gegoten zat. Er hing een korte, zwarte wollen jas in de kast, en die trok hij als laatste aan. De jas bedekte de holster zonder opvallende bobbel. De reservemagazijnen liet hij in zijn zakken glijden. De jas was mooi genoeg om er elk restaurant of hotel mee binnen te komen, maar ook stevig genoeg om de kou op afstand te houden. Er hing nog exact zo'n zelfde jas in de kast, samen met nog twee zwarte spijkerbroeken en drie ogenschijnlijk identieke donkerblauwe kostuums. De laden waaruit hij de T-shirts, het ondergoed en de truien had gehaald vertoonden een soortgelijke herhaling. Zo'n man was hij dus geweest: methodisch, functioneel, iemand die geen vernieuwing nodig had wanneer iets hem eenmaal goed beviel.

In andere laden lagen horloges, zonnebrillen, mobieltjes, opnieuw met minimale variatie. Hij nam er van elk één mee, waarbij hij geen tijd hoefde te verknoeien aan kiezen, plus een paar extra simkaarten voor de telefoon. Toen zag hij naast het bed een fotolijstje staan. Het was een foto van Alix, naast zijn stoel in de recreatiezaal van de kliniek. Zij had een hoopvolle glimlach op haar gezicht. Hij keek alleen maar verbaasd. Hij kon zich niet herinneren dat de foto was genomen. Hij stond er niet te lang bij stil, maar haalde de foto uit het lijstje, vouwde hem in tweeën en stopte hem in de binnenzak van zijn jas. Als hij de vrouw wilde vinden, kon een foto van pas komen.

Larsson stond bij de deur van het appartement te wachten, met de gereedschapskist. Toen hij Carver zag, zei hij: 'Hé, jij lijkt sprekend op een vent die ik ooit heb gekend.'

'O ja, wat was dat voor iemand?' vroeg Carver.

Met een uitgestreken gezicht antwoordde Larsson: 'Een ongelooflijke klootzak.'

35

Dokter Geisel had Carver al gewaarschuwd dat hij nog een lange weg te gaan had voordat hij zich als genezen kon beschouwen. Er was altijd een kans op een terugval. Daarbij kon hij ook nog rekenen op plotselinge, heftige stemmingswisselingen.

Hij begon te begrijpen wat de psychiater had bedoeld. Het was een rit van amper vijf minuten naar de Bierkeller, maar zodra de Volvo zich in beweging zette begon het sterke, zelfverzekerde gevoel weg te ebben, kwam zijn onrust terug en voelde hij weer die spanning in zijn ingewanden en zijn schouderspieren. Carver haalde een paar keer langzaam en diep adem en draaide zijn hoofd door zijn kin op te tillen, een rondje te maken en te eindigen met zijn kin bijna op zijn borst; wanneer zijn hoofd omlaag kwam ademde hij uit en wanneer hij zijn kin omhoog bracht weer in.

'Alles in orde?' vroeg Larsson, die achter het stuur zat.

'Jawel, ik probeer gewoon een beetje rustig te worden.'

'Ik zou nu wel eens willen weten wat er in de kliniek is gebeurd.'

Carver zuchtte diep terwijl hij met gesloten ogen zijn hoofd liet zakken. Zo bleef hij even zitten, waarna hij zijn gezicht vertrok en Larsson aankeek.

'Iemand heeft geprobeerd me te vermoorden.'

'En...?'

'En iemand anders kan nu elk moment zijn lichaam ontdekken, dus houd je mond, rij door, en help me om Alix te vinden.'

Opeens bracht Larsson de wagen tot stilstand. Hij bleef doodstil zitten, terwijl Carver hem toebeet: 'Wat doe je nou, verdomme?'

Zonder enige waarschuwing stak Larsson zijn rechterhand uit, greep Carver bij zijn keel en duwde hem met geweld tegen de zijkant van de wagen.

Carver worstelde om zich te bevrijden, maar zijn lichaam werd gehinderd door de veiligheidsgordel en zijn voeten zaten klem.

'Ik houd niet van mensen die grof tegen me zijn.' Larsson klonk alsof hij een misverstand uit de weg ruimde, iets duidelijk wilde maken: 'Dus let op je woorden, oké?' Hij ontspande zijn greep en trok langzaam zijn arm terug, zonder ook maar een ogenblik zijn blik van Carver af te wenden.

'Oké,' zei Carver, 'mijn excuses. Ik wil alleen Alix maar terug.'

'Dat kan zijn, maar niet nu.'

'Waarom niet?'

'Omdat je niet in vorm bent. Kijk nu eens naar jezelf, ik kon je met één hand grijpen. Je stemming gaat op en neer als een jojo. Je kunt de trappen van je appartement niet beklimmen zonder buiten adem te raken. Het zal nog weken duren voordat je weer fit bent.'

Carver sloeg zijn ogen neer in stilzwijgende erkenning.

'Oké, misschien heb je gelijk... misschien. Maar ik kan toch niet op mijn reet blijven zitten en niets doen? Al kom ik er alleen maar achter waar ze mee bezig was, waar ze was voordat ze verdween, dat is in elk geval iets. Luister, die biertent kan elk moment sluiten en ik kan morgen niet terugkomen, want dan ben ik de stad uit. Ik ga alleen even naar binnen, drink wat en stel een paar vragen, niks aan de hand. Geloof me, ik ga heus niet vechten.'

'Godzijdank,' zei Larsson en startte de motor weer.

36

Op de zolder in Minnesota voelde Kady zich net een ontdekkingsreiziger die eindelijk op het punt staat een mysterieuze diersoort onder ogen te krijgen, waarover vaak is geschreven, maar die niemand nog ooit heeft gezien. Voor een geleerde uit Los Alamos was de kofferbom net zoiets als de Verschrikkelijke Sneeuwman of het monster van Loch Ness, met een even onweerstaanbare aantrekkingskracht.

Ze klom de ladder op in haar opblaasbare plastic pak, waarin ze eruitzag als de gemuteerde kruising van een mens met een springkussen, zinderend van verwachting en nerveuze spanning. Ondanks haar zelfverzekerde woorden tegen Tom Mulvagh was ze zich maar al te bewust van alles wat hier mis kon gaan. Als het een echte bom was kon er een boobytrap in zitten. En ook al was dat niet het geval, dan nog kon je nooit volledig uitsluiten dat hij per ongeluk zou afgaan. Het was niet waarschijnlijk, maar het kón, en daarom was het protocol heel duidelijk: kijken, maar niet aanraken. En er zo ver mogelijk bij vandaan blijven.

Ze stak haar hoofd door het luik. De zolder werd verlicht door een enkel, kaal peertje. In het felle licht zag ze aan de andere kant van de zolder de koffer liggen, wagenwijd open, haar uitdagend om dichterbij te komen en een kijkje te nemen. Ze klauterde op de vloer, haar luchtslang achter zich aan slepend. Toen boog ze zich weer over het gat om een videocamera aan te pakken, die een van haar teamleden haar aanreikte. Vervolgens kwamen er nog een statief en een feloranje metalen kistje, met een zwart handvat dat twee derde van de hele lengte besloeg. Uit het kistje kwam een kabel die door het luik naar beneden liep.

Ze zette de videocamera op het statief, zette hem aan en stelde hem scherp. 'Zie je dat?' vroeg ze, in het microfoontje dat in de helm van haar pak zat.

Haar assistent, Henry Wong, zat buiten in een van de busjes, tegenover een rek vol elektronische apparatuur, wijzerplaten en schermen.

'Ja, en hij ziet er behoorlijk authentiek uit.'

'Er is maar één manier om daarachter te komen,' zei Kady.

Ze draaide zich van de camera weg en pakte het oranje kistje op. Aan één kant zaten een numeriek toetsenpaneel en een klein backlightschermpje. Het kistje was een draagbare gammastralenspectrometer, een instrument dat speciaal was ontworpen om de straling te meten en te analyseren die werd afgegeven door voorwerpen die je ermee onderzocht.

De verschillende nucleaire materialen die in bommen kunnen worden toegepast hebben allemaal een specifiek verval, waardoor bepaalde hoeveelheden gammastralen worden afgegeven. Sommige van die materialen, zoals plutonium, geven genoeg straling af om die van aanzienlijke afstand te kunnen waarnemen. Andere echter, kunnen alleen van heel dichtbij worden geregistreerd. Vanaf haar plek naast de camera sloegen er geen wijzertjes uit op Kady's spectrometer. Dat sloot meteen de meeste van alle mogelijke verdachte stoffen uit, maar niet allemaal. In die koffer kon wel een nepbom zitten, het zoveelste valse alarm. Maar hij kon ook verrijkt uranium bevatten. Kady had geen keus. Als ze achter de waarheid wilde komen, moest ze heel dichtbij komen.

Ze sloop op haar tenen naar de koffer. Ze durfde amper adem te halen en schrok van elke krakende vloerplank. Als klein meisje had ze graag Annamaria Koekoek gespeeld, waarbij ze haar vader besloop terwijl hij met zijn rug naar haar toe stond, en zij met bonkend hart telkens nog één stapje probeerde te nemen voordat hij zich omdraaide en haar vastpakte. Nu lag daar een bom waar vroeger haar vader had gestaan, en één verkeerde beweging kon ook nu een bliksemreactie teweegbrengen. Ze zweette in haar plastic luchtbel en kon niet eens de zweetdruppel wegvegen die van haar voorhoofd droop.

Ze voelde haar hart bonken en haalde snel en oppervlakkig adem. De spectrometer trilde in haar hand. Zoals ze er nu aan toe was, kon ze gemakkelijk over een losliggende plank struikelen of haar apparatuur laten vallen. Als ze tegen de koffer aan stootte en er zat een boobytrap in... ze maakte de gedachte niet af. Ze wist dat ze rustig moest worden. Ze bleef met halfgesloten ogen staan, haar armen langs haar zijden, en probeerde haar ademhaling onder controle te krijgen en haar hartslag te vertragen. Langzaam maar zeker kreeg het woeste bonken van bloed in haar oren een regelmatiger ritme.

Toen ze vlak bij de koffer was, sprak ze weer tegen Henry Wong.

'Oké, daar gaan we.'

'Voorzichtig, Kady.'

'Wat dacht je dan?'

Ze stapte recht op de geopende koffer af, die misschien vijfenzeventig centimeter breed was, rechthoekig, met verstevigde hoeken. De inhoud was gevat in een dikke laag polystyreen. Het grootste onderdeel was een metalen buis, die bijna over de hele lengte van de koffer liep. De ene kant was dikker dan de andere, alsof er een extra versterkende metalen band omheen zat. Uit de andere kant stak een draad, die naar een zwart bedieningspaneel liep, met een hele serie schakelaars, een toetsenpaneel en een digitale tijdklok. Er stonden geen cijfers op de tijdklok, geen dramatische countdown, alleen een heleboel knopjes met Russische letters. Er brandde één klein rood lampje, ten teken dat het bedieningspaneel vermogen ontving van de elektriciteitskabel.

Kady richtte de spectrometer op de koffer. Op de display verscheen een reeks cijfers en letters die, via de kabel, ook op een scherm voor Henry Wong verschenen. Ze hoorde een lage, met ontzag vervulde fluittoon in haar oor.

'Verrijkt uranium 235. Je hebt zojuist een levensechte kofferatoombom gevonden, Kady. Man, dit is echt cool.'

De spanning was even verbroken en zij glimlachte. 'Dat is niet de term waarvoor ik zelf zou hebben gekozen. Volgens mij ziet het ernaar uit dat Alexander Lebed de waarheid heeft verteld. De Sovjets hebben dus werkelijk over de hele wereld draagbare atoombommen verstopt. Maar als dit er een van is, waar is dan de rest?'

'Dat is niet ons probleem,' zei Wong. 'Bovendien kunnen we niets doen voordat deze is ontmanteld. Waarom kom je niet even naar beneden, zodat we samen de uitslagen kunnen bekijken?'

'Oké. Maar eerst wil ik dit ding van dichtbij op video vastleggen. We moeten ten slotte weten waar we mee te maken hebben.'

Ze liep terug naar de camera, nog steeds even voorzichtig, maar iets zelfverzekerder, nu ze het wapen een keer had gezien en het kon navertellen. Nu ze wist waar ze mee te maken had, had ze het gevoel meer controle over het hele proces te hebben. Terwijl ze de camera losdraaide van het statief en ermee naar de koffer liep, hield ze zichzelf voor dat ze aan nog veel zwaardere kernkoppen had gewerkt, zowel Russische als Amerikaanse, en dat haar nog nooit iets was overkomen. Waarom zou het deze keer anders gaan?

Ze had geen erg in de spijker die fier uit de vloer stak, tot een laars van haar pak erachter bleef hangen. Ze hield de camera in haar handen, dus kon ze haar armen niet gebruiken om haar evenwicht te bewaren of haar val te breken toen ze struikelde...

'Kady!' riep Wong, toen ze boven op de koffer viel, hopeloos verstrikt in haar luchtslang terwijl het lampje op het bedieningspaneel begon te knipperen en de bom een reeks hoge piepjes liet horen.

Als waarschuwing.

Er was een boobytrap geactiveerd.

De spanning die ze had gevoeld sinds ze naar de zolder was geklommen werd in één tel weggeblazen door een misselijkmakende, bonkende golf zweet van pure doodsangst. De angst leek haar zicht te vertroebelen terwijl zij met haar ledematen maaide, en wanhopig weg probeerde te krabbelen, alsof dat iets uit zou maken.

In haar oren hoorde ze Wongs stem: 'O, shit...'

Het piepen hield op.

Ze hoorde niets meer in haar koptelefoon.

Ze bleef doodstil, volkomen roerloos liggen, en durfde niet eens adem te halen in de absolute stilte op de zolder.

Van ergens diep in de koffer klonk het geluid van een zwakke ontploffing, niet harder of krachtiger dan een knalbonbon. Toen was het weer stil.

Kady krabbelde weg over de vloer en probeerde weer op adem te komen. Opeens zag ze de stekker aan het uiteinde van de kabel die uit de koffer kwam. Door haar val was hij uit de contactdoos gerukt. Het flitsende lichtje en het gepiep waren alleen een waarschuwing voor de gebruikers van de bom dat er sprake was van een stroomonderbreking. Er was geen boobytrap.

Maar er zwierven wel degelijk Sovjet-atoombommen rond in de wereld. En noch Kady, noch iemand anders in Amerika, had ook maar enig idee waar die zich bevonden.

37

Het personeel van de Bierkeller voelde er weinig voor Carver en Larsson binnen te laten. Een serveerster probeerde hun duidelijk te maken dat de zaak ging sluiten. Carver haalde honderd dollar te voorschijn.

'We blijven maar een paar minuten,' zei hij.

De serveerster pakte het bankbiljet aan en knikte in de richting van de lege tafeltjes. 'Ga je gang.'

Ze bestelden een paar tarwebiertjes, de authentieke smaak van Duitsland, in hartje Frans Zwitserland. Carver keek om zich heen. Er was nog maar één andere klant in de zaak, een nietszeggend ogende man van een jaar of dertig, veertig, die in een hoekje een glas whisky zat te drinken. Hij was licht kalend en droeg een grijs confectiepak, een doodgewone eenzame vertegenwoordiger op een eenzame avond.

Carver keek naar het namaak-Beierse decor en de twee serveersters met hun pruiken en kostuumpjes, allebei moe en kort aangebonden aan het eind van een lange avond. Hij schaamde zich wanneer hij eraan dacht dat Alix elke nacht tot in de vroege uurtjes in deze smoezelige tent had moeten werken. Ze was 's ochtends altijd weer vroeg in het ziekenhuis gekomen – ze moest gebroken zijn geweest. Misschien was ze daarom wel weggegaan. Ze wilde ook wel eens een keertje goed uitslapen.

Hij dronk zijn glas leeg en liep naar de bar.

'Wat krijg je voor die twee biertjes?'

'Tien frank,' zei de barman.

Carver betaalde met een briefje van vijftig en zei dat hij het wisselgeld kon houden.

De barman bedankte hem en keek Carver toen met opgetrokken wenkbrauwen en getuite lippen aan, alsof hij zeggen wilde: 'Dit doe je niet zomaar.'

Carver zag zijn blik. 'Je hebt gelijk,' zei hij, zonder erbij na te denken overstappend op Frans. 'Ik wil inderdaad iets van je.'

Hij schoof de foto van Alix over de bar.

'Ken je deze vrouw? Haar naam is Alexandra Petrova. Ze heeft hier gewerkt.'

De barman zei niets.

'Luister,' zei Carver. 'Ik ben niet van de politie, ik ben een vriend van haar. Ze is verdwenen en ik probeer erachter te komen wat er met haar is gebeurd, dat is alles.'

Ten slotte zei de barman: 'Ben je Engels?'

'Uh-huh.'

'Onlangs in het ziekenhuis gelegen?'

Carver vouwde de foto open en liet hem de andere helft zien.

'Oké,' zei de barman. 'Ik heb over je gehoord. Maar ik weet niet waar Alix is. Op een avond was ze hier en opeens... weg!' Hij haalde zijn schouders op en hief zijn handen om zijn verbijstering kracht bij te zetten, waarna hij een doekje onder de bar vandaan haalde en het buffet begon op te wrijven. 'Maar misschien kan Trudi je helpen. Zij was een vriendin van Alix.'

De barman wees naar een van de serveersters: degene die Carver bij de deur al had gesproken. 'Hé, Trudi! Hij wil je op een drankje trakteren.'

De serveerster deed net alsof ze Carver van top tot teen opnam. 'Krijg ik dan weer honderd dollar?' vroeg ze en kwam naar hem toe geslenterd.

De kalende man in de hoek keek hoe zij naar de bar liep. Carver zag het en meende heel even een bepaalde blik in de ogen van de man te zien, een manier van kijken die op intense concentratie wees, een soort professionele nieuwsgierigheid. Maar toen stond Trudi naast hem, vrolijk, rondborstig, de klassieke barmeid – haar korset extra strak aangesnoerd om haar decolleté nog dieper te maken – en verdween de gedachte weer.

'Nou, krijg ik dat drankje nog van je?' zei ze.

'Natuurlijk,' zei Carver, 'wat drink je?'

'Dubbele wodka tonic.'

'Geen probleem. Heb je dat gehoord... Pierre?'

'Niet nodig. Ik weet wat ze drinkt.'

Het glas werd voor haar neergezet. Trudi sloeg de helft in één keer achterover en slaakte een tevreden zucht.

'Dat had ik even nodig. Nou, wat kan ik voor je doen?'

'Het gaat om Alix. Ik probeer haar te vinden.'

Trudi keek hem even aan en toen gleed er een sluw glimlachje over haar gezicht. 'Dus jij bent haar geheimzinnige minnaar, hè? Ze heeft het wel eens over je gehad. Niet vaak, want ze raakte er altijd overstuur van. Ik dacht dat je in het ziekenhuis lag.'

'Daar heb ik gelegen. Nu niet meer. Wat is er met Alix gebeurd?'

'Geen idee. Ze is gewoon... nou ja, gewoon verdwenen.'

'Wanneer? De laatste keer dat ze bij me op bezoek kwam was half februari.'

Trudi dacht even na. 'Ja, dat kan wel kloppen. Vlak voor ons grote Valentijnsfeest is ze ervandoor gegaan. Ik was boos op haar, omdat ze ons zo liet zitten. Het kwam geen moment bij me op dat ze niet meer terug zou komen.'

'Maakte ze zich ergens zorgen om?'

'Natuurlijk,' zei Trudi, 'over jouw ziekenhuisrekeningen. Ze hield echt van je.'

'Vertel eens over die rekeningen. Wat zei ze daarover?'

'Alleen dat ze niet wist hoe ze aan twintigduizend frank moest komen. Ze zat er vreselijk mee in haar maag.'

'En de laatste keer dat je haar zag, op de avond dat ze wegliep: weet je nog hoe dat gebeurde?'

Trudi nam nog een slok van haar drankje. 'Ja, dat weet ik nog. Toen Alix binnenkwam, had ik al een paar uur gewerkt en ik wachtte tot zij zou beginnen, zodat ik even pauze kon nemen. Op een gegeven moment zag ik haar uit de kleedkamer komen, daar...' Trudi wees naar een deur vlak bij waar ze nu zaten te praten. Er hing een bordje op dat klanten verbood om naar binnen te gaan.

'En toen?' vroeg Carver. 'Merkte je iets bijzonders aan haar?'

Trudi tuitte peinzend haar lippen: 'Ik weet het niet. Ze leek heel normaal – in elk geval toen ze binnenkwam. Maar opeens bleef ze doodstil staan, midden in de zaak. Ze staarde naar een van de tafeltjes, alsof ze een spook had gezien, weet je wel? Toen draaide ze zich om en liep heel snel de bar weer uit, naar de kleedkamer. Ik vond het wel vreemd, maar ik dacht er verder niet bij na, omdat ik bezig was met bedienen. Bovendien had ik een probleem, want twee mannen liepen zonder te betalen de zaak uit en Pierre gaf me een uitbrander omdat ik dat had laten gebeuren, maar uiteindelijk gaf het niet want een vrouw betaalde alsnog hun rekening. Gek, hè?'

'Ja, misschien,' zei Carver ongeduldig. 'Maar concentreer je nu op Alix. Wanneer wist je dat ze weg was gegaan?'

'Ongeveer tien minuten later. Ze was niet teruggekomen en ik had nog steeds geen pauze gehad, en ik vond haar een egoïstisch kreng, dus ben ik haar gaan zoeken. Maar toen ik de kleedkamer binnenging was ze daar niet, en haar tas en haar jas waren ook weg. En dat was de laatste keer dat ik haar heb gezien.'

'Ga eens terug naar die laatste keer dat je haar zag. Ze kwam de deur uit. Ze zag iets. Wat zag ze?'

Trudi dacht even na. Toen stond ze op en zei: 'Kom mee.'

Ze nam Carver mee naar de deur waaruit Alix de zaak binnen was gekomen. Achter hen was de man in het goedkope pak naar de bar gekomen om zijn rekening te betalen. Af en toe keek hij op, om de pantomime te bekijken die Trudi opvoerde.

Ze ging met haar rug naar de deur staan. 'Alix keek... daar naartoe!'

Ze wees naar de andere kant van de zaak, naar een klein tafeltje.

'Wie zat daar?' vroeg Carver.

Trudi blies haar wangen op. 'O, monsieur, het is weken geleden, hoe zou ik me één klant kunnen herinneren?'

'Begin bij het begin: was het een man of een vrouw?'

'Geen idee!'

Carver voelde zijn frustratie toenemen. Hij stond op het punt zijn geduld te verliezen, maar daar zou hij niets mee opschieten. Zowel om zichzelf als om Trudi te kalmeren praatte hij zo zacht mogelijk, haar vleiend als een hypnotiseur.

'Neem gerust de tijd. Doe je ogen dicht, ontspan je en probeer terug te gaan naar die avond. Er zit iemand aan dat tafeltje. Vertel me over hem of haar...'

Trudi deed wat hij haar opdroeg. Ze had haar ogen nog maar een paar tellen dicht, toen haar gezicht plotseling oplichtte. 'Maar natuurlijk!' riep ze uit. 'Ik weet het weer. Het was die vrouw, die vrouw die de rekening betaalde voor de twee mannen over wie ik het had, die er zonder te betalen vandoor gingen.'

'Mooi zo,' zei Carver. 'Goed gedaan. En die vrouw, hoe zag die eruit?'

'Ze had heel donker haar, kort geknipt, in een boblijn.'

Trudi hield haar handen langs haar gezicht om te illustreren wat ze bedoelde.

'Hoe oud was ze?'

'O, best oud, vijftig misschien. Maar heel chic... weet je wel, voor een Russin.'

'Wacht eens even – was die vrouw Russisch?'

'Ja, volgens mij wel. Haar accent leek een beetje op dat van Alix en zij komt toch ook uit Rusland?'

Carver knikte afwezig en had geen aandacht meer voor Trudi. Zijn gedachten werden volledig in beslag genomen door de Russen: de vrouw en de twee mannen. Wie waren het geweest? Wat wilden zij van Alix? Hij had sterk het gevoel dat hij het antwoord wist. Hij had alle benodigde informatie om het probleem op te lossen, als hij er maar bij kon. Net als Trudi moest hij zijn ogen dichtdoen, zich ontspannen en nadenken. Maar dat kon hij hier niet doen.

'Is dat alles?' vroeg Trudi, een beetje teleurgesteld dat haar informatie niet met meer enthousiasme werd ontvangen.

'Ja,' zei Carver. 'Bedankt. Je hebt me geweldig geholpen. Maar ik zou nu maar gaan helpen met opruimen.'

De andere serveerster was bezig stoelen ondersteboven op de tafels te zetten en dat deed ze behoorlijk hard, om de hele wereld te laten weten dat ze het helemaal alleen moest doen. Larsson was van hun tafel opgestaan en stond bij de uitgang op hem te wachten. De barman probeerde de eenzame drinker af te schudden, die een gesprek met hem wilde aanknopen. Carver hoorde hem zeggen: 'Je moet nu echt weg, vriend.'

Carver knikte naar de barman en zwaaide even naar Trudi, alvorens naar de uitgang te lopen.

Ze riep: 'Als je Alix hebt gevonden, doe haar dan de groeten van me,' en hij glimlachte ten teken dat hij het had gehoord.

Hij voelde zich weer nerveus, net als in de trein. Het kwam door de drinker, die zich nu wegdraaide van de bar en achter Carver en Larsson aan naar de uitgang liep. Zijn gezicht beviel Carver niet. Vanaf het moment dat hij de Bierkeller binnen was gekomen, had hij gevoeld hoe de man naar hem keek en met zijn gesprekken mee probeerde te luisteren. Hij werd in de gaten gehouden, daarvan was hij overtuigd. Hij moest iets doen voordat het te laat was.

Toen hij de straat op liep, hield Carver zijn pas in, wachtend op het geluid van de deur die achter hem weer openging. Hij hoorde de voetstappen van de man in het pak. Toen draaide hij zich onverwacht om, draaiend op zijn tenen, deed één grote stap terug in de richting waaruit hij gekomen was en gaf de man een vuistslag in het gezicht.

Hij raakte hem recht op zijn neusbrug, die hij onder zijn vuist voelde breken.

De man slaakte een gesmoorde kreet van pijn, hield zijn hand voor zijn gezicht en wankelde achteruit weer naar binnen. Carver volgde hem, greep hem bij zijn kraag en smeet hem op de grond. 'Wat valt er te zien?' snauwde hij.

De ogen van de man werden groot van angst. Hij was totaal niet op de aanval bedacht geweest. Hij had pijn. Hij was bang, en hij was helemaal in de war.

'Waarom heb je me geslagen?' Zijn stem klonk zo klaaglijk als die van een kind dat wordt gepest. 'Wat heb ik je gedaan?'

Carver kon zijn vraag niet beantwoorden. Hij wist niet wat hij moest zeggen. Hij had een onschuldige man aangevallen, alleen maar omdat hij het gevoel had dat iemand hem volgde. Toen hij opkeek zag hij Pierre door de Bierkeller op hem af komen en de serveersters vol afgrijzen toekijken.

Pierre bleef naast de gewonde man staan, niet zeker wetend wat hij nu moest doen. Hij keek om naar de vrouwen en zei: 'Bel de politie.' Toen stak hij zijn hand in zijn broekzak en haalde er het handvat van een mes uit te voorschijn. Hij drukte op een knopje en het lemmet schoot eruit. Hij keek Carver aan. 'Ik ben behoorlijk handig met dit ding,' zei hij.

De man aan Carvers voeten kreunde van pijn. Het bloed sijpelde tussen zijn vingers door en liep op zijn kleren.

Op dat moment werd de deur opengesmeten en kwam Larsson binnen, die Carver beetpakte en meesleurde.

'Naar buiten!' riep hij en meteen kwam Carver in beweging en haastte zich achter Larsson aan de Bierkeller uit.

Pierre aarzelde. Hij wist niet of hij achter de twee vluchtende mannen aan moest gaan of de gewonde man moest helpen. Toen haastte hij zich naar de man op de grond, die een wankelende, gedesoriënteerde poging deed om overeind te krabbelen. De man liet zich meevoeren naar een klein, verlaten kantoortje.

'Wacht hier maar even,' zei Pierre, terwijl hij hem op een stoel liet zakken.

De man kreunde. Hij was niet van plan om ergens heen te gaan.

Een paar tellen later ging de deur open en kwam Trudi binnen. 'Arme jongen,' zei ze.

Hij kromp ineen toen ze met een pluk watten die ze had bevochtigd met een desinfecterend middel zijn gezicht begon te betten en snakte naar adem van de pijn toen ze zijn gebroken neus aanraakte.

'Kijk nou eens wat die rotzak heeft gedaan,' zei ze. 'Het verbaast me niks dat Alix is weggegaan als hij zo is.'

Opeens leek ze te bevriezen, toen ze zich realiseerde wat ze had gedaan.

'O, god. Ik heb hem geholpen haar te vinden! Ik hoop maar dat de politie...'

De man greep haar met verrassende kracht bij haar arm. 'Geen politie,' mompelde hij. 'Wil geen politie. Geen tijd. Te druk.'

'Maar monsieur, wij moeten...' zei Trudi. 'Ik bedoel, ze zijn al onderweg.'

'Nee!' riep de man uit, waarbij het bloed in het rond vloog.

Hij stond op en duwde Trudi weg, waarna hij half rennend, half struikelend het kantoortje verliet, de Bierkeller door en naar buiten.

'Mijn god, wat een avond,' mompelde Trudi, terwijl ze haar pruik van haar hoofd trok en naar de kleedkamer liep.

38

In de Volvo pijnigde Carver zijn hersens in een poging een verband te leggen tussen Alix en de vrouw. 'Die serveerster, Trudi, zei dat ze Russisch was, en een jaar of vijftig. Ik weet zeker dat ik weet wie ze is. Ik kan er alleen niet opkomen...'

'Volgens mij weet ik het wel,' zei Larsson. 'Toen jij ziek was hebben Alix en ik veel met elkaar gepraat. Ze heeft me een heleboel over haar verleden verteld, en wat er tussen jullie is gebeurd...' Hij zweeg even. 'Ze heeft me ook verteld wat er die avond in Gstaad is gebeurd.'

'En?'

'Die vrouw in de Bierkeller, ik weet niet hoe ze heet – in elk geval niet haar voornaam. Maar ik denk wel dat ik weet wie zij was: de vrouw die Alix heeft gevonden toen ze nog maar een meisje was, en haar heeft opgeleid om... eh...' Larssons gezicht vertrok van gêne.

'Ja, ik weet waarvoor ze werd opgeleid,' zei Carver.

'Oké,' zei Larsson, zichtbaar opgelucht. 'En de echtgenoot van die vrouw was ook een KGB-agent. Hij leidde Alix' operaties en daarna was Alix... ja, hoor eens, sorry man... daarna was ze zijn minnares. Tot ze naar Parijs ging en jou ontmoette, ja toch? De man heette Yuri Zhukovski. Hij was degene die jij in Gstaad hebt vermoord...'

'Jezus,' zei Carver. 'Alix sliep met de man van die vrouw en ik heb hem vermoord. Dat verklaart in elk geval waarom Alix het op haar heupen kreeg toen ze haar in de Bierkeller zag.'

'En het verklaart waarschijnlijk ook waarom iemand jou vanavond probeerde te vermoorden,' zei Larsson.

'Oké, maar wat is er in de tussentijd gebeurd? Alix gaat ervandoor. De vrouw stuurt twee kerels achter haar aan. En het eerstvolgende wat we weten is dat Alix opeens geld heeft en mijn rekeningen betaalt. Hoe valt dat te rijmen?'

'Geen idee,' gaf Larsson toe. 'Maar we hebben een paar weken om dat uit te zoeken.'

'Wat bedoel je?'

Ze waren de rivier overgestoken en reden nu door de woonwijken tussen het meer en de internationale luchthaven aan de rand van de stad.

'Zo lang gaat het duren om jou weer in vorm te krijgen. Ik zou liever twee keer zo lang de tijd nemen, maar ik weet dat je haast hebt. Wacht even...'

Hij stopte voor een van de appartementengebouwen. Carver keek om zich heen. Dit was waar Larsson woonde. Hij was hier eerder geweest. Toen was het een verrassing voor hem geweest, en nu weer, om te zien dat iemand als Larsson in zo'n burgerlijke omgeving woonde. Met zijn woeste haar, gescheurde jeans en vintage rockband-T-shirts zag de Noor eruit alsof hij eerder thuishoorde in het een of andere excentrieke pakhuis, omringd door computeronderdelen en lege pizzadozen. Maar Genève deed niet aan excentrieke pakhuizen.

Larsson gaf hem een klopje op zijn schouder. 'Wacht hier even, oké? Ik pak alleen even wat kleding voor koud weer en mijn laptop.'

'Waarom? Waar gaan we naartoe?'

Larsson grinnikte. 'Naar het einde van de wereld, Carver. Mijn wereld. Ik ga je leven tot een hel maken. Daar heb je me zojuist een hele smak geld voor betaald.'

39

Amper anderhalve kilometer verderop zat Piotr Korsakov in een onderduikpand van de FSB, terwijl een arts zijn neus verzorgde. Zijn mobieltje ging. Hij keek naar het nummer – Moskou, op een beveiligde lijn – en gebaarde naar de arts dat hij even de kamer uit moest.

'Je hebt een slechte avond gehad, Korsakov.' De stem klonk koel, vrouwelijk en autoritair.

'Inderdaad, mevrouw de adjunct-directeur.'

'Je bent een partner en een doelwit kwijtgeraakt.'

'Ja.'

'Matov heeft de prijs betaald voor zijn eigen incompetentie. Wat is er met jou gebeurd?'

'Ik was nergens op bedacht. Ik dacht niet dat het doelwit, Carver, mij als een potentiële dreiging zag. Ik heb me vergist. Hij viel me aan. Ik had natuurlijk terug kunnen vechten. Dan zou ik hem zeker hebben gedood. Maar er waren meerdere getuigen. Het leek me verstandiger het onschuldige slachtoffer te spelen.'

'Waarschijnlijk is dat inderdaad de juiste keus geweest. Het zal ons moeite genoeg kosten om de dood van Matov en het echtpaar dat jij hebt geëlimineerd te verdoezelen. Nog meer complicaties kunnen we niet gebruiken. Heb je gezien waar Carver naartoe ging?'

'Nee, mevrouw. Hij heeft de zaak verlaten toen ik nog binnen was en ik hem niet kon volgen. Maar hij was niet alleen. Er was een andere man bij hem, heel opvallend, bijna twee meter lang, met lang haar. Ik zou hem zo weer herkennen.'

'Dat is niet nodig. Ik weet al wie hij is.'

'Wat wilt u dat ik nu doe?'

'Ga terug naar Moskou. Ik zal nog wel kijken wat we met meneer Carver… en zijn harige vriend gaan doen.'

Ze hing op. En intussen zullen we Alix een boodschap sturen, dacht ze. De moordaanslag was mislukt, vooralsnog, maar dat hoefde zij niet te weten. We zullen eens zien hoe goed ze haar werk doet wanneer ze niet wordt afgeleid door gedachten aan een andere man.

Tweeduizend kilometer verder, alleen op haar hotelkamer, stond Alix over het water van de Canale della Giudecca naar de lichtjes van Venetië te kijken. Hier stond ze dan, in een van de meest romantische steden ter wereld, en in de kamer naast de hare zat een man die ernaar hunkerde haar geliefde te worden. Ze hield hem nu al wekenlang op afstand, maar al haar training en professionele ervaring vertelden haar dat deze tactieken om hem aan het lijntje te houden niet al te lang meer zouden werken. Een man ontzeggen wat hij het meest begeert was een uitstekende manier om hem op zijn qui-vive te houden, maar zodra er een bepaald punt was bereikt, zou zelfs de verliefdste man uiteindelijk besluiten dat het allemaal niet de moeite waard was.

Als Olga Zhukovskaya kon zien wat hier gebeurde, zou zij haar onmiddellijk opdragen: 'Ga met hem naar bed, nu meteen.'

Dus wat hield haar tegen?

Trouw aan Carver en een weigering om nog langer de hoer te spelen in dienst van de staat: dat waren de meest voor de hand liggende redenen, maar ze wist zelf ook wel dat het slappe argumenten waren om zichzelf te verdedigen. De werkelijke reden waarom Alix op dit moment niet in Vermulens kamer was, was juist het feit dat een deel van haar het net zo graag wilde als hij.

Ze hield niet van Vermulen zoals ze van Carver hield, of had gehouden van de man die hij vroeger was. Maar de generaal was nu in haar leven en Carver was slechts een herinnering die elke dag wat vager begon te worden. Vermulen was een goede, vriendelijke man, wiens gevoelens voor haar onmiskenbaar oprecht waren. En wat net zo belangrijk was: hij had geld, invloed en een bepaalde mate van macht. Hij kon haar bescherming bieden, een veilige haven als ze ooit zou besluiten Zhukovskaya en de FSB de rug toe te keren.

Vroeg of laat zou ze die belofte van veiligheid niet langer kunnen weerstaan.

40

Er zaten acht mannen aan de mahoniehouten tafel in een van de vergaderruimtes die deel uitmaken van het vierhonderdvijftig vierkante meter grote complex dat onder de gebruikers ook wel bekendstaat als de Woodshed, maar dat de rest van de wereld kent als de 'Situation Room', oftewel het zenuwcentrum, van het Witte Huis. Een van hen was de nationale veiligheidsadviseur van de president, Leo Horabin. De andere zeven waren belangrijke vertegenwoordigers van federale bureaus, inclusief FBI en CIA. Dit waren mannen die tot de hoogste regionen van de maatschappij waren doorgedrongen. Ze straalden een gemeenschappelijke aura van macht uit. Maar ze waren allemaal gekomen om naar dr. Kady Jones te luisteren.

Ze begon de bijeenkomst met de beschrijving en de analyse van de bom die in Minnesota was gevonden. Een foto van het inwendige van de koffer vulde een heel scherm aan een van de muren.

'De beste manier om deze bom te omschrijven is zeggen dat het een klassiek Russisch militair ontwerp is: met minimale middelen gebouwd, maar effectief. Het is in wezen hetzelfde concept als "Little Boy", de bom die wij meer dan veertig jaar geleden op Hiroshima hebben gegooid. Het ontwerp wordt ook wel het kanontype genoemd. Dit hier...' Ze wees op de metalen buis die het grootste deel van de koffer vulde. '... is de loop van het kanon. Hij wordt afgevuurd door een signaal vanuit het besturingsmechanisme, hier, in de vorm van een elektrische lading. Die komt via deze draad in de loop en ontsteekt daar een conventionele explosieve lading. Vlak naast de lading ligt zo'n vijftien kilo verrijkt uranium.'

Ze bracht een andere afbeelding op het scherm. Eén kant van de loop was hier weggesneden, zodat de inhoud zichtbaar werd.

'Precies zoals een lading buskruit een kanonskogel voortstuwt, stuwt het explosief het uranium door de loop, alwaar het, helemaal aan het eind, op een tweede prop van vijftien kilo uranium stuit. Nu zou een totaal van dertig kilo normaal gesproken niet voldoende zijn om een kritieke massa uranium 235 te creëren – dat is de hoeveelheid die nodig is om een nucleaire kettingreactie te veroorzaken. Maar de Russen zijn slim geweest. Ze hebben aan het uiteinde van de loop een ring van beryllium aangebracht – ziet u hoe hij hier een stuk dikker is? Dit beryllium fungeert als een reflector en concentreert de krachten die door de impact worden vrijgegeven, zodat de reactie al plaatsvindt bij een lagere massa. Dit zorgt voor een nucleaire explosie, die wij tussen de één en de vijf kiloton schatten. Dat is niets vergeleken bij een nucleaire kernkop, maar nog steeds genoeg om het centrum van een grote stad te verwoesten, een militaire basis te vernietigen of een olieraffinaderij met de grond gelijk te maken.'

'Goeie god...' Horabins uitgezakte, sombere gezicht – een en al hangwangen, onderkinnen en dikke wallen onder de ogen – was lijkbleek. 'En u weet zeker dat dat ding van Russische makelij is?'

'Het is in elk geval samengesteld uit Russische componenten, en er is gebruikgemaakt van hun uranium. En wij geloven dat de bom minimaal tien jaar oud is, uit de Sovjettijd, toen de staat nog controle had over de hele voorraad verrijkt uranium. Dus óf hij is gemaakt door een bureau van de Sovjetregering, óf door een bijzonder hooggeplaatst persoon die toegang had tot het materiaal.'

'En is hij nog steeds functioneel?'

'Nou, gelukkig is hij niet afgegaan toen... eh...' ze aarzelde even, hopend dat niemand het bloed naar haar wangen zag stijgen. '... toen er een zwaar voorwerp bovenop viel. Maar er mankeert niets aan de bom zelf. Iedereen met de juiste activeringscode had hem tot ontploffing kunnen brengen.'

'Neemt u mij niet kwalijk, dr. Jones...' de spreker was Ted Jaworski, de afgevaardigde van de CIA. 'Toen wij de beweringen van Lebed natrokken in Langley, vertelden onze analisten ons dat de bommen, indien ze werkelijk zouden bestaan, inmiddels inactief zouden zijn. Maar u zegt dat dat niet het geval is. Hoe kan dat?'

Kady voelde de atmosfeer in de ruimte zinderen van spanning. Jaworski maakte er een wedstrijdje van, van zijn bureau tegen het hare. De mensen om de tafel waren veteranen van Washington. Ze leken zich allemaal een fractie naar voren te buigen, benieuwd of de nieuweling zich wist te verdedigen.

'Dat is heel eenvoudig,' zei ze, waarmee ze even liet weten dat de vraag haar niet van haar stuk had gebracht. 'Uw mensen zijn tot dezelfde conclusie gekomen als wij in Los Alamos voordat we dit ding met eigen ogen zagen. We gingen er allemaal van uit dat de Sovjets plutonium zouden gebruiken voor kleinschalige wapens, omdat wij dat zelf zouden hebben gedaan. Plutonium is veel efficiënter dan uranium. Je krijgt een veel grotere knal per kilo. Maar het heeft ook een veel sneller verval. Het zou al lang vóór die tien jaar was verstreken zijn explosieve kracht al hebben verloren, zodat de hele bom had moeten worden nagekeken en vernieuwd. Maar uranium blijft honderdduizenden jaren goed. Het is primitief. Het is inefficiënt. Maar het blijft gewoon werkzaam.'

Kady zag Jaworski nauwelijks zichtbaar knikken, een teken dat zij zijn test goed had doorstaan.

'Goed,' zei Horabin. 'Ik heb het begrepen.'

Hij keek naar de afgevaardigden om hem heen. 'Ik moet de president hiervan op de hoogte stellen en ik voel er niets voor om het Oval Office binnen te gaan met niks anders dan slecht nieuws. We weten dus dat die bommen er zijn. Nu moeten we ze zien te vinden – allemaal – voordat onze vijanden ze in handen krijgen. Ik heb een strategie nodig. Wat hebben jullie voor me?'

De verschillende bureaus hadden voorafgaand aan de bijeenkomst allemaal al de nodige informatie gekregen. Het was hun eer te na om zonder uitgewerkt actieplan aan tafel te verschijnen. Vijf van de mannen pakten hun tassen en haalden hun documenten eruit. Alleen Jaworski deed niets en leek zich niets aan te trekken van de activiteiten om hem heen.

'Heb jij niets, Ted?' vroeg Horabin.

'Ja, ik heb één heel dringend advies.'

'Mooi. Laat maar horen.'

'Doe niets.'

Er ging een afkeurend gemompel op.

Horabin wierp hem een woedende blik toe. 'Is dat alles wat je me te bieden hebt?'

De CIA-man keek hem onbewogen aan. 'Het is het enige wat ik je op dit moment kan aanraden, officieel althans. Het enige wat in ons voordeel is, is dat niemand weet wat we hebben gevonden. Als we nu opeens grote zoekacties op touw gaan zetten, zullen de mensen willen weten waar we naar op zoek zijn. En geloof me, ze zullen erachter komen. Dat zal vervolgens leiden tot een belangrijk diplomatiek incident met de Russen. En we krijgen natuurlijk dat ze op tv de mensen gaan vertellen dat er kernbommen in hun achtertuin kunnen liggen. En elke terroristenleider in de wereld zal zich het hoofd breken over hoe hij er een van in handen kan krijgen.

'Dat betekent dat we discreet moeten zijn. Ik stel voor een klein, deskundig team samen te stellen, volledig gesteund door onze bureaus. Dit team moet opdracht krijgen uit te zoeken wie die bommen heeft, waar ze zijn en wie na al die tijd nog weet hoe hij ze tot ontploffing kan brengen. Maar dat moet onopvallend gebeuren – en dan bedoel ik dus echt heel, heel onopvallend.'

41

De eerste ochtend strompelde Carver als een pasgeboren veulen op een ijsbaan over de eindstreep van zijn vijf kilometer lange parcours, niet in staat de ski's en de stokken die aan zijn rondmaaiende, verkrampte, ongecoördineerde ledematen vastzaten onder controle te houden. Hij viel languit voorover in de sneeuw, met bonkend hart en half kokhalzend, tot Thor Larsson hem in de kraag van zijn winddichte jack greep en hem hoestend en hijgend overeind trok.

'In beweging blijven,' bromde Larsson. Teneinde zijn bevel kracht bij te zetten gaf hij Carver met een skistok een harde tik tegen zijn achterwerk. 'In beweging blijven,' zei ik.

Carver trok zijn skibril op zijn voorhoofd en keek Larsson aan met een uitdrukking waaruit evenveel uitputting als walging sprak.

'Ik dacht dat ik klaar was,' piepte hij ten slotte, bij elk woord de ijskoude lucht in zijn longen zuigend.

Larsson schudde zijn hoofd. 'In beweging blijven,' zei hij voor de derde keer, weer met zijn skistok zwaaiend. 'Nu!'

Carver spuwde nadrukkelijk in de sneeuw, slechts enkele centimeters van Larssons ski's. Hij rukte zijn skibril weer omlaag en vervolgde zijn weg over het pad dat door het landelijke gebied rond Beisfjord kronkelde, een klein stadje in de buurt van Narvik aan de noordwestkust van Noorwegen, binnen de poolcirkel. In de rest van Europa mocht het nu dan lente zijn, maar hier had de winter het land nog in zijn diepgevroren greep.

Ze skieden in een slakkengangetje langs groepjes onvolgroeide, verpieterde berken. Carver probeerde een ritme te vinden in het optillen van zijn hielen en het naar voren glijden met zijn metalen legerski's, terwijl hij intussen voortdurend zijn skistokken in de harde sneeuw moest prikken.

Larsson deed al sinds de kleuterschool aan crosscountryskiën.

Tijdens zijn diensttijd als inlichtingenofficier in het Noorse leger had hij wintertraining gekregen. Hij gleed moeiteloos vooruit en zorgde er steeds voor dat Carver, hoe hij ook zijn best deed, hem nooit kon inhalen.

Ze hadden weer ongeveer een kilometer afgelegd toen ze een schietbaan bereikten, die hier was aangelegd zodat biatleten zowel schieten als skiën in wedstrijdomstandigheden konden oefenen. Carver volgde Larsson de baan op, pakte het Anschutz Fortner-biatlongeweer van zijn rug en liet zich bij een van de schietplekken op zijn buik vallen.

'Vijf schoten, snel achter elkaar,' zei Larsson. 'Je hebt vijfentwintig seconden.'

Carver probeerde zijn geweer op het doelwit te richten: vijf witte schijven tegen een zwarte achtergrond. Zijn spieren waren volledig verzuurd en toen hij het wapen stil probeerde te houden trilden zijn armen van protest. Het zweet stroomde in zijn ogen. Het kostte hem veertig seconden om zijn schoten te lossen. Bij het laatste schot had hij nauwelijks nog de kracht om de grendel naar achteren te halen en de volgende kogel te laden. En het enige doelwit dat hij raakte zat naast de schijf waarop hij richtte.

'Niet goed genoeg,' zei Larsson. 'Nog een keer.'

Er zaten nog drie magazijnen van vijf kogels in een houder aan de rechterkant van het geweer, enkele centimeters voor de trekker. Zo onhandig als een nieuwe rekruut herlaadde Carver zijn geweer.

'Twintig seconden,' zei Larsson. 'En zorg er dit keer voor dat je binnen de limiet blijft, anders doe je nog een parcours.'

Larssons stem maakte wel duidelijk dat de pijn die Carver zou lijden als hij nog een rondje moest hem volstrekt onverschillig zou laten. Hij deed Carver aan andere stemmen denken, op een ander moment en op een andere plek. Hij herinnerde zich de afstanden van veertig kilometer die hij in het Lympstone Commando Trainingscentrum had moeten doorstaan, toen hij in opleiding was voor marinier, en de meedogenloze trainingen die neerkwamen op georganiseerd sadisme en die werden gegeven door de instructeurs die de supervisie hadden over zijn selectie voor de SBS. Zij hadden hem niet gebroken en hij was nu ook niet van plan zich door die uit de kluiten gewassen computernerd neer te laten zetten als een sukkel. De volgende schoten loste hij in iets meer dan negentien seconden. Hij raakte twee schietschijven.

Carver rolde op zijn rug om het gewicht van zijn ellebogen en bicepsen te halen die zijn bovenlichaam en geweer hadden ondersteund.

Larsson keek met een minachtende trek om zijn mond op hem neer. 'Je hebt nog eens twintig seconden om weer in positie te gaan liggen, te herladen en de twee resterende schietschijven te raken. Zelfde afspraak. Lukt het je niet, dan ski je door.'

Tien jaar eerder had hij het in vijf seconden gekund. Gedurende de Koude Oorlog waren de Britse mariniers specialisten geweest op het gebied van arctische oorlogvoering. Als jonge luitenant was Carver met het 45 Commando in Beisfjord geweest voor training. Hij droeg op dit moment zijn oude leren skilaarzen, zo onbuigzaam als staal toen hij ze net had gekregen, maar in de loop der jaren naar de exacte contouren van zijn voeten en enkels gevormd. Voordat de SBS bij hem had aangeklopt was Carver zelfs nog kandidaat geweest voor het olympische biatlonteam van de mariniers. Maar nu...

'Nu!' riep Larsson, terwijl hij op zijn horloge keek.

Carver draaide zich weer op zijn buik, greep het geweer, rukte het lege magazijn eruit en graaide naar een nieuw. Handelingen die zo lang zijn tweede natuur waren geweest, leken opeens heel wezensvreemd. Vroeger ging het allemaal automatisch. Nu moest hij bij alles nadenken, de ene moeizame beweging na de andere. Zijn handen trilden van kou en vermoeidheid. Zijn ogen deden pijn en prikten van het zweet en hij kon zich nauwelijks concentreren.

'Nog vijftien seconden,' zei Larsson.

Nog niet één schot gelost.

Carver vermande zich en richtte op het eerste staande doelwit. Om zijn greep te verstevigen schoot hij tijdens het uitademen.

En miste.

'Kom op nou!' mompelde hij tegen zichzelf, terwijl hij de grendel naar achteren haalde.

'Tien seconden.'

Carver voelde zijn maag ineenkrimpen. Dat was goed. Zijn lichaam had dus nog ergens een laatste dosis door adrenaline gevoede energie vandaan weten te halen. Hij had geen tijd meer om na te denken. Hij moest er nu gewoon voor gaan.

Trek... richt... adem uit... vuur.

Raak. Nog één te gaan.

'Vijf seconden.'
Hij schoot nog een keer. Weer mis.
Shit!
Trek... richt... adem...
'Twee.'
Rotzak!
...vuur.
Carver knipperde met zijn ogen en probeerde scherp te zien. Hij kon niet zien wat er was gebeurd. Hij rolde zich wanhopig op zijn rug.
'Sta op,' zei Larsson. 'We gaan.'
Carver herhaalde binnensmonds als een soort mantra: 'Laat je niet kisten... Laat je niet kisten...'
Terwijl hij langzaam overeind kwam, keek Larsson hem aan. Ditmaal speelde er een glimlachje om zijn mond.
'Je hebt raak geschoten,' zei hij. 'Dus laten we maar gauw teruggaan naar de boerderij. Ebba zal de lunch inmiddels wel klaar hebben. En, Carver?'
'Huh?'
'Loop niet zo in jezelf te praten. Straks denkt ze nog dat je stapelgek bent.'
'Dan zit ze er niet ver naast,' hijgde Carver piepend, terwijl hij achter Larsson aan skiede.

42

Carvers herstel veroorzaakte bijna net zoveel onrust in het Londense hoofdkwartier van MI6 aan de zuidoever van de Theems als het in Moskou had gedaan. De gedachte aan een afvallige moordenaar die gezond van lijf en leden rondliep en ook nog eens bij zijn volle verstand was, deed Jack Grantham het koude zweet uitbreken. Deze nieuwe situatie kon gemakkelijk op een catastrofe uitlopen. Op de een of andere manier moest hij haar naar zijn hand zien te zetten.

'Is er nog nieuws uit die verrekte kliniek?' vroeg hij, zonder enige moeite te doen om zijn ergernis te verhullen.

Zijn assistent, Bill Selsey, leek niet onder de indruk van Granthams slechte humeur. Hij had lang geleden al geleerd het gewoon over zich heen te laten komen. Hij verlangde niets meer van het leven dan een vaste baan, een bescheiden huis in de Zuid-Londense buitenwijken en een gegarandeerd pensioen aan het einde van zijn loopbaan. Hij wist onder hoeveel druk zijn baas stond en zou niet graag in zijn schoenen staan.

'Carver is ervandoor gegaan, met achterlating van een lijk,' antwoordde Selsey. 'Het lijk in kwestie had een vals legitimatiebewijs, van de een of andere neppsychiater, maar ik ben er vrij zeker van dat het Vladimir Matov is, of was, bij zijn vrienden beter bekend als Vlad de Spietser. Hij is een ervaren FSB-moordenaar, die in de goeie ouwe tijd voor de KGB heeft gewerkt. Van oorsprong een Bulgaar, zoals veel van hun beste moordenaars.'

'Dus onze vriend Matov had opdracht Carver te elimineren en heeft uiteindelijk zelf het loodje gelegd?'

'Daar ziet het wel naar uit.'

'En er is niemand anders die hem kan hebben gestuurd – hij doet geen freelance werk voor anderen?'

Selsey schudde zijn hoofd. 'Voor zover wij weten niet. Hij is in dienst van de staat en klust niet bij.'

'Maar waarom wil Moskou Carver dood? Om precies te zijn, waarom willen ze hem juist nu dood? Hij is maandenlang een makkelijk doelwit geweest voor iedereen die wraak wilde nemen voor Zhukovski's dood.'

'Zoals zijn geliefde echtgenote,' viel Selsey hem in de rede.

'Precies. Maar mevrouw Z. doet dus zes maanden helemaal niets en opeens krijgt zij, of een ander hooggeplaatst iemand, het in haar bol om actie te ondernemen. Daar komt nog bij: hoe heeft Carver die vent in vredesnaam uit kunnen schakelen? Ik dacht dat hij volkomen geschift was en tot niets meer in staat. Hoe is hij er dan in geslaagd Matov te grazen te nemen?'

'Blijkbaar is hij beter.'

'Je meent het.' Granthams stem droop van sarcasme. 'Daar was ik zelf inmiddels ook al achter, dank je, Bill. Maar wanneer heeft die wonderbaarlijke genezing plaatsgevonden, en waarom?'

'Ik heb er een paar mensen op gezet, die met artsen en verpleegsters in de kliniek gaan praten. Ik denk dat we later vandaag wel wat antwoorden hebben. Maar volgens mij heb ik wel al een aanwijzing waarom de Russen hem dood willen hebben.'

'Vertel op.'

'Er is een Roemeen in Venetië, ene Radinescu, die af en toe wat kleine karweitjes doet voor de FSB, eenvoudige koeriersdiensten, niks bijzonders. Wij stoppen hem af en toe een paar pond toe om alles aan ons door te geven wat hij krijgt.'

'En?' vroeg Grantham ongeduldig.

'En hij heeft ons zojuist een boodschap doorgegeven aan Moskou van een agent die toevallig op doorreis was in Venetië, een vrouwelijke agent. De vrouw in kwestie was nogal een aantrekkelijk type, dus heeft Radinescu haar een tijdje gevolgd...'

'De viezerik.'

'Misschien, maar terwijl hij die vrouw aan het stalken was heeft hij een paar foto's genomen en toen hij ons een kopie van die boodschap stuurde, heeft hij daar een kiekje van het meisje bij gedaan, in de hoop een bonus van ons te krijgen voor het ontmaskeren van een Russische spionne.'

'Wat een lef.'

'Ho even, misschien vind je het toch wel wat drinkgeld voor Radinescu waard.'

Op een plasmascherm aan de muur verscheen een reeks kleurenopnames van twee vrouwen – de een zwart, de ander blank – die door de drukke straten van Venetië slenterden.

‘Goeie god, dat is dat meisje Petrova,’ zei Grantham. ‘Maar wat doet zij in Italië?’

‘Ze logeert in het Cipriani met ene Kurt Vermulen – aparte kamers, voordat je het vraagt.’

Grantham fronste. ‘Vermulen? Die naam komt me bekend voor...’

‘Amerikaan, ex-militair, heeft een tijdje bij de DIA gezeten en een paar jaar op Grosvenor Square doorgebracht als hun militair attaché. Waarschijnlijk ben je hem toen wel eens tegen het lijf gelopen. Hoe dan ook, Moskou schijnt belangstelling voor hem te hebben opgevat. Waarschijnlijk heeft Petrova opdracht gekregen met hem aan te pappen.’

‘Wie is die vrouw die naast haar loopt?’

‘Dat is Alisha Reddin. Zij en haar man Marcus Reddin verblijven in hetzelfde hotel als Vermulen en Petrova. Interessant is dat Reddin onder Vermulen heeft gediend bij de Amerikaanse commando’s.’

‘Misschien hadden ze daar afgesproken, gewoon, als oude legerkameraden,’ merkte Grantham op.

‘Dat zou kunnen, ja,’ zei Selsey. ‘Maar kennelijk denken de Russen dat er meer aan de hand is. Waarom hebben ze anders Petrova eropaf gestuurd?’

Voor het eerst leek Granthams humeur iets op te klaren. Er verscheen een geamuseerd trekje op zijn gezicht.

‘Dus ze heeft haar oude beroep weer opgevat, voor haar oude werkgevers. Hemeltjelief... Daar zal Carver niet blij mee zijn. Hij is ervan overtuigd dat ze in wezen een braaf meisje is.’

‘Misschien weet hij niet waar ze mee bezig is,’ opperde Selsey.

‘Ik weet het wel zeker. En je hebt gelijk, dat verklaart wat Matov van plan was – ervoor zorgen dat Carver in zalige onwetendheid stierf. Als er iets is wat we zeker weten over Carver, is het immers dat hij alles zou doen om zijn meisje terug te krijgen. Dat weten de Russen ook; daar zijn ze door schade en schande achter gekomen. Het laatste wat ze willen is dat Carver achter zijn grote liefde aan gaat en Petrova verrast terwijl ze midden in een opdracht zit, wat dat ook moge zijn.’

‘En dat betekent dat ze een tweede poging zullen doen.’

‘Als ze hem kunnen vinden wel, ja. Intussen moeten wij weten wat er in die boodschap stond die Petrova naar Moskou stuurde.’

'Daar wordt aan gewerkt,' stelde Selsey hem gerust. Die hebben we waarschijnlijk voor het einde van de dag gedecodeerd.'

Grantham keek een stuk vrolijker dan aan het begin van het gesprek. 'Kijk of je er een beetje haast achter kunt zetten, we hebben geen tijd te verliezen. We moeten alles te weten zien te komen wat er te weten valt over Kurt Vermulen. Waar hij nog meer is geweest, met wie en waarom. Houd hem in de gaten. En zorg dat je Carver vindt voordat de Russen dat doen. Dan zullen we hem voorstellen dat hij gaat uitzoeken waar zijn geliefde Alix mee bezig is; dat hij zorgt dat ze ermee ophoudt; en dat hij in de tussentijd zoveel mogelijk dood en verderf zaait onder iedereen die ermee te maken heeft.'

'Daar zullen de Russen niet blij mee zijn.'

'Ik mag hopen van niet.'

'En onze vrienden aan de overkant van de oceaan? Moeten we Langley op de hoogte houden?'

'Ik zou niet weten waarom, nog niet in elk geval.'

'Echt niet? Ze zijn per slot van rekening onze collega's.'

'Dat zijn ze ook, Bill,' zei Grantham. 'Tot op zekere hoogte.'

43

In het korps zouden ze het slap hebben genoemd; logeren bij een lokale familie, in plaats van zich samen met de rest van de compagnie te moeten behelpen op een van de leegstaande caravanterreinen die werden gehuurd door het ministerie van Defensie. Carver en Larsson logeerden bij een van de nichten van de Noor, Ebba Roll, die was getrouwd met een plaatselijke boer. Met haar één meter tachtig en haar forse postuur was Ebba het soort vrouw dat net zo gemakkelijk een kind onder haar arm neemt als een baal diervoer. Ze was een moederlijk type, maar toonde haar moedergevoelens niet door middel van overmatige affectie of bezorgdheid. Zij uitte ze met de no-nonsensedoelmatigheid waarmee ze ervoor zorgde dat haar man en kroost (die ze allemaal even lief maar uiteindelijk hopeloos behandelde) schone, warme kleren droegen en te allen tijde goed te eten kregen.

De twee mannen hadden een vaste routine ontwikkeld. Ze stonden niet later dan halfzes op en nuttigden een ontbijt waar ze de rest van de dag mee door konden komen: pap en fruit, gekookte of gebakken eieren; koud vlees en kaas; geroosterd brood en jam – soms alles tegelijk – weggespoeld met liters sinaasappelsap, koffie en (op speciaal verzoek van Carver) sterke, zoete thee.

Terwijl al dat eten verteerde, werkte Larsson aan Carvers mentale fitheid: geheugenproefjes, zoek-de-verschillenpuzzels, alles wat hem kon helpen sneller informatie op te nemen, patronen of anomalieën te herkennen en te onthouden wat hij zojuist had gezien. De volgende keer dat hij zijn omgeving in zich op moest nemen, of zich op onbekend terrein begaf, zou hij goed voorbereid zijn.

De ochtenden werden besteed op de ski's en op de schietbaan. In het noorden van Noorwegen zijn de winters heel donker, met slechts een paar uur somber blauw daglicht, voordat de zon eind januari eindelijk weer tot boven de bergen komt. De laatste week van maart echter komt de zon om vijf uur 's ochtends op en gaat pas om zeven uur 's avonds weer onder, en dan kan het licht op de sneeuw duizelingwekkend helder en intens zijn. Het landschap is ruw maar spectaculair: de witte sneeuw, blauwe luchten, grijszwarte rotsen en diepgroene zee komen samen waar de bergen zich in de fjorden storten en de golven van de Noord-Atlantische Oceaan hun eeuwige, eroderende werk doen.

Naarmate de tijd vorderde realiseerde Carver zich dat het, hoewel er geen skisessie voorbijging zonder een toenemende mate van pijn, die onvermijdelijk uitliep op een grande finale van gekwelde spieren en brandende longen, het elke dag langer duurde voordat de pijn begon. Langzaam maar zeker begon hij er plezier in te krijgen. Hij genoot van zijn groeiende fitheid en was trots op zijn hervonden bedrevenheid op de schietbaan. Hij was nu ook in staat de schoonheid van zijn omgeving naar waarde te schatten. Zo nu en dan lukte het hem zelfs een heel parcours af te leggen zonder Thor Larsson ook maar één keer dood te wensen.

Dat laatste was echter nooit een goed teken. Larsson had het steevast in de gaten wanneer Carvers haat begon weg te ebben. De volgende dag ging hij dan weer net een stapje verder en dwong hem nog net iets sneller te zijn, al was het alleen maar om de pijn en de boosheid weer op het juiste niveau te krijgen.

Tijdens de lunch vulden ze hun verloren gegane energie weer aan met pasta, aardappelen of bruin brood. De proteïnen kwamen van kip, vis of, als Ebba hen wilde verwennen, magere, sterk smakende lappen eland en rendier. Met een volle maag en een lijf dat helemaal kapot was van vermoeidheid, viel Carver vervolgens in bed voor een paar uurtjes rust, om even later weer te worden gewekt voor een middag vol gewichtheffen, gewapende en ongewapende gevechtstraining in een van de bijgebouwen van de boerderij. In Noorwegen zijn vuurwapens legaal en vrij gemakkelijk te krijgen, vergeleken bij de rest van Europa. Binnen tien dagen kon Carver een geweer en een pistool net zo snel uit elkaar halen en weer in elkaar zetten als Larsson, en kon hij hem in gevechten gemakkelijk de baas. Langzaam maar zeker begon zijn lichaam weer in vorm te komen: tachtig kilo spieren en botten, een balans van uithoudingsvermogen en kracht. Hij voelde zich weer net als vroeger een echte vechtmachine.

Na drie weken wees de thermometer al regelmatig enkele graden boven nul aan en begon in lagergelegen gebieden de sneeuw te smelten. Eindelijk, na een skitocht van dertig kilometer, zei Larsson tegen hem: 'Oké, je bent er klaar voor. Morgen bereiden we onze uitrusting voor. Overmorgen gaan we.'

'Waar naartoe?' vroeg Carver.

Larsson draaide zich naar rechts en wees omhoog naar de bergen. 'Daarboven, vier nachten. We dragen alles zelf mee wat we nodig hebben en dan gaan we erachter komen hoe fit je werkelijk bent.'

44

De klantenmanager kon zijn enthousiasme nauwelijks bedwingen toen ze naar het vliegtuig liepen. Twee weken eerder had Waylon McCabe verzocht enkele nogal ongebruikelijke aanpassingen te verrichten aan een van zijn privéjets, voor een liefdadigheidsproject dat hij in gedachten had. De afdeling Speciale Opdrachten van het bedrijf had er eerst een paar dagen over nagedacht, om te onderzoeken of zijn wensen technisch gezien uitvoerbaar waren, maar eigenlijk was er maar één antwoord mogelijk. Na de vliegramp in Canada had McCabe voor een andere producent gekozen en sindsdien had hij al zijn toestellen bij hen gekocht. Ze waren erg blij met zijn klandizie en waren niet van plan die kwijt te raken.

'Namens ons hele team wil ik alleen even zeggen dat wij het geweldig vinden wat meneer McCabe doet,' zei de man, terwijl hij onder aan de trap die naar de cabine leidde bleef staan. 'Luchttransporten met medische voorraden organiseren voor de hongerende bevolking van Afrika – ik kan u niet zeggen wat een voorrecht het is om aan zoiets onze medewerking te mogen verlenen. Het is echt jammer dat we meneer McCabe dat niet persoonlijk kunnen vertellen.'

McCabe had zijn advocaat en zijn persoonlijke piloot gestuurd voor de overdracht.

'Zijn gezondheid laat op dit moment helaas wat te wensen over, maar ik zal hem de groeten van u doen,' zei de advocaat, die niet wist waarvoor zijn baas dit vliegtuig wilde gaan gebruiken, maar wel dat het beslist niet voor Afrika was. Hij wierp een ongeduldige blik op de manager, die nog steeds bij de trap stond. 'Kunnen we nu een kijkje nemen in het vliegtuig?'

'Maar natuurlijk, natuurlijk, met genoegen. Onze hoofdingenieur zal u alles laten zien.'

De manager deed een stap opzij en de ingenieur liep voor hen uit de trap op en bukte zich om de cabine binnen te gaan. Ontdaan van alle overbodige luxe en technische snufjes was de cabine van het vliegtuig niet veel meer dan een metalen buis met een binnendiameter van nog geen één meter tachtig. Veel ruimte was er niet. Met de ingenieur voorop liepen de mannen achter elkaar aan door de cabine.

'U bent bekend met toestellen zoals dit?' vroeg de ingenieur retorisch. 'Goed dan, vóór u, achter in de cabine, bevinden zich een bergruimte en een toilet en daarachter een klein bagageruim. De normale scheidingswand daarachter fungeert als een structurele ondersteuning van de achterkant van het toestel. Welnu, die wand hebben we verwijderd en naar voren gehaald, tegen de zijkant van het toilet. Hierdoor is het hele achtergedeelte van de romp vrijgemaakt om meer ruimte te creëren voor wat het dan ook is wat u gaat uitgooien. Zoals u kunt zien hebben we in het tussenschot een luik gemaakt, ongeveer nèt zoals in een onderzeeër.'

Hij stond bij de kale scheidingswand die nu één kant van de cabine afsloot, en vlak naast hem bevond zich het ovale luik.

'We wilden de functie van het tussenschot niet in gevaar brengen, dus moesten we het luik nogal klein maken, maar er is net voldoende ruimte om via het luik in de nieuwe, grotere bagageruimte te komen die we daar hebben gemaakt.'

De ingenieur opende het luik. De lege ruimte aan de achterzijde van het toestel was vaag zichtbaar.

'Het is vrij krap, dus misschien kunnen de heren beter om beurten een kijkje nemen. Achterin zult u zien dat er zich in de vloer van het nieuwe ruim een deur bevindt. De scharnieren zitten aan de voorkant, zodat hij omlaag opent, als een soort afrit, met de open kant naar achteren. Hij wordt hydraulisch bediend, hetzij vanuit de cockpit, en anders met een hendel, een pomp eigenlijk, die zich ernaast op de vloer bevindt. Dat is de handmatige optie. We hebben een net aangebracht waar de lading in gelegd kan worden zodat die kan worden uitgeworpen zodra de deur wordt geopend. En anders is er daarbinnen ruimte voor één persoon om het met de hand te doen. We hebben een veiligheidslijn aangebracht, zodat die persoon er niet uit kan vallen.'

'Dat is prettig om te horen,' zei de advocaat. 'We worden liever niet aangeklaagd door treurende weduwen.'

Er klonk een kruiperig lachje van de manager, en een kort gebrom van de ingenieur.

'Dan hoop ik maar dat dit was wat u wilde,' besloot hij. 'Meneer McCabe heeft heel specifieke instructies gegeven. Volgens mij hebben we die wel zo ongeveer tot op de letter opgevolgd.'

'Ja,' zei de advocaat, 'dat geloof ik ook.'

Thuis in Texas ontving McCabe het nieuws dat hij nu in het bezit was van een vliegtuig dat een bom op Jeruzalem kon gooien. Toen hij erover nadacht wat hij ging doen, vroeg McCabe zich ondanks alles nog steeds af of hij nu werkelijk Gods wil deed. Hij wist niet helemaal hoe je daar nu eigenlijk zeker van kon zijn, maar hij kwam tot de conclusie dat het nu wel snel duidelijk zou worden. De artsen hadden hem verteld dat de tumoren groeiden. Ze smeekten hem bijna om aan chemotherapie te beginnen, maar dat had McCabe geweigerd. Hij wist wat die chemicaliën aanrichtten en zag er het nut niet van in nog een paar weken extra te krijgen als het betekende dat hij na elke behandeling zijn longen uit zijn lijf zou kotsen en dat zijn haar zou uitvallen. Hij zag er liever gewoon als zichzelf uit wanneer hij oog in oog kwam te staan met zijn schepper. Als hij Armageddon nog meemaakte, zou hij weten dat hij God aan zijn zijde had. Ging hij eerder dood, dan kon hij op een warm onthaal in de hel rekenen.

Maar wat er ook gebeurde, lang zou het niet meer duren.

45

Carver voelde zich weer helemaal mens. En daar wilde hij zich ook naar gedragen. De avond voor hun vierdaagse tocht vergaten hij en Larsson hun trainingsdieet en gingen naar Narvik voor een paar koude biertjes, twee stevige porties biefstuk met friet, en een beetje flirten en grapjes maken met de serveersters.

Toen ze weer naar huis reden, vroeg Larsson: 'Wat als ze je niet meer terug wil?'

Carver begon te lachen. 'Die wil me wel weer terug, hoor. Maar hoe die van jou erover denkt weet ik niet.'

'Ik heb het niet over haar,' zei Larsson. 'Ik heb het over Alix. Wat als je al die moeite doet en je vindt haar, en het blijkt dat ze helemaal niet gevonden had willen worden?'

Carver fronste. Die mogelijkheid was nog niet bij hem opgekomen. Maar misschien had Larsson wel gelijk. Misschien was Alix wel weggegaan omdat ze hem niet meer om zich heen wilde hebben. 'Christus, dat is een deprimerende gedachte,' zei hij terwijl zijn goede bui als sneeuw voor de zon verdween. 'Daar wil ik niet eens aan denken. Hoe dan ook, je vergist je. Natuurlijk wil ze dat ik achter haar aan kom. Dat was de vorige keer ook zo. Waarom zou het nu anders zijn?'

'Geen idee,' gaf Larsson toe. 'Ik bedoel, de laatste keer dat ik haar sprak was ze nog helemaal gek op je.'

'Oké, en waarom denk je dan dat ze van gedachten zou zijn veranderd?'

'Dat denk ik helemaal niet. Ik stelde gewoon een hypothetische vraag.'

'Dat moet je niet doen,' zei Carver. 'Ik ga ervan uit dat ze wil dat ik haar kom halen tot het tegendeel blijkt. De pot op met je hypothetische vragen.'

'O, shit!' Larsson keek in de binnenspiegel. Hij schudde geërgerd zijn hoofd en zette de wagen aan de kant van de weg. Pas toen zag Carver de witte Volvo met de zwaailichten achter hen tot stilstand komen en de agent uitstappen.

Larsson draaide zijn raampje omlaag en begon in het Noors tegen de politieagent te praten. Carver verstond geen woord van wat er gezegd werd, maar het klonk niet best. Uit zijn tijd bij de mariniers wist hij nog wel dat Noorse agenten keiharde, meedogenloze rotzakken konden zijn, die in niets deden denken aan het Britse beeld van Scandinaviërs als ontspannen, liberale types.

Larsson werd gevraagd om uit te stappen en hij moest meekomen naar de achterkant van de auto, waar opnieuw een kort gesprek ontstond. Toen moest hij een blaastest doen. De agent voerde Larssons gegevens in op een zakcomputer en liet hem uiteindelijk met een geïrriteerde blik op zijn gezicht gaan.

'Waar was hij zo pissig om?' vroeg Carver.

'Ik zat onder de limiet,' antwoordde Larsson. 'Hij kon me niet bekeuren voor rijden onder invloed, dus mijn rijbewijs mag ik houden. Maar hij heeft me wel gepakt op een kapot achterlicht; daar krijg ik een bekeuring voor.'

Ze reden terug naar Ebba's boerderij. En intussen kwam een computer die onophoudelijk alle netwerksystemen ter wereld afzocht, een naam tegen waarop hij was geprogrammeerd te reageren, en haalde de gegevens op die aan die naam waren verbonden. En een paar uur later, aan het begin van de werkdag, liep een man het kantoor van zijn baas binnen en zei: 'Raad eens wie er zojuist in Noorwegen is opgedoken.'

April

46

Toen hij met Alix in het Excelsior Hotel in Rome arriveerde, lag er een ansichtkaart op Vermulen te wachten: een afbeelding van een bergdorpje in Zuid-Frankrijk met daarop in sierlijke letters de woorden 'Tourrettes-sur-Loup.'

Op de achterkant stond een boodschap geschreven. 'Ik had je toch verteld dat ik een geweldig plekje zou vinden! Je MOET hier eens een kijkje komen nemen: Bon Repos, Chemin du Dauphin. Er moet het een en ander aan gebeuren. Voor een goede aannemer zou je Kenny Wynter kunnen proberen...' Daarna volgde er een telefoonnummer en vervolgens een ondertekening: 'Pavel.'

'Novak weer,' zei Vermulen met een grijns toen Alix hem ernaar vroeg. 'Die man probeert je altijd dingen te verkopen.'

Dat was nu twee dagen geleden. Nu zat Alix in de sauna van het hotel en liet de hitte en het vocht haar spieren ontspannen en de giftige stoffen uit haar lichaam zweten.

Er zat maar één andere vrouw in de ruimte. Ze keek Alix aan. 'Net als thuis, lekker in een Turks bad!'

De woorden waren in het Russisch gesproken.

Alix glimlachte. 'Alleen hoefden we in Moskou geen zwemkleding te dragen. Daar konden we gewoon naakt gaan, veel prettiger.'

'Maar wat zou je ook anders kunnen verwachten? Dit is een Amerikaans hotel.' De vrouw schudde geveinsd somber haar hoofd. 'Rare lui.'

'Voorzichtig,' zei Alix. 'Mijn vriend is een Amerikaan.'

'Misschien is hij een uitzondering!'

De vrouw keek om zich heen om te zien of ze nog steeds alleen waren. Toen praatte ze verder, maar op een veel minder gezellige toon. 'En die vriend van je, waar houdt hij zich zoal mee bezig?'

'Gisteren had hij een afspraak met een Italiaan, maar hij wilde niet zeggen met wie. Ik weet alleen dat ze elkaar in een park hebben ontmoet, op de Aventijnse Heuvel. Hij zei dat je er een geweldig uitzicht had over de Sint-Pieter. Misschien hangen er camera's in de buurt die je kunt bekijken. Hij heeft ook een boodschap gekregen van Novak. Ik weet niet wat het betekent, maar het ging over een bepaald huis, in Frankrijk.'

Ze gaf de details. De vrouw leek niet erg onder de indruk.

'Dit is niet genoeg – een afspraak, maar je weet niet met wie; een huis, maar je weet niet wat het betekent. Moskou verwacht meer van je.'

'Het spijt me. Ik doe mijn best.'

'In elk geval heb ik een boodschap van de adjunct-directeur. Tot haar spijt moet zij je mededelen dat je vriend in Genève is overleden. Dit betekent dat je betalingen aan de kliniek zijn stopgezet.'

Alix hapte naar adem. Ze keek de andere vrouw met grote ogen aan, alvorens zich naar voren te buigen, met haar hoofd in haar handen. Eerst snikte ze zachtjes, maar al snel schokte haar hele lichaam.

De andere vrouw deed geen enkele poging haar te troosten.

'Je moet goed begrijpen,' zei ze ten slotte, 'dat dit geen enkel verschil maakt voor je missie. Je gaat gewoon zo verder. Dat is een bevel.' Ze stond op. 'Geniet van de rest van je bad.'

'Wat is er?' vroeg Vermulen toen Alix terugkeerde naar hun suite.

Dat was een goede vraag. Alix was in de war, niet in staat het verdriet in haar ogen te verbergen. Maar toen ze zich afvroeg waarom, was het antwoord gecompliceerder dan een kwestie van verlies.

Natuurlijk, ze was kapot van het nieuws van Carvers dood. Ze dacht aan de man die hij was geweest, de tijd die zij samen hadden doorgebracht, de tijd die zij nog met elkaar hadden kunnen hebben. Maandenlang had zij zich vastgeklampt aan de hoop dat hij op de een of andere manier beter zou worden, misschien niet helemaal, maar genoeg om samen nog een toekomst te hebben. Nu was die hoop voorgoed vervlogen en was de voortdurende pijn van moeten toezien hoe hij nog maar een half leven leidde in de kliniek vervangen door de absolute troosteloosheid van verdriet.

En toch, hoewel ze het nauwelijks durfde toegeven, zelfs niet tegenover zichzelf, voelde ze ook nog iets anders: opluchting. De last van verantwoordelijkheid die Carvers toestand had gecreëerd had zwaar op haar gedrukt en haar gevoelens voor hem vergiftigd. Diep vanbinnen nam ze het hem kwalijk dat hij haar in de steek had gelaten, dat hij in zijn waanzin was gevlucht, zodat zij er alleen voor stond en zich gedwongen had gezien de baan voor Vermulen aan te nemen. Vervolgens had ze zich schuldig gevoeld om het feit dat ze er zulke akelige, oneerlijke gedachten op nahield. En dat nam ze hem ook weer kwalijk.

Nu was hij er niet meer en was de last van haar schouders gelicht. Ze kon zich Carver nu herinneren als de man die hij was geweest toen ze elkaar net hadden leren kennen. En ze kon gaan proberen haar leven weer op te bouwen, bevrijd van het wezen dat hij was geworden. Ergens op het randje van haar bewustzijn voelde ze zelfs iets van opwinding, de mogelijkheid om vrij te zijn voor iets heel nieuws.

'O, niets eigenlijk,' zei ze. 'Ik kwam iemand tegen in de foyer, iemand die ik kende van thuis. Zij vertelde me over een gemeenschappelijke kennis. Hij was al een tijd ziek en nu had ze net gehoord... dat hij is overleden.'

Vermulen had aan een bureau gezeten. Nu stond hij op en stak zijn armen naar haar uit. Zijn ogen drukten een diep begrip uit, alsof er een vraag was beantwoord, een probleem opgelost.

Eindelijk ging ze naar hem toe, niet omdat ze haar werk deed, maar omdat hij een man van vlees en bloed was en zij behoefte had aan de bescherming van zijn armen. Ze legde haar hoofd tegen zijn borst en hij streelde haar haar terwijl zij huilde. Hij tilde haar hoofd op en veegde de tranen van haar wangen. Zij kusten elkaar, eerst heel voorzichtig, maar toen steeds heftiger totdat hij haar, zonder een woord te zeggen, bij de hand nam en naar de slaapkamer leidde.

47

Drie dagen op pad, nog een te gaan. Het was laat in de middag, nog een eind te gaan voor de zon onderging, en ze beklommen een zuidoostelijke helling, dekking zoekend tegen de noordwestenwind vanaf zee. De bergen waren niet meer dan vijftienhonderd tot achttienhonderd meter hoog, maar de toppen waren messcherpe haaientanden die ze nog indrukwekkender maakten. Carver en Larsson waren weer elkaars gelijken toen zij van de ene kant naar de andere over de helling laveerden, telkens scherpe bochten makend om de hoek van hun klim te veranderen. Praten deden ze niet veel. Gezien de hoeveelheid inspanning die zij elke dag leverden, was adem te kostbaar om aan praten te verspillen.

Ze gingen een lange, open bergkam tegemoet, een rotsrichel van een paar meter breed, die uit de berg omhoogstak en aan beide zijden vrijwel loodrecht omlaag voerde totdat hij uitkwam op een minder steile helling die, als een zijkant van een piramide, driehonderd meter lager op de bodem van de vallei uitkwam. De twee mannen waren van plan de richel over te steken, vervolgens naar het lager gelegen, meer beschutte terrein te skiën, waar zij hun tweepersoonstentje konden opzetten, en wat water konden koken op hun naftabenzinebrander om dat te vermengen met hun gedroogde rantsoenen. Carver verheugde zich nu al op rundvleescurry met rijst, een klassieker uit de gedroogde cuisine van het kookboek voor mariniers – een maaltijd die naar vroeger smaakte.

Hoe hoger ze kwamen, des te minder beschutting ze hadden. Ze voelden hoe de wind begon op te steken en aan hun parka's en rugzakken begon te rukken en de capuchons van hun parka's tegen hun oren duwde. Het afgelopen uur had de helling die nu voor hen oprees bijna heel hun gezichtsveld in beslag genomen. Carver had wel gezien hoe de hemel steeds donkerder was geworden naarmate de blauwe lucht had plaatsgemaakt voor loodgrijze wolken. Maar nu zij de bergkam naderden, kregen ze steeds meer uitzicht en konden ze helemaal tot aan de Atlantische Oceaan kijken.

Een paar passen voor hem wees Larsson met zijn arm naar de horizon en riep één enkel woord: 'Storm!'

Dat hoefde hij Carver niet te vertellen. In het noordwesten kwam een massieve muur van loodgrijze wolken op hen af, die het afnemende zonlicht blokkeerde als een reusachtig lichtwerend gordijn, dat steeds dichterbij kwam.

Het begon met de minuut harder te waaien en sneeuwvlagen werden bijna horizontaal in hun gezicht geblazen. Naarmate de temperatuur verder daalde, zou de windverkilling een steeds grotere dreiging gaan vormen. Onbeschermde huid kon binnen enkele minuten bevriezen.

Carver keek langs Larsson naar de richel, en toen weer naar de naderende storm. Ze hadden geen schijn van kans om de overkant van de richel te bereiken voordat de storm bij hen was. Als ze midden op de richel werden overvallen, totaal onbeschut, zouden ze van de berg worden geblazen als de zaadjes van een paardenbloem. Zelfs als ze de wind overleefden, zouden ze nog te maken krijgen met een *white-out*. De door de wind voortgedreven sneeuw en diffuus licht door een onafgebroken wolkenlaag zouden alle schaduwen in hun omgeving verdrijven, zodat zij volkomen verloren en gedesoriënteerd zouden zijn. Op vlak terrein was een white-out al gevaarlijk genoeg. Op een smalle bergrichel, met aan weerskanten peilloze dieptes, betekende het een zekere dood.

Carver wees voor zich uit, schudde toen kort zijn hoofd en haalde een vinger langs zijn keel. Larsson knikte en wees de andere kant op, naar de berg zelf. 'Kamp opslaan – nu!' riep hij, nauwelijks in staat zich verstaanbaar te maken boven het geraas van de wind uit.

Ze draaiden zich om en skieden naar een smalle, vlakke richel in de luwte van de bergwand, die hun enige beschutting tegen de elementen zou bieden. Ze trokken hun ski's uit en staken ze, samen met de skistokken, verticaal in de sneeuw, waarna ze hun rugzakken ernaast gooiden. Beide mannen hadden sneeuwschoppen aan de buitenkant van hun rugzakken zitten. Ze maakten ze los en begonnen zonder iets te zeggen een rechthoekig gat te graven, een soort ondiepe sleuf. Ze moesten vechten tegen de wind en de sneeuw die net zo vastberaden leken om elke vooruitgang die ze boekten onmiddellijk weer ongedaan te maken.

Toen het gat ongeveer tot aan hun knieën reikte, liep Carver naar Larssons rugzak en maakte de nylon zak open die hun tent bevatte. Als ze erin slaagden die op te zetten in de sleuf, en vervolgens de tentflappen langs alle kanten met een laag sneeuw te bedekken, zou hun dat voldoende beschutting moeten bieden om de storm uit te zitten.

Snel en methodisch sorteerde Carver de haringen, stormlijnen en stokken: beter om daar een minuutje aan te spenderen dan straks vijf minuten in paniek te lopen zoeken als er iets ontbrak. Hij en Larsson drukten de tentharingen in de sneeuw en waren klaar om met de lijnen te beginnen. De tent was gloednieuw, speciaal ontworpen om gemakkelijk op te zetten. Onder normale omstandigheden hadden ze er hooguit een paar minuten voor nodig, maar de storm had daar andere ideeën over. De windkracht bereikte enorme hoogtes en het begon steeds harder te sneeuwen. Carver en Larsson waren allebei sterke, fitte mannen. Ze wisten wat ze deden. Hun uitrusting was van superieure kwaliteit. Ze wierpen al hun kracht en energie in de strijd om het ultralichtgewicht materiaal vast te snoeren. Toch lukte het de mannen niet de macht van de elementen te trotseren.

De sneeuwstorm bereikte een nieuw crescendo. Hij blies de vuurrode nylon tent weg, hoog de lucht in, als een vlieger die misschien nog een paar seconden zichtbaar was en vervolgens verdween in de allesomvattende witheid.

Carver keek hem na. Hij stond zichzelf een kort moment van ergernis toe, en concentreerde zich toen op het probleem van overleven. Het zicht werd steeds slechter. Hij kon nog maar nauwelijks de omtrekken zien van de rugzakken en ski's die op nog geen meter afstand stonden, en Larsson was weinig meer dan een schaduw, half verborgen achter de sneeuw.

'Kom mee!' schreeuwde Carver.

Hij stak zijn hand uit en greep Larssons arm, waarna hij hem meesleurde, tegen de geselende wind in, naar hun uitrusting, die naast de hoog oprijzende bergwand lag.

Er lagen diepe sneeuwbanken tussen de bergwand en de brede richel waarop zij stonden. In een ideale wereld zouden ze zich daar ingraven en een echt sneeuwgat maken, dat tegen de elementen beschermde als een ondergrondse iglo. Maar dat was twee tot drie uur werk. Carver schatte dat ze hooguit een kwartier hadden voordat de ijskoude wind en de sneeuw hen volledig zouden overweldigen. Hun enige hoop was het uithakken van een rudimentaire grot. Die zou gedeeltelijk openstaan voor het natuurgeweld, maar zou hun in elk geval een bepaalde mate van beschutting bieden.

Carver ging aan de slag. Hij hakte in op de sneeuw en verwijderde het in brokken die nog het meest leken op ijskoude witte B2-blokken. Inmiddels was hij al bijna negen uur in de weer. Het laatste wat hij had gegeten waren wat energierepen en chocolade, die hij 's middags onderweg had opgeknabbeld. Hij had het koud en was uitgedroogd, zodat hij tegelijkertijd rilde en transpireerde. Hij droeg verschillende lagen speciale bergkleding, die ervoor was gemaakt om vocht aan zijn huid te onttrekken en hem zo droog en warm mogelijk te houden. Maar naarmate zijn energie- en vochtniveau daalden, werden de kleren steeds minder effectief. Hij moest het gat zo snel mogelijk afmaken, maar juist de zwakte die rust en beschutting zo belangrijk maakte, maakte dat hij traag was en elke beweging met zijn schep een enorme inspanning was.

Door de sneeuwvlagen heen zag hij dat Larsson er niet veel beter aan toe was. Zijn bewegingen waren traag en inefficiënt. Hij keek Carver even aan en hoewel de ogen van de Noor verborgen gingen onder zijn sneeuwbril, zag Carver aan zijn gebogen hoofd en afhangende schouders dat zijn vriend op het punt stond zijn nederlaag te erkennen.

Carver balde zijn vuist en riep: 'Kom op nou!' Hij had geen idee of hij zich verstaanbaar kon maken, maar Larsson leek toch te begrijpen wat hij bedoelde. Hij rechtte zijn rug, draaide zich weer om naar het gat, en viel met een laatste, wanhopige energiestoot op de sneeuwlaag aan.

Naar alle redelijke maatstaven had Carver de grenzen van het menselijke uithoudingsvermogen allang overschreden. De uitputting van zijn spieren, het wanhopige gebrek aan zuurstof in zijn longen, het genadeloze beuken van de wind en de verraderlijke tentakels van kou die in zijn lichaam doordrongen, smolten samen tot één allesomvattende pijn. En het enige wat hij hoefde te doen om ervoor te zorgen dat die pijn wegging was toegeven aan de verleiding om op te houden: om in de sneeuw te gaan liggen, in slaap te vallen en zijn lichaam over te geven aan die spookachtig witte omhelzing. Maar er is een reden waarom bij de selectie en training van speciale eenheden pijn wordt toegebracht tot op een niveau dat in alle andere gevallen als een misdadige schending van de mensenrechten en regelrechte foltering zou worden beschouwd. Het is niet alleen een kwestie van iemand fysiek hard maken. Er zit ook een psychologisch, bijna spiritueel element in: pijn en uitputting aanvaarden en – omdat je nu eenmaal altijd, op elk moment, je nederlaag kunt toegeven en ermee op kunt houden – ervoor kiezen het een deel te laten worden van je leven. Het is hetzelfde talent voor zelfkastijding, of misschien dezelfde waanzin, dat een marathonloper gouden medailles laat winnen en een bokser tot wereldkampioen maakt. Carver had overal pijn. Hij wilde ophouden. En toch koos hij ervoor om te blijven graven.

Naast hem begon Larsson echter weer in te storten. Hij had alles gegeven wat je redelijkerwijze van een mens kunt verlangen. Maar het lukte hem niet nog een stapje verder te gaan en de onredelijke inspanningen te leveren die noodzakelijk waren voor hun overleving. Hij was nauwelijks nog in staat zijn schep op te tillen en schraapte hooguit nog wat in de sneeuw, in plaats van zich erop te storten. Carver zag wel dat Larsson het punt voorbij was waarop bemoedigende woorden nog van enig nut konden zijn. Hij zou de klus alleen moeten klaren.

Hij groef een gat uit dat tot aan zijn middel kwam en dat zich iets meer dan een meter in de sneeuwlaag uitstrekte, net breed genoeg om dicht tegen elkaar aan te zitten, met hun gezicht naar de openlucht en hun spullen naast zich. Larsson viel op de grond alvorens de energie op te kunnen brengen om met zijn rug tegen de achterwand te gaan zitten, met zijn armen op zijn opgetrokken knieën. Zijn hoofd zakte naar voren alsof zijn nek het gewicht ervan niet langer kon dragen. Zijn lichaam schokte zo hard van de rillingen dat het leek alsof hij een epileptische aanval had.

Carver trok Larssons slaapzak uit zijn rugzak en rolde die uit. 'Kruip hierin,' zei hij op bevelende toon.

Larsson bromde iets onverstaanbaars, maar deed niets. Carver trok Larssons sneeuwbril omhoog. Zijn ogen keken wazig. Hij begon onderkoeld te raken.

Terwijl hij met zijn linkerarm Larssons laarzen optilde, gebruikte Carver zijn rechter om de slaapzak over Larssons voeten en tot halverwege zijn benen te trekken. Vervolgens sloeg hij een arm om

Larssons rug en tilde hem in een soort brandweergreep van de grond, zodat hij de rest van de slaapzak onder hem door kon trekken en, zodra Larsson weer op de grond zat, helemaal omhoog over de rest van zijn lichaam. Nu beschermde de slaapzak Larsson in elk geval tegen de kou van de ijzige wanden en vloer van hun schuilplaats. Maar er was nog veel meer te doen.

Het was van levensbelang om een warm drankje in Larssons systeem te krijgen. Carver pakte de naftabrander uit en pompte het brandstofreservoir op om de druk te creëren die nodig was voordat de brander, op de ouderwetse manier, met een vlammetje, kon worden aangestoken. Carver had een doosje lucifers, maar kon daar niets mee beginnen zolang zijn handen nog in zijn dikke skihandschoenen waren gestoken. Hij rukte zijn rechterhandschoen uit, zodat zijn hand aan de kou werd blootgesteld. Hij begon onmiddellijk te beven. Hij probeerde een lucifer af te strijken, maar kraste er alleen maar zwakjes mee over het oppervlak. Toen hij het nog een keer probeerde deed hij het juist te hard, zodat de lucifer afbrak voordat hij brandde.

Er volgden nog drie pogingen. Elke keer werd het vlammetje meteen weer uitgeblazen door windvlagen die de sneeuwgrot binnenkwamen.

Larsson zat schokkerig te rillen.

Dit ging niet werken. Ze hadden meer beschutting nodig. Carver trok zijn handschoen weer aan, kroop uit het gat en pakte een van de blokken sneeuw die hij had uitgehakt. Hij sleepte het blok mee terug en plaatste het in de opening van de grot. Het kostte hem vijf kostbare minuten om voor de ingang een laag muurtje te bouwen, ongeveer tot kniehoogte: vijf minuten waarin Larssons sidderingen steeds zwakker werden. Maar nu had hij eindelijk een plekje waar het niet waaide, zodat hij zijn brander aan kon steken, een pannetje met sneeuw kon vullen en wat sterke thee kon zetten, gezoet met suiker en gecondenseerde melk.

Hij schonk de helft in een beker en hield die bij Larssons mond, zodat hij de thee tussen zijn lippen kon gieten. Eerst begon Larsson te kokhalzen en lukte het hem niet eens meer te slikken. Toen ontspande hij zich en dronk. Er kwam weer een sprankje leven in zijn ogen.

Carver dronk zelf ook een paar grote slokken thee. Toen maakte hij een van de zijvakjes van zijn rugzak open en haalde er een reep

Kendal mintcake uit, een wit, romig blok suiker, glucose en water, op smaak gemaakt met pepermuntolie. Het bevatte vrijwel geen proteïnes, vitamines, essentiële mineralen of enige andere toevoeging waarvan iemand met verstand van gezonde voeding blij van zou worden. Maar als middel om een uitgeput lichaam een dosis pure brandstof te bezorgen, was het onovertroffen.

Ze deelden de reep. Larsson at de cake niet, maar liet hem in zijn mond smelten en langzaam in zijn keel glijden. Carver bekeek hem eens goed, en onderzocht vooral de onderste helft van zijn gezicht, het gedeelte dat had blootgestaan aan de wind, op tekenen van witte, wasachtige plekken die op bevriezing konden duiden.

'Ziet er goed uit,' zei hij. 'Maar dat wil nog niet zeggen dat het nog niet in gang is gezet. Prikt of jeukt je gezicht?'

'Neuh.' Larsson schudde zijn hoofd. Het was niet echt een gevatte reactie, maar hij reageerde in elk geval.

'Ik zal wat te eten voor je maken,' zei Carver en kroop weg om wat rijst te koken en heet water te vermengen met de gevriesdroogde curry.

Tegen de tijd dat ze hadden gegeten, was het donker. Carver kroop in zijn eigen slaapzak. Gedurende de volgende paar uur maakte hij nog een paar keer iets te drinken. Larssons toestand leek stabiel. Het rillen hield op en toen hij uiteindelijk in slaap viel, was zijn ademhaling oppervlakkig, maar redelijk gelijkmatig. Carver wist echter dat, hoewel de eerste crisis voorbij was, het eigenlijke gevaar nog niet was geweken. Als Larsson niet snel van de berg werd gered en deskundige medische hulp kreeg, had hij nog maar enkele uren te leven.

48

Kady Jones zat met een glimlach op haar gezicht e-mails te lezen. Een paar dagen geleden waren twee van haar beste vrienden in Los Alamos, Henry Wong en Mae Lee, getrouwd. Ze waren naar Rome op huwelijksreis gegaan en aangezien zij allebei echte techneuten waren hadden ze natuurlijk niet per slakkenpost ansichtkaarten naar huis gestuurd. In plaats daarvan hadden ze een internetcafé opgezocht. Mae's boodschap naar Kady was gezellig, gedetailleerd en intiem: van de ene vriendin aan de andere. Die van Henry bestond uit slechts een paar regeltjes, waarin hij haar ervan verzekerde dat Rome te gek was, plus een paar digitale vakantiekiekjes, met bijschriften.

Zijn favoriete foto was er een van Mae in een park op de Aventijn, met uitzicht over de Tiber tot aan de koepel van de Sint-Pieter. Ze zag er fantastisch uit en haar stralende gezicht leek de hele foto op te lichten.

'Man, wat ben ik toch een bofkont!' had hij erbij geschreven.

Kady bekeek de foto op haar laboratoriumcomputer, die een groter beeldscherm had, met een veel betere resolutie dan die in het café in Rome. Daarom zag zij, wat Henry niet was opgevallen, dat er op de achtergrond van zijn foto twee mannen stonden te praten, die er door het perspectief uitzagen als rare dwergjes die uit Mae's oksel groeiden. Uit pure nieuwsgierigheid zoomde ze op hen in om ze van dichtbij te bekijken.

Toen hield ze haar adem in: 'Krijg nou wat!'

De man rechts was vaag herkenbaar, maar zijn metgezel kwam haar maar al te bekend voor. Tenzij zij daar een terloops, vriendschappelijk gesprekje stonden te voeren, had dit onschuldige vakantiekiekje opeens een heel nieuwe betekenis gekregen.

Ze draaide een nummer in Washington. FBI-agent Tom Mulvagh,

die man die de operatie bij Gull Lake had geleid, was overgeplaatst naar DC om in het geheime team te werken dat op zoek was naar de Russische bommen. Ze konden prima met elkaar samenwerken. Ze zei tegen hem dat hij een e-mail kon verwachten en wachtte even.

'Heb je de foto op je scherm?'

'Ja, leuk dat je me dit stuurt, hoewel het meestal andere kerels zijn die me foto's van lekkere meiden toesturen.'

Kady zag Mulvaghs grijns voor zich. Hij maakte, wanneer de situatie dat toestond, graag een geintje. Zij had daar geen problemen mee.

'Heel grappig, Tom. Die lekkere meid, zoals jij haar noemt, is Mae Wong, de mooie, gevoelige en bijzonder intelligente echtgenote van mijn collega Henry Wong. En zij is niet degene naar wie je moet kijken. Zoom eens in op die twee mannen...'

'Wat, die ze onder haar oksel heeft?'

'Precies... Herken je die?'

Het bleef even stil terwijl Mulvagh nadacht. 'Die man rechts komt me bekend voor.'

'Dat dacht ik al,' zei Kady. 'Ik weet vrij zeker dat ik zijn foto in een tijdschrift heb zien staan. Hij is die generaal. Zijn secretaresse is onlangs doodgeslagen in het park in DC.'

'Vermulen,' zei Mulvagh. 'Ja, dat herinner ik me nog wel. Maar wat betekent dat voor jou of mij?'

'Hij was niet degene die aanvankelijk mijn aandacht trok. Dat was de ander, met het donkere haar. Dat is Francesco Riva. Hij is een Italiaan die hier eind jaren zeventig naartoe is gekomen, een graad haalde aan het MIT en meer dan tien jaar in het Lawrence Livermore National Lab heeft gewerkt. Daar heb ik hem leren kennen en je kunt van mij aannemen, Mulvagh, dat Frankie Riva een fantastische kernfysicus is.'

'En dat kan mij iets schelen omdat...?'

'Ten eerste omdat Frankie gespecialiseerd was in het verkleinen van nucleaire wapens; en ten tweede omdat hij vijf jaar terug bij het lab is weggegaan en nooit meer iets van zich heeft laten horen. Je moet goed begrijpen dat zo ongeveer iedereen in dit werk elkaar kent, hetzij persoonlijk of wat reputatie betreft. Wij weten allemaal wie waarmee bezig is en waar. Maar de afgelopen paar jaar heeft Frankie Riva helemaal niets gedaan. Niet in het openbaar althans.'

'En nu ga jij me vertellen wat hij privé uitspookt...' opperde Mulvagh.

'Tja, dat weet ik niet. Dat wil zeggen, ik weet het niet zeker. Maar een van de dingen die hem tot een uitzondering maakten was dat hij niet als een soort computerkluizenaar leefde. Hij zat niet alleen maar thuis, tussen zijn pc en zijn pizzadozen. Hij hield van Europese sportwagens, mooie vrouwen en dineetjes voor twee in van die restaurants waar de ober het menu voor je moet vertalen.'

'Hij had dus geld nodig.'

'Precies,' vervolgde Kady. 'Daarom is hij weggegaan bij Livermore. Hij zei dat hij een salaris in de particuliere sector wilde. Dat is niet ongebruikelijk. Er zijn zoveel mensen die overstappen naar commerciële onderzoekslaboratoria. Maar Frankie werkt voor geen enkel laboratorium dat ik ken. In het wereldje van de atoomfysica wordt gefluisterd dat hij voor mensen werkt die bommen willen en die er alles voor overhebben om eraan te komen.'

'Hoe komt het dat wij nooit van die vent hebben gehoord?'

'Als hij terug is gegaan naar Italië, valt hij niet onder jullie jurisdictie.'

'Maar tijdens onze bijeenkomsten heeft niemand van het bureau het ooit over hem gehad.'

'Ja, weet je, Tom, ik wil niet trouweloos of onpatriottistisch klinken, maar het bureau is niet altijd even goed geïnformeerd...'

Mulvagh lachte. 'Alsof ik dat niet weet!'

'Oké, de vraag is nu dus wat Frankie Riva met generaal Vermulen te maken heeft. Ik heb op LexisNexis krantenknipsels over de generaal bekeken. Er wordt wel beweerd dat hij een soort tussenpersoon is bij internationale wapenhandel. Zijn vroegere assistente is vermoord in een park waar sinds mensenheugenis nog nooit iemand is vermoord. Hij heeft een sabbatical opgenomen van zijn werk om een rondreis door Europa te maken, en volgens een paar roddelrubrieken heeft hij zijn beeldschone nieuwe assistente meegenomen. En nu is hij in Rome en heeft hij in een afgelegen park een gesprek onder vier ogen met een kerngeleerde die alles weet wat er te weten valt over het soort bommen waarnaar wij op zoek zijn. Ik bedoel maar, komt dat jou nu ook niet voor als... hoe zal ik het zeggen... interessant?'

'Ik weet niet hoe het mij voorkomt, Kady,' zei Mulvagh. 'Ik begrijp eerlijk gezegd niet helemaal wat je me nu eigenlijk probeert te vertellen.'

'Ik vertel je dat een man die over de hele wereld hooggeplaatste contacten heeft, die zijn boterham verdient in de wapenhandel en die op dit moment op vakantie hoort te zijn met zijn lekkere secretaresse, geheime afspraken heeft met een man die met twee vingers in zijn neus een simpele kofferatoombom van het kanontype kan maken en een bestaande bom zo mogelijk nog gemakkelijker kan verbeteren. Ik vertel je dat wij misschien toch niet de enigen zijn die weten dat Lebed de waarheid vertelde.'

'Dat begrijp ik allemaal wel,' zei Mulvagh. 'Ik weet alleen niet of ik het wel geloof. En ook al zou ik het geloven, dan nog zou ik eerst wel heel zeker van mijn zaak willen zijn alvorens hogerop te gaan met deze informatie. Vermulen heeft vrienden van het soort dat een einde kan maken aan jouw en mijn carrière als we valse beschuldigingen gaan lopen maken...'

'We hoeven hem nergens van te beschuldigen,' viel Kady hem in de rede. 'Nog niet... Maar jij kunt hem wel alvast, je weet wel, heel discreet natrekken. Ik bedoel, als Vermulen in Rome met Frankie Riva had afgesproken, heeft hij in andere steden misschien ook wel afspraken gehad. En als wij weten met wie hij daar heeft gesproken, kunnen we ons misschien een beter beeld vormen. Daarbij komt nog, en dat mag je, als je seksistisch wilt doen, gerust aan mijn vrouwelijke intuïtie toeschrijven, dat ik het wat al te toevallig vind dat secretaresse nummer één – een vrouw van een jaar of vijftig – een klap op haar hoofd krijgt en vijf minuten later vervangen wordt door een lekker stuk dat nu aan de arm van de generaal bungelt terwijl hij een rondreis maakt langs alle romantische plekjes...'

'Misschien ben je gewoon jaloers,' opperde Mulvagh.

'Waarom zou ik jaloers zijn op een vrouw die jonger is dan ik die het aanlegt met een ontzettend aantrekkelijke, vrijgezelle generaal? Nee, maar serieus, Tom, dit is de moeite van het uitzoeken waard. Het is ten slotte ook weer niet zo dat we omkomen in de andere aanknopingspunten. Je kunt allicht een paar databanken checken. Dan gaan we de volgende keer dat je naar het westen komt wat drinken...'

'Tja, in dat geval, dr. Jones, kan ik natuurlijk geen nee meer zeggen.'

49

Op een gegeven moment moest Carver 's nachts hebben toegegeven aan zijn uitputting, want opeens schrok hij wakker en realiseerde zich dat de opkomende zon in zijn gezicht scheen. Terwijl hij zijn ogen dichtkneep om aan het felle licht te wennen, viel hem nog iets anders op: de stilte. De storm was gaan liggen.

Nu moest hij hulp zien te vinden voor Larsson. Hoog in de bergen was het signaal met een mobiel telefoontje op z'n best slecht te noemen. De enige manier om zeker verbinding te krijgen was naar een van de berghutten te gaan die de plaatselijke toeristenautoriteiten verspreid door het landschap hadden neergezet en daar gebruik te maken van de noodtelefoon. Carver keek op de kaart. De dichtstbijzijnde hut stond ongeveer vijf kilometer terug, de tocht ging hoofdzakelijk bergafwaarts. Hij maakte wat warme pap voor zichzelf en Larsson, beloofde zijn vriend dat er snel hulp zou komen en ging op weg.

Terwijl hij door de fijne, vers gevallen poedersneeuw skiede, die hem bijna verblindde in het zonlicht vanuit een strakblauwe hemel, realiseerde Carver zich dat hij zich overweldigd voelde door een volkomen nieuw en onverwacht gevoel. Hij voelde zich fantastisch. Hij had een extreme en ongelooflijk zware fysieke test onder ogen gezien en doorstaan en die wetenschap gaf hem veel vertrouwen. Nu was hij er helemaal klaar voor om op zoek te gaan naar de vrouw van wie hij hield. Intussen vreesde hij niet voor Larsson. Toen hij de hut bereikte en contact had opgenomen met het reddingsteam, had hij er absoluut vertrouwen in dat zij bijtijds bij de sneeuwgrot zouden arriveren. Toen Carver op zijn beurt werd opgepikt door een opgewekt type op een skimobiel, kwam het niet als een verrassing voor hem dat Larsson al was opgenomen in een ziekenhuis in Narvik, nog steeds erg ziek, maar met uitzicht op volledig herstel.

Ook Carver werd naar het *sykehus* gebracht, om te worden nagekeken op tekenen van bevriezing of onderkoeling. Nadat hij in beide opzichten gezond was verklaard, ging hij even bij Larsson langs om te zien hoe het met hem ging en beloofde hem de volgende ochtend terug te komen.

'Maak je geen zorgen, ik red me hier wel,' zei Larsson met een vermoeid glimlachje.

Op dat moment kwam een verpleegster zijn pols en temperatuur opnemen. Zij was een klassieke Noorse schoonheid: lang, blond en met blauwe ogen.

'Dat geloof ik graag,' zei Carver.

Hij wandelde het ziekenhuis uit met het idee eerst ergens een biertje te gaan drinken en een hapje te eten, alvorens een taxi terug te nemen naar Beisfjord. Toen zag hij opeens iets.

Een paar meter voor hem stond een man bij de uitgang een Engelse krant te lezen. Hij keek op, zag Carver en glimlachte.

Het duurde even voordat Carver hem herkende.

'Wat doe jij hier?' vroeg hij, terwijl hij zijn goede humeur als sneeuw voor de zon voelde verdwijnen.

'Ik had geen zin meer om nog langer te wachten tot je bij mij langs zou komen,' zei Jack Grantham. 'En toen dacht ik dat ik dan maar bij jou langs zou gaan.'

Hij grinnikte en sloeg Carver op zijn schouder als een oude vriend. 'Kom mee. Mijn hotel is hier vlakbij en er staat een auto op me te wachten. Ik denk dat je heel geïnteresseerd zult zijn in wat ik je te vertellen heb.'

Een van Granthams mannen stond bij de auto te wachten. Een andere zat achter het stuur. Ze hoefden slechts een paar honderd meter te rijden naar een klein, ouderwets hotelletje. Naast de receptie bevond zich een kleine foyer met een bank en een paar leunstoelen die om een open haard stonden, een kroonluchter aan het plafond, een wandkleed aan de muur en een salontafel voor de stoelen.

Een van de mannen overhandigde Grantham een laptop, die hij op tafel zette. Toen ging de man een paar meter verderop bij zijn collega staan, waar ze hun baas in de gaten konden houden en alleen al door hun aanwezigheid andere mensen ontmoedigden om de ruimte binnen te komen.

'Pak een stoel en maak het jezelf gemakkelijk,' zei Grantham, terwijl hij Carver naderbij wenkte.

'Wat is je grote nieuws?' vroeg Carver.

Grantham opende zijn laptop en klikte een Powerpoint-bestand aan. Het scherm werd gevuld met een formele portretfoto van een Amerikaanse legerofficier in gala-uniform.

'Dit is Kurt Vermulen,' zei Grantham. 'Tot een paar jaar geleden was hij een driesterrengeneraal in het Amerikaanse leger.'

Hij gaf een korte samenvatting van de militaire loopbaan van de generaal.

'Een typische Amerikaanse held,' zei Carver.

'Zoiets, ja.'

'Waarom willen jullie dan dat ik hem vermoord?'

'Ik heb helemaal niet gezegd dat we dat wilden.'

'Waarom zou je hier anders helemaal naartoe zijn gekomen?'

'Het hangt ervan af,' zei Grantham.

'Waar vanaf?'

'Van wat hij precies in zijn schild voert...'

Grantham opende een nieuwe pagina. Ditmaal was het een serie grofkorrelige foto's van Vermulen in burgerkleding. Sommige waren afkomstig van beveiligingscamera's, andere genomen door fotografen. Te midden van een menigte in een mooi theater; wandelend langs een kanaal in Venetië; voor een zebrapad in een drukke stadsstraat.

Carver bekeek ze zonder enige belangstelling.

'Nou, veel succes ermee,' zei hij. 'Ik heb andere zaken aan mijn hoofd.'

'Dat weet ik,' zei Grantham. 'Net als vroeger, nietwaar? Maar voordat je weggaat, is er nog iets wat je moet zien.'

'Ik dacht het niet.' Carver stond op om te gaan.

Grantham liet zich niet uit het veld slaan. 'Ik zou nog heel even blijven zitten als ik jou was. Dit wil je echt zien.'

Carver keek hem aan. Grantham had de onbewogen kalmte van iemand die absoluut zeker is van zijn zaak. De enige manier om erachter te komen wat hij bedoelde was toch nog even te blijven.

'Oké,' zei Carver, die bleef staan. 'Laat maar zien dan.'

'Kijk hier nog maar eens goed naar,' zei Grantham, terwijl hij de opnames van Vermulen nog een keer langs liet komen.

'Ik heb je al verteld dat het me niet interesseert.'

Grantham glimlachte. 'Kijk goed,' zei hij.

Hij opende een nieuw bestand. Dezelfde serie foto's verscheen nog een keer, maar nu werden ze in hun geheel getoond. Nu zag je de gestalte van degene die er in de eerste reeks was afgeknipt, de vrouw die in een satijnen avondjapon naast Vermulen stond in de Weense Opera; die samen met hem en een donker echtpaar voor Hotel Gritti in Venetië stond; die samen met hem de toeristische trekpleisters van Rome bezocht. En toen, in een laatste reeks van nieuwe foto's, lieten ze Vermulen en de vrouw zien aan boord van een jacht; hij in een witte bermuda met een poloshirt; zij in bikini, met een zonnebril in haar blonde haar. De foto's waren onduidelijk en van zeer grote afstand genomen. Het stel stond onder een zonnescherm op het achterschip. Op de eerste foto stonden ze te praten. Toen legde zij een hand op zijn borst. Carver kon niet zien of ze hem streelde, of dat ze de man probeerde af te weren. Op de derde foto had hij zijn handen om haar bovenarmen. Op de vierde leidde – of sleurde? – hij haar een van de passagiershutten van het jacht binnen. En toen waren ze verdwenen.

'Vuile rotzak,' siste Samuel Carver.

'Ja,' zei Jack Grantham. 'Ik dacht wel dat die laatste het 'm zou doen.'

50

Sinds hij met zijn herstel was begonnen, vroeg Carver zich al af wat hij nu precies voor Alix voelde. Naarmate zijn herstel vorderde, begonnen de beelden van de paar korte dagen en nachten die zij in elkaars gezelschap hadden doorgebracht terug te komen. Toen hij in een winkel in Beisfjord langs een vrouw liep en een vleugje van haar parfum opving, wist hij meteen, zonder erover te hoeven nadenken, dat Alix datzelfde luchtje had gebruikt en was het opeens alsof zij weer naast hem lag. En verder hadden hij en Thor Larsson natuurlijk over haar gepraat. Larsson had verhalen verteld over de maanden in Genève, voorafgaand aan haar verdwijning, of maakte grapjes over zijn eigen eerste aanblik van Alix, gekleed in La Perla-lingerie en met een bruine pruik op. Zij had zich klaargemaakt om een Zwitserse bankier te verleiden, die hun enige schakel was met de geheimzinnige mannen die zich van Carvers dodelijke diensten hadden bediend, hem hadden verraden en vervolgens hadden geprobeerd hem te laten vermoorden.

'Man, ze zag er fantastisch uit,' had Larsson gezegd. 'Ik was stikjaloers op je. Ik bedoel, ik begreep helemaal waar je mee bezig was geweest!'

Larsson had hard gelachen en Carver had met hem mee gelachen. Maar hoewel hij een vage herinnering had aan Alix in die hotelkamer en zeker wist dat zij die middag de liefde hadden bedreven, waren de herinneringen vluchtig en vaag, onwerkelijke beelden van een tijd die voorgoed voorbij was.

En toen zag hij de foto van Alix op dat jacht, vastgepakt door de handen van een andere man, en borrelden alle emoties op die tot nu toe buiten zijn bereik hadden gelegen en voelde de pijn aan als een brandmerk op zijn hart.

'Ga zitten,' zei Grantham. 'Ik zal een drankje voor je bestellen. Je ziet eruit alsof je dat kunt gebruiken.'

Hij stak een vinger op naar een van de mannen, alsof hij een ober wenkte. 'Whisky, en vlug een beetje.'

Carver keek naar Granthams zelfgenoegzame trekken. 'Het interesseert je geen reet, hè?'

Grantham sloeg geen acht op zijn boosheid. 'Integendeel, ik interesseer me wel degelijk voor het werk wat ik doe en het land waarvoor ik het doe. Daarom ben ik hier ook. Iemand heeft Alexandra Petrova opdracht gegeven een liefdesval te zetten voor Kurt Vermulen. En ik weet zeker dat jij al tot dezelfde conclusie bent gekomen als ik, namelijk dat ze weer terug is bij haar oude werkgevers, de Russen. Ik weet niet waarom. Misschien ging het haar vervelen om te moeten zitten wachten tot jij eindelijk weer eens wakker zou worden...'

'Ze betaalde mijn rekeningen,' zei Carver.

'Lovenswaardig. Dus ze heeft haar niet geheel onbezoedelde deugdzaamheid opgeofferd voor de man van wie ze houdt.'

Carver keek eerst naar Grantham, toen naar zijn mannen, en boog zich vervolgens naar voren. 'Het is heel grappig, zoals mijn herinnering opeens terugkomt. Zoals jij nu zit te praten, dat herinnert me aan de laatste keer dat ik je zag. Je maakte weer eens een van die bijdehante opmerkingen van je en toen wees ik je erop dat ik je met je eigen pen kon vermoorden. Weet je dat nog?'

'Ik weet het nog,' zei Grantham. 'Loze dreigementen. Maar nu terzake. Heb jij enig idee hoe ze Petrova hebben gestrikt voor deze opdracht?'

'Het was Yuri Zhukovski's weduwe. Zij is naar de zaak gegaan waar Alix werkte. Alix probeerde te ontsnappen. Kennelijk is haar dat niet gelukt.'

'Ja, ja,' mompelde Grantham, 'we dachten al dat dit het handwerk kon zijn van adjunct-directeur Olga Zhukovskaya – een bijzonder machtige, indrukwekkende dame. Je kunt me een cynicus vinden, maar je zou toch bijna gaan denken dat juffrouw Petrova al die tijd al voor haar heeft gewerkt.'

'Dat waag ik te betwijfelen. Alix sliep met haar man.'

'Precies. Zhukovskaya had de minnares van haar man in haar macht. Zo'n vrouw is het wel. Briljant...'

Even leek Grantham op te gaan in zijn bewondering. Toen herstelde hij zich.

'Hoe dan ook, laat me je vertellen wat Petrova allemaal heeft gedaan sinds jij haar voor het laatst hebt gezien. Wij denken dat ze in Washington, waar hij woont, haar klauwen al in Vermulen heeft gezet, maar ze zijn pas een paar weken in Europa, waar ze tekeergaan als een pasgetrouwd stelletje. Ik begrijp wel waarom de Russen nieuwsgierig zijn, want Vermulen is beslist ergens mee bezig. Hij had een ontmoeting in Amsterdam, hoewel we nog niet weten met wie. Vervolgens had hij in Wenen afgesproken met ene Novak, die een boterham verdient met het verkopen van wapens en informatie. Zijn contact in Venetië was een voormalige legerkameraad van hem, ene Reddin. Zoals je op deze foto ziet, was mevrouw Reddin er ook bij, dus het is mogelijk dat het om een afspraak tussen vrienden ging, hoewel ik dat zeer betwijfel. Daarna ging hij naar Rome. Daar hebben we hem gevolgd naar weer zo'n ontmoeting, maar die foto's waren heel slecht en we konden de andere partij niet identificeren. En nu zitten ze dan op een jacht dat Vermulen heeft gehuurd, zogenaamd voor een vakantie op de Middellandse Zee.

'De laatste foto's die ik je heb laten zien, zijn een paar dagen geleden genomen, voor de kust van Corsica. Zelf denk ik dat je ze een meningsverschil ziet hebben. Of misschien probeert zij hem te kalmeren. Kijk, ze werkt natuurlijk alleen, zonder back-up. Ze moet alles doen om ervoor te zorgen dat hij verliefd op haar blijft. Maar hoe intiemer ze worden, des te kwader zal hij zijn als hij er ooit achter komt dat zij hem om de tuin heeft geleid. Ze kan er ook niet vandoor gaan, want dan weet hij het meteen helemaal zeker. Ze zit in de shit, Carver. En allemaal door jouw schuld.'

'En wat wil je nu dat ik doe?'

'Ik dacht al dat je het nooit zou vragen.'

Grantham opende een nieuw bestand op de laptop. Ditmaal was er een Engelse paspoortfoto te zien van een man van halverwege de dertig, met rossig haar en een uitdagende, onbuigzame blik.

'Dat,' zei Grantham, 'is Kenny Wynter. Over twee dagen heeft hij een lunchafspraak met Kurt Vermulen in Hotel du Cap, in Zuid-Frankrijk.'

'Klinkt heel beschaafd.'

'Ik betwijfel het. Vermulen heeft een karweitje voor Wynter. Wij hebben een telefoongesprek onderschept. De twee kennen elkaar niet, maar blijkbaar is Wynter hem aanbevolen.'

'Wat voor karweitje?'

'Dat wilde Vermulen hem niet vertellen. Hij zei dat hij hem de details liever persoonlijk zou vertellen. Maar er is slechts één reden waarom je Kenny Wynter zou willen bellen en dat is om iets te stelen. De man heeft de afgelopen vijftien jaar niets anders gedaan dan stelen in opdracht: vertrouwelijke documenten, industriële plannen en prototypes, financiële papieren, een kluisje hier en daar. En hij is niet kieskeurig wat zijn klanten betreft. Hij heeft militaire geheimen gestolen voor de Russen, de Chinezen, de Iraki's, de IRA, en daardoor zijn we een aantal uitstekende mensen kwijtgeraakt. De man is een gewetenloze klootzak, met bloed aan zijn handen. Maar hij is nog nooit gepakt. Wel gearresteerd natuurlijk, ontelbare keren, maar er is nooit voldoende bewijs om hem te veroordelen. Kenny Wynter heeft een kast van een huis in Totteridge en een box in het stadion van Arsenal. Hij rijdt in snelle wagens, naait de mooiste vrouwen...'

'Zo iemand zou ik kunnen vermoorden,' zei Carver, sarcastisch.

'Mooi,' zei Grantham, bloedserieus. 'Want dat ga je ook doen.'

51

'Hebben we al iets van Petrova gehoord?' vroeg Olga Zhukovskaya.

De FSB-kolonel die voor haar stond schudde zijn hoofd.

'Niet meer sinds die ontmoeting in Rome, mevrouw de adjunct-directeur. Ik heb de standaardmededeling laten plaatsen in de rubrieksadvertenties van de *International Herald Tribune*, maar ze heeft niet gereageerd.'

'Weten we wel waar ze is?'

Opnieuw een bijna teleurgesteld hoofdschudden.

'Nee. We hebben reden te geloven dat Vermulen een jacht heeft gecharterd, maar dat hebben we nog niet kunnen bevestigen, en ook al was dat wel het geval, dan zouden we het nog niet kunnen volgen. Zoals u weet, mevrouw, zijn onze middelen niet meer wat ze geweest zijn. Sinds september 1995 hebben we geen enkele verkenningssatelliet meer gelanceerd. En sinds die laatste er een jaar later al mee ophield, zijn we stekeblind.' Hij slaakte een ietwat theatrale zucht. 'Vroeger konden we de hele wereld onze wil opleggen, nu kunnen we hooguit nog wat foto's stelen van westerse communicatiesatellieten...'

'Dat kan wel zo zijn, maar het feit blijft dat we hen moeten vinden. Vermulen is iets van plan. Ik voel het gewoon.'

De kolonel zweeg en gaf zijn baas de tijd om rustig na te denken. Het duurde niet lang voordat zij een besluit had genomen. Olga Zhukovskaya was een vrouw die wist wat ze wilde. Het was een van de kwaliteiten die haar tot zo'n krachtdadig leider maakten.

'Waar Vermulen ook mee bezig is, het heeft te maken met Pavel Novak. Hij weet wat er gaande is. En binnenkort weten wij dat ook.'

52

Kenny Wynter deed zijn uiterste best om respectabel te zijn. Hij was lid van de plaatselijke Conservatieve Vereniging, schonk geld aan het restauratiefonds van de kerk en had lidmaatschappen bij de golf- en de tennisclub. Bij hem thuis was het een komen en gaan van vrouwen, wat zijn vrouwelijke buren bijzonder ergerde, maar ook hun belangstelling voor hem deed toenemen. Waar ze zich echter het meest aan ergerden was de kennelijke bewondering en jaloezie van hun echtgenoten voor Wynters harem, en de gretigheid waarmee zij elke zomer ingingen op de uitnodigingen voor zijn zwembadfeesten, waar ze zich met grote ogen vergaapten aan al die jonge meisjes die zich in bikini om hun gastheer verdrongen.

Zo kwam het dat Kenny Winter de sociale regels nakwam, maar tegelijkertijd iedereen voldoende reden gaf om over hem te roddelen.

Elke donderdagavond ging Wynter naar de tennisclub. Hij maakte deel uit van een vast groepje van vier heren. Ze speelden om twee gewonnen sets van de drie, werkten zich bescheiden in het zweet en gingen dan wat drinken en een hapje eten in de Orange Tree, een pub in Totteridge Village. Tegen achten stond zijn gloednieuwe Porsche 911 Carrera S op de parkeerplaats achter de pub. Hij was leigrijs, met een zwartleren interieur. Wynter zat al binnen en bestelde het eerste rondje bier.

Op dat moment parkeerde er een auto naast de Porsche. Het was een tien jaar oude Honda Accord met verschoten blauwe lak. Vrijwel elke voorbijganger met een minimale kennis van auto's zou in staat zijn de 911 te herkennen. Maar alleen voor de meest toegewijde Honda-liefhebber was de Accord meer dan een onooglijke, anonieme, volkomen ongedenkwaardige personenwagen. Daarom had Carver hem die middag ook gekocht, voor 450 pond, in contanten, van een kleine advertentie in *Auto Trader*.

Hij stapte uit de auto. Hij droeg een grijs polyester pak en een wit polyester overhemd. Zijn blauwe stropdas met lichtblauwe en witte strepen was van kunstzijde. Zijn schoenen waren glimmende, lichtgrijze instappers, met een soort miniatuurpaardenbitjes op de wreef, waarvan het verguldsel hier en daar was afgesleten, zodat het kale metaal eronder vandaan kwam. De aktetas die naast hem stond was oud en versleten. Zijn getinte bril met stalen montuur was de deerniswekkende poging van een sukkel om cool en modern te zijn.

Carver had zich niet geschoren. Een vale pruik hing over zijn oren en in zijn nek. Het droeg bij tot de algehele indruk van een onopvallend kantoormannetje en verborg zijn eigen haar, dat was geknipt en geverfd om op dat van Wynter te lijken. Morgenochtend zou hij contactlenzen indoen in de kleur van Kenny's ogen en tegen de tijd dat hij op het vliegtuig naar Frankrijk stapte, zou hij Kenny Wynter zijn.

Nu stapte hij uit de Honda. Hij stond pal naast de passagierskant van Wynters Porsche. Carver stapte op het asfalt en draaide zich om om de aktetas van de stoel te pakken. Toen hij hem uit de auto trok begaf de gesp het, zodat de tas openviel en de inhoud – een half opgegeten sandwich in een kartonnen doosje, een goedkoop zakrekenmachientje, een half opgekauwde balpen en een exemplaar van de *Daily Express* – tussen de beide auto's op de grond viel.

Inwendig vloekend ging Carver op zijn hurken zitten en begon zijn spullen bij elkaar te zoeken. Toen keek hij heel even om zich heen over de parkeerplaats. Er was niemand anders dan hij. Hij dook weer omlaag en haalde een klein, doorzichtig, afsluitbaar plastic zakje uit zijn binnenzak. Daar haalde hij een klein stukje gereedschap uit, van maar een paar centimeter lang. Aan één kant zat een plat zwart plastic schijfje, waardoor het apparaatje rechtop op de grond kon blijven staan. Uit het schijfje stak een rond schachtje, als een soort miniatuurschroevendraaier. De andere kant was niet afgeplat, maar daar was er een inkeping in aangebracht.

Carver schroefde het dopje van het bandventiel van het voorwiel van de Porsche en legde het op het asfalt. Toen stak hij het apparaatje in de bovenkant van het ventiel, dat precies in de inkeping paste, en draaide het tegen de klok in. Het ventiel raakte los uit de rubber behuizing en gleed eruit, nog steeds bevestigd aan het apparaatje. Meteen begon er met een sissend geluid lucht uit de open binnenband te ontsnappen. Carver drukte zijn linkerduim op de opening om te voorkomen dat er nog meer lucht uitliep. Het laatste wat hij wilde was een merkbaar lagere bandenspanning. Met zijn rechterhand legde hij het stukje gereedschap op de grond, met het ventiel omhoog. Toen trok hij het ventiel van het apparaatje en stak het in zijn broekzak.

Vervolgens stak hij zijn hand weer in het plastic zakje en haalde er een identiek ventiel uit. Hij zette het op het uiteinde van het apparaatje, haalde zijn duim weg en schroefde het nieuwe ventiel terug op de band. Toen hij klaar was schroefde hij het dopje er weer op. De hele operatie had nog geen dertig seconden in beslag genomen.

Een auto kwam de parkeerplaats oprijden en parkeerde ongeveer twintig meter verderop. Een man en een vrouw stapten uit. Carver begon de rommel op te rapen die uit zijn aktetas was gevallen. Hij had zich de moeite kunnen besparen. Het stel had veel te veel belangstelling voor elkaar om zijn aanwezigheid zelfs maar op te merken. Ze liepen gearmd de pub binnen.

Carver gaf hun een paar tellen voorsprong, terwijl hij alles weer in zijn tas stopte. Toen ging hij zelf ook een biertje halen.

Niemand besteedde ook maar enige aandacht aan Carver toen hij met een biertje in zijn hand zijn krant zat te lezen. Wynter en zijn tennisvrienden zaten aan het tafeltje naast hem. Carver keek en luisterde. Wynter had zich, zoals altijd, tot in de finesses voor zijn rol gekleed: een verschoten spijkerbroek; een donkerblauwe kasjmier trui met V-hals op een effen wit T-shirt; een peperduur Tag Heuer-horloge. Hij deed geen poging het hoogste woord te voeren, maar wanneer hij iets zei deed hij dat op een ontspannen, goedgehumeurde manier. Zijn stem was neutraal, klasseloos, met hooguit een spoortje van het Londense arbeidersmilieu waaruit hij afkomstig was. Heel af en toe gooide hij er wat meer Cockney doorheen, gewoon om grappig te doen. Maar als hij om iets lachte wat een van de andere mannen had gezegd, deed hij dat altijd met een vriendelijke glimlach, om hun te laten weten dat hij het niet zo meende en niemand voor het hoofd wilde stoten. Niemand nam dan ook ergens aanstoot aan. Het was een meesterlijk stukje toneelspel.

Carver had de afgelopen dagen elk aspect van Kenny Wynters leven bestudeerd. Toen ze nog in Noorwegen waren, had Grantham hem de hele biografie al gegeven.

'Onze Kenny is geboren in Kensal Rise, Noord-Londen, op 15

mei 1961. Zijn vader, Reginald "Nutter" Wynter, was een boef, die banken en geldtransporten overviel zonder dat het hem ook maar iets kon schelen wie daarbij gewond raakte of om het leven kwam. Kort na Kenny's geboorte ging hij voor twintig jaar de cel in, waar hij na vijftien jaar overleed. Kenny werd opgevoed door zijn moeder, Noreen. Hij was een slim knaapje, dat naar het gymnasium ging en daarna zelfs naar Oxford. Daar studeerde hij in 1982 af, cum laude, met een keurig middenklasseaccent en een voorliefde voor mooie wijnen. Vervolgens is hij in het familiebedrijf gegaan. Onze Kenny werd een dief, net als zijn ouwe pa. Alleen pakte hij het, met zijn intelligentie, heel anders aan.'

O ja, onder al dat zachte kasjmier was Wynter een kille, berekenende rotzak. Hoe vriendelijk hij ook mocht lijken, een deel van hem bleef altijd afzijdig en hield alles volkomen emotieloos in de gaten. Hij gebruikte vrouwen voor seks en decoratie, zonder ook maar de geringste behoefte aan een diepere, emotionele relatie. Hij kon geen complicaties gebruiken die hem konden hinderen bij zijn werk. En wanneer hij een opdracht kreeg, voerde hij die zonder gewetensbezwaren uit, ongeacht de consequenties, zonder last van morele overwegingen.

Carver wist precies hoe dat voelde.

53

FBI-agent Tom Mulvagh mocht Kady Jones heel erg graag. Hij vond haar een mooie meid, voor een wetenschapper, wat natuurlijk wel hielp. Maar hij waardeerde haar vooral om de manier waarop zij werkte. Ze voelde zich niets beter dan ieder ander. Ze lachte om een grap, in plaats van beledigd te zijn. Kortom, ze was cool.

Daarom had hij dan ook graag een paar uurtjes vrijgemaakt om wat onderzoek te doen naar haar idiote theorie over de generaal en de kernfysicus. Aanvankelijk had het allemaal heel duidelijk geleken. Vermulen had geen enkel geheim gemaakt van de eerste gedeeltes van zijn reis. Hij en zijn assistente, Natalia Morley, hadden eersteklasvluchten naar Amsterdam, Wenen, Venetië en vervolgens Rome genomen. Ze hadden in de beste hotels gelogeerd, maar wel altijd in aparte kamers. Vermulens creditcards lieten de uitgaven zien die je zou verwachten van een man die een vrouw in zijn bed probeert te krijgen: restaurants, dure winkels, operakaartjes. Sommige mensen zouden het meelijwekkend noemen om zoveel moeite te doen, maar het was geen misdaad.

Vervolgens richtte Mulvagh zich op Vermulens telefoongegevens, maar die leverden niets op. De generaal had meerdere mobieltjes op zijn naam staan, maar geen van alle waren de afgelopen weken gebruikt. In de hotels waar zij logeerden, waren de telefoonrekeningen minimaal. Aan de ene kant was dat niet zo vreemd: wie betaalde er zoveel voor telefoongesprekken in een hotel als ze het konden vermijden? Maar tenzij Vermulen had besloten helemaal af te zien van telefoneren, moest hij wel een andere telefoon gebruiken.

Mulvagh spoorde alle bedrijven op waarvan Vermulen directeur was; daarna controleerde hij alle telefoons die op naam van die bedrijven stonden en vervolgens het gebruik ervan in de periode dat Vermulen in Europa was. Er was geen enkel verband te ontdekken.

Nu werd Mulvaghs interesse toch wel gewekt. Hij ging weer terug naar de creditcards. Hij kon geen gegevens vinden van de aanschaf van een mobiele telefoon, of van telefoonrekeningen. Dat betekende dat Vermulen een prepaidtelefoon had gekocht en contant had betaald, of met een creditcard waarvan niemand het bestaan kende. Hij deed het dus voorkomen dat hij op een lange vakantie was, maar intussen waren dit toch de voorzorgsmaatregelen van een ervaren professional die iets van plan was.

Het was tijd om hulp in te roepen. Mulvagh onderhield goede contacten met Ted Jaworski in Langley, en met Bob Lassiter, de NSA-man in het bomteam. Hij vertelde hun in het kort het verhaal van Kady, plus zijn eigen bevindingen. Ze zeiden allebei dat hij wel stapelgek moest zijn om dit onderzoek zelfs maar te overwegen, maar hij wist hen toch over te halen een en ander officieus uit te zoeken. Toen belde hij de politie.

De politie van Washington was net zo terughoudend als andere agenten wanneer het erop aankwam samen te werken met de FBI, maar toen Mulvagh de rechercheur die de leiding had over de moordzaak van May Lou Stoller er eenmaal van had overtuigd dat hij zich absoluut niet met zijn onderzoek wilde bemoeien, waren ze in staat een zinnig gesprek te voeren.

'Dit is dus volstrekt informeel en alleen tussen jou en mij, ja?' vroeg de rechercheur.

'Natuurlijk,' zei Mulvagh. 'Ik wil alleen weten wat er volgens jou gebeurd is. Ik hoef geen bewijzen. Ik wil weten wat je instinct je vertelt.'

'Oké. Officieel is dit een uit de hand gelopen beroving. Maar mijn instinct zegt me dat dat onzin is. Mevrouw Stoller is vermoord door een beroeps.'

'Waarom denk je dat?'

'Het is veel te goed gedaan. Ik bedoel, ja, ze hebben het er wel uit laten zien als een beroving, maar de directe omgeving was helemaal schoon. Sporenonderzoek heeft niets opgeleverd: geen vingerafdrukken, geen DNA en de enige voetafdrukken waren afkomstig van een gloednieuw paar herenschoenen van het merk Florsheim, maat vierenveertig. Daar worden duizenden paren van verkocht, dus die vallen niet na te trekken. Maar het vertelt me wel iets anders. Ik bedoel, ken jij straatrovers die Florsheims dragen? Bovendien is de gemiddelde straatrover nog minder intelligent dan de yuccaplant die mijn luitenant in haar kantoor heeft staan, snap je wat ik bedoel? Daarbij komt dat hij hoogstwaarschijnlijk ook nog eens helemaal stijf staat van de speed. Dan maakt hij dus fouten, laat hij aanwijzingen achter. Christus, je weet hoe die idioten zijn. Maar wie dit ook heeft gedaan, geloof me, was bepaald niet achterlijk. Die wist precies wat hij deed. En ik geloof nooit dat we hem ooit te pakken gaan krijgen. Dat is wat ik denk, agent Mulvagh.'

'Bedankt, rechercheur, ik waardeer je eerlijkheid.'

'Maar als ik vragen mag, hoe komt het dat de FBI persoonlijk navraag komt doen naar deze zaak? God hebbe haar ziel, maar zo belangrijk was mevrouw Stoller niet.'

'Nee,' zei Mulvagh, 'maar haar baas wel.'

'Ah, shit, dat had ik kunnen weten...'

'Maak je geen zorgen, rechercheur, ik heb je mijn woord gegeven dat dit gesprek onder ons zou blijven. Je zult er verder niets meer van horen.'

In gedachten verzonken hing Mulvagh op. Hij was dit onderzoek begonnen als een vriendendienst, maar nu kon hij er inmiddels toch niet meer onderuit dat er iets heel vreemds gaande was rond Kurt Vermulen. De Europese reis van de generaal was duidelijk veel meer dan een lange vakantie. Maar had hij ook de dood van zijn secretaresse georganiseerd? Als hij haar alleen maar had willen inruilen voor een jonger modelletje, had hij haar ook kunnen ontslaan. Dus wie had er belang bij de dood van Mary Lou Stoller? De enige kandidaat was de nieuwe secretaresse, die juffrouw Morley. Maar zij had die vrouw niet eigenhandig doodgeslagen in Glover-Archbold Park. Had iemand anders het voor haar gedaan? En zo ja, waarom?

Hij belde nog een keer met Ted Jaworski. 'Ik zal eerlijk zijn,' zei hij, 'ik weet nog steeds niet of dit rechtstreeks verband houdt met waar ons team mee bezig is. Maar Kady Jones denkt van wel. Zij is de expert wat atoomgeleerden betreft, en alles wat ik tot nu toe heb ontdekt lijkt haar eerste ingeving te bevestigen. We moeten eens naar die Natalia Morley kijken en alles uitzoeken wat er over haar te vinden is, hier en overzee. Iemand wilde dat zij dat baantje bij Vermulen zou krijgen. Wij moeten erachter zien te komen wie dat is.'

54

Kenny Wynter verliet zijn huis om halfzes in de ochtend, met de bedoeling de vroege vlucht van British Airways van Heathrow naar Nice te nemen. Het was drie kwartier rijden naar de luchthaven, misschien korter – om deze tijd van de dag zou hij stevig door kunnen rijden met de Porsche. Vervolgens zou hij de wagen achterlaten bij de parkeerservice, inchecken bij de Club Europe-balie, alleen handbagage: gemakkelijk zat.

Hij vroeg zich af wat Vermulen voor iemand zou zijn. Zijn tussenpersoon, die zoals gewoonlijk de gegevens had doorgegeven via zijn persoonlijke berichtenbox op een fansite van FC Arsenal, had hem slechts wat hoofdpunten verteld. Vermulen had in het Amerikaanse leger gezeten, een hoge pief die in burger voor zichzelf was begonnen. Hij wilde iets laten stelen uit een woning in Zuid-Frankrijk: een klein, kostbaar voorwerp. Dat kon van alles betekenen, van een diamanten halssnoer tot een computerschijfje vol bedrijfsgeheimen. Wat het ook was, die Vermulen was geen kleine jongen en beschikte over belangrijke connecties en een bom geld. Wynter kon op zijn minst gaan aanhoren wat de man hem te bieden had. Het vervelendste wat hij eraan zou overhouden was een leuk reisje. Hij was van plan een nachtje te blijven en zichzelf op een leuke avond aan de Riviera te trakteren.

Hij reed de M25 op, de ringweg die een ruwe, 188 kilometer lange cirkel om de buitenrand van Londen heen trok. Het grootste deel van de dag was het niet veel meer dan een gigantische verkeerschaos, maar op dit moment, nu de weg nog gehuld was in ochtendnevel, was er nauwelijks een andere auto te bekennen. Wynter koos de rechterbaan en hield een snelheid aan van een kleine honderdveertig kilometer per uur. Hij wilde wel veel sneller – dat deden genoeg mensen. Maar dan zou hij de goden verzoeken. Als er nu politie op de weg was, zouden ze best wat door de vingers willen zien, maar harder rijden dan honderdvijftig was vragen om moeilijkheden.

Hij keek in zijn binnenspiegel. Achter hem reed een uitgedeukte ouwe roestbak. De chauffeur zat hem vlak op de hielen. Hij zag er belachelijk uit, met een zonnebril en een honkbalpetje op terwijl de zon nog maar amper opkwam. Wynter gaf nog een dot gas en de Porsche gleed soepel naar voren, zodat er opnieuw een opening viel. Maar die ouwe bak bleef maar komen, steeds dichterbij, totdat hij bijna boven op de achterbumper van de 911 zat.

Toen flitste de andere wagen drie keer met zijn koplampen naar hem.

Wynter begon te lachen. Die vent had echt de pest in.

Nu had hij dus een keus. Hij kon plankgas geven en ervandoor gaan, maar dan zou je net zien dat er na de volgende bocht een agent stond en hij moest dat vliegtuig halen. Dus week hij uit naar de linkerbaan en nam gas terug om de ander te laten passeren.

Toen de wagens bijna naast elkaar reden, schudde Wynter verbaasd zijn hoofd. Hij werd hier verdomme ingehaald door een Honda Accord. Hij keek naar de gestoorde achter het stuur en schudde minachtend zijn hoofd, gewoon om hem te laten weten wat een trieste figuur hij was.

Terwijl hij dat deed, hoorde hij aan zijn rechterhand het geluid van een gierende motor en piepende banden en op dat moment reed de Accord zijn baan op en knalde tegen de zijkant van zijn Porsche. Even leken de wagens als een paar worstelaars met elkaar versmolten, terwijl een vonkenregen langs de ramen schoot. Wynter hoorde niet alleen, maar voelde ook de zijkant van zijn auto – zijn prachtige, nagelnieuwe auto – verkreukelen.

Wynters eerste reactie was ongeloof. Hij had vaak genoeg verhalen gehoord over agressie in het verkeer. De M25 was er berucht om; van de verkeersproblemen op deze weg zou de dalai lama zelf nog psychotisch worden. Maar zijn ongeloof sloeg al snel om in woede. Wat voor idioot viel een Porsche aan met een Accord? Het was niet alleen het geweld, maar ook het gebrek aan respect dat hem zo kwaad maakte. Wynter had kracht, gewicht en snelheid aan zijn kant. Hij kwam hier wel weg, maar eerst wilde hij die klootzak een lesje leren. Hij trok het stuur hard naar rechts, met de bedoeling de andere wagen tegen de middenvangrail te drukken.

Maar de auto was er niet meer. De bestuurder had Wynters zet voorzien, was keihard op zijn rem gaan staan en achter de Porsche gedoken. De Honda liet zijn koplampen weer flitsen, recht in Wynters binnenspiegel. Toen ramde de Honda hem van achteren.

Wynter concentreerde zich volledig op wat er achter zijn wagen gebeurde. Hij had geen erg in de vrachtwagencombinatie die een eind voor hem uit de middelste baan op reed om een cementwagen in te halen die op zijn gemak een stijgend deel van de weg aan het beklimmen was. Evenmin zag hij de Range Rover die moest uitwijken om de inhalende vrachtwagen te vermijden. Tegen de tijd dat hij opkeek en zag dat er een hele rij voertuigen voor hem reed, zat hij er al bovenop.

Wynter trapte op zijn rem. De snelheid van de Porsche liep onmiddellijk terug van meer dan honderdveertig naar onder de honderd kilometer per uur. De Honda raakte hem opnieuw en reed aan de passagierskant van zijn wagen de hoek van de achterbumper af, alvorens weer naast hem te komen rijden, ditmaal aan zijn eigen kant. Toen ramde hij hem nog een keer en veroorzaakte nog meer blikschade.

Nu had Wynter er genoeg van. De Range Rover had de vrachtwagens inmiddels gepasseerd en keerde terug naar de middelste baan. De linkerbaan was weer vrij. Wynter gaf plankgas.

'Exploderende tepels.'

Dat zei Jerzy Garlinski, de gestoorde uitgeweken Pool die Carver alles over sabotage had geleerd, altijd. Jaar in, jaar uit mochten de gezichten en uniformen van zijn toehoorders veranderen, maar hij vertelde hun altijd weer hetzelfde.

'Vraag: hoe schakel je een rijdende auto uit, zonder een spoor na te laten? Antwoord... exploderende tepels.'

Elk jaar moesten de nieuwe SBS-studenten weer lachen, ook al wisten ze dat de grap eraan kwam. Ze hadden hem allemaal al honderd keer eerder gehoord, want elke man die de cursus volgde voelde zich verplicht zijn eigen Garlinski-imitatie ten beste te geven aan elke arme drommel die ernaar wilde luisteren. Maar op de lesmethode van de man viel niets aan te merken. Niemand vergat ooit nog hoe hij een rijdende auto uit moest schakelen.

Met 'tepels' bedoelde Garlinski de tepelvormige ventielen. Een piepklein, op afstand bedienbaar explosief dat de plaats innam van het normale ventiel, was een discreet alternatief voor een conventionele autobom. Hij werd niet opgemerkt bij een normale veiligheidscontrole en liet na de explosie geen enkel spoor na. Het enige probleem was om van tevoren dicht genoeg bij het voertuig in kwestie te komen.

Het enige wat Carver hoefde te doen was een manier vinden om Wynter zover te krijgen dat hij zijn snelheid dusdanig zou opvoeren dat een eventueel ongeluk fataal zou aflopen. Hij was benieuwd hoe hij onder druk zou presteren. Hij wist niet zeker of hij het lef zou hebben om door te zetten wanneer het moment eenmaal daar was. Maar hij was volslagen kalm geweest toen hij Wynter had uitgedaagd en tegen zijn peperdure auto was gereden. Het gaf hem een gevoel van tevredenheid wraak te nemen op mannen die zichzelf boven de wet plaatsten en hen in de slachtofferrol te dwingen.

Kom maar op, kom maar op, dacht hij, terwijl hij de Honda in de zijkant van de Porsche ramde.

Kom maar op... terwijl hij naar de woede op Wynters gezicht keek.

Kom maar op... terwijl hij de afstandsbediening pakte en op het knopje drukte.

...als je durft, terwijl de band van de Porsche uit elkaar knalde en het ventiel door de knal als een kogel uit het wiel werd geschoten en ergens langs de kant van de weg terechtkwam. Intussen tolde de Porsche hulpeloos als een boomblad in een draaikolk over de rijweg, botste tegen de vangrails, stuiterde weer terug op de weg, langs de haastig uitwijkende Range Rover, pal op de weg van de vrachtwagencombinatie.

De vrachtwagenchauffeur probeerde de Porsche te ontwijken door naar links te draaien, maar het achterste gedeelte van zijn wagen verloor zijn greep op de weg en begon tegen de klok in te draaien, zodat hij dwars op de weg kwam te staan, pal voor de rondtollende sportwagen.

De Porsche vloog frontaal tegen de zijkant van de aanhanger. Er was net genoeg ruimte voor de motorkap om onderdoor te glijden, maar het passagiersgedeelte werd als het kapje van een zachtgekookt ei van de rest van de wagen gescheiden, zodat Wynters hoofd en schouders van zijn lichaam werden gerukt.

De aanhanger en het wrak van de Porsche kwamen tot stilstand op de rijbaan, recht in het pad van de cementwagen, die remde, nog een eind doorgleed en zijdelings op de puinhopen inreed.

Tegen de tijd dat de twee vrachtwagenchauffeurs waren opgehouden met bibberen en uit hun cabines waren geklommen, was Carver alweer anderhalve kilometer verder. Hij verliet de snelweg bij de eerstvolgende afslag en stopte bij een benzinestation. Daar stond een auto op hem te wachten, een zwarte Rover 800. Carver parkeerde de Honda en liep naar de Rover, waarbij hij een man in een leren jasje en kortgeknipt haar passeerde die van de andere kant kwam. Hij stapte achter in de Rover.

Grantham zat voorin op de passagiersplek op hem te wachten. Toen Carver instapte, keek hij op en keek hem in de binnenspiegel aan. 'Je hebt er wel een rommeltje van gemaakt, hè? Bloed over de rijbaan, afgerukt hoofd? Niet bepaald discreet.'

Carver haalde zijn schouders op. 'Ik ben het een beetje ontwend.'

Grantham draaide zich naar hem om en overhandigde hem een dun, glanzend kartonnen envelopje. 'Dit zijn je tickets,' zei hij. 'Die mooie leren weekendtas die naast je staat is je handbagage. Je pak hangt aan het haakje achter mij. In de jaszak zit een portefeuille en in de broekzakken zitten wat rommeltjes. Op het vliegveld kun je je omkleden. En in Nice ligt een wapen op je te wachten: je gebruikelijke merk en model... Wat is er?'

'Ik zat nog even aan die klus te denken. Je hebt gelijk, het was niet goed genoeg.'

'Het is je gelukt, dat is het belangrijkste. En maak je geen zorgen, wij regelen het wel met de politie. Niemand gaat binnen afzienbare tijd bekendmaken dat Kenny Wynter is overleden.'

'Ik mag hopen van niet,' zei Carver. 'Hoe moet hij vanmiddag anders gaan lunchen?'

55

Op het vliegveld werd Carver opgewacht door een koerier met een bordje met het opschrift: WYNTER. Hij kreeg een dikke bruine enveloppe, waar hij voor moest tekenen. Toen de koerier in de menigte verdween, voelde Carver door de enveloppe heen aan de omtrekken van de SIG en de reservemagazijnen. Gerustgesteld door het wapen huurde hij een veel te trage middenklassepersonenwagen, die bij de autoverhuurbedrijven op het vliegveld doorging voor een luxe voertuig, en begon aan zijn rit langs de kust naar Antibes en het legendarische Hotel du Cap. De Grill bevond zich in een paviljoen aan het water, ook wel bekend als Eden Roc. Hij arriveerde tien minuten te vroeg.

Het restaurant stond aan de rand van een klif en de klanten werden voor een val behoed door een glanzend wit geverfde metalen scheepsreling, afgewerkt met een glimmende houten leuning. De hele zaak ademde iets nautisch. De vloeren waren van licht hout, de tafels en stoelen waren helemaal wit en overdekt door een witte canvas zonneluifel; de obers droegen keurig geperste pantalons en poloshirts, eveneens oogverblindend wit, zodat hun permanent gebruinde huid nog beter uitkwam.

De ober leidde Carver naar een rechthoekig tafeltje, vlak naast de reling. Hij had een weids uitzicht over de baai, voorbij Juan-les-Pins, tot aan Cannes. Onder de reling groeide een smalle strook vegetatie, blauwe en gele bloemen die wiegden in de zeebries en daaronder liepen de rotsen steil omlaag in het heldere azuurblauwe water. Na de ijzige sneeuwstormen van Noorwegen en het sombere grauwe weer van Engeland vervulde de felle zon die over de zee schitterde en de lucht verwarmde hem met energie en een goed humeur.

Zijn aandacht weer op het restaurant richtend, nam Carver een slokje van zijn ijskoude mineraalwater en keek nonchalant naar de andere tafeltjes, net als elke andere eenzame man bekijkend wat er voor moois tussen zat. Het was een doordeweekse dag in april, het hotel was net weer geopend voor het zomerseizoen en het was niet al te druk in de Grill. Er zaten voornamelijk rijke klanten van middelbare leeftijd die van een voorjaarsvakantie genoten. Carver wendde zijn blik af. Niet dat hij de waakzaamheid uit het oog zou verliezen, maar hij was er vrij zeker van dat hij niet in de gaten werd gehouden. Nu kon hij zich op het minstens dertig meter lange motorjacht concentreren dat langzaam door de baai voer, zo soepel door het water glijdend dat het nauwelijks een rimpeling in het water veroorzaakte. Het had een donkerblauwe romp en een oogverblindend witte opbouw, ontworpen in de vorm van een reusachtig papieren pijltje dat uitliep op de messcherpe punt van de boeg: de hutten bevonden zich allemaal op het achterschip.

Toen het jacht ongeveer vierhonderd meter voor de kust stil kwam te liggen, kon Carver twee gestaltes onderscheiden, een man en een vrouw, die tegen de achterreling van het open bovendek leunden en naar de kust keken. De man had zijn arm om het middel van de vrouw geslagen en hield haar lichaam dicht tegen zich aan. Zij leunde tegen hem aan en voegde haar lichaam naar het zijne.

Carver herkende Vermulen en het jacht onmiddellijk van Granthams foto's. Maar dat de vrouw Alix was, wist hij diep vanbinnen, met een dierlijk instinct dat iemand onmiddellijk bewust maakt van de aanwezigheid van een geliefde, met een intensiteit die brandt van opwinding en pijn.

Ze droeg een eenvoudig zomerjurkje. Af en toe waaide de wind even haar rok omhoog, of drukte de stof tegen haar lichaam, zodat de welving van haar benen, haar heupen en haar borsten goed zichtbaar werd. Eindelijk voelde Carver weer een seksueel verlangen in zich ontwaken, als een oude vriend die terugkeert na een lange, verre reis. Eindelijk was Alix daar dan, helemaal echt en van vlees en bloed, en was dit niet meer zomaar een opdracht die hem door Grantham in de maag was gesplitst. Hij voelde een enorme drang. Hij wilde haar terug.

Op het achterschip gleed een deur open en verschenen er twee bemanningsleden, die een speedboot van misschien viereneenhalve meter lang in het water lieten zakken. Vermulen wees Alix erop en samen verdwenen zij naar binnen om even later een verdieping lager weer tevoorschijn te komen, bij de bemanningsleden.

De generaal had een zwartleren aktetas bij zich. Hij stond op het punt in de speedboot te stappen toen Alix hem tegenhield om de kraag van zijn lichtblauwe overhemd goed te trekken, net zo lang tot hij naar haar zin zat. Het was een heel erg vrouwelijk, intiem gebaar: een vrouw die bezit neemt van haar man alvorens hem een afscheidszoen te geven en hem los te laten in de wereld.

Carver voelde een steek van jaloezie, maar zei toen tegen zichzelf: 'Houd je in. Dat is nu eenmaal haar werk, ze laat mannen geloven dat ze echt om hen geeft. Maar met jou is het echt.'

Terwijl Alix hem uitzwaaide, sprong Vermulen in de speedboot, die hem naar een steiger aan de voet van het klif bracht. Hij stapte aan wal en liep toen de steile stenen trap op van de steiger naar het restaurant.

Carver stond op om hem te begroeten. Hij wilde oog in oog staan met de man die met zijn vriendin sliep, de man die hij binnenkort misschien moest omleggen. Hij wilde precies weten wat voor vlees hij in de kuip had.

Van dichtbij was Vermulens gezicht iets voller dan het op de legerfoto was geweest, de kaaklijn iets ronder. Zijn dikke bos met haar, dat hij van zijn voorhoofd naar achteren had gekamd, vertoonde evenveel grijs als blond, en hij had een klein buikje. Maar geen van deze tekortkomingen deed iets af aan de aura van daadkracht en energie die hij leek uit te stralen. Ze droegen er eerder toe bij, door hem de gezaghebbende uitstraling te geven van een man die alles uit het leven haalt wat erin zit en met beide handen aanpakt wat het hem te bieden heeft. Overtuigd van zijn eigen vermogen om alles en iedereen de baas te worden die hem een strobreed in de weg legt.

De generaal stak een gebruinde arm uit en schudde Carver krachtig de hand. 'Hallo. Kurt Vermulen,' zei hij. 'Aangenaam.'

'Kenny Wynter,' zei Carver. 'Insgelijks.'

Vermulen nam op zijn beurt Carver van top tot teen op; hij werd geïnspecteerd als een soldaat op een exercitieterrein. Toen gingen de twee mannen zitten. De aktetas werd tussen hen in op de grond gezet. De generaal wenkte een ober.

'Breng ons maar een mooie schaal zeevruchten – kreeft, oesters, alles wat vandaag vers en lekker is. En daarbij graag een groene salade met brood en boter.' Hij keek Carver aan. 'Is dat oké?'

Het was een strikt retorische vraag. De officier nam de leiding. Carver haalde zijn schouders op.

'Mooi,' zei Vermulen. 'Ik drink nooit alcohol tijdens de lunch. Brengt u ons maar een grote fles plat water, alstublieft. Tenzij u liever een wijntje drinkt, meneer Wynter...'

'Ik vind het prima,' antwoordde Carver, in de huid van Wynter kruipend: het Noord-Londense straatjochie wiens hersenen hem tot in Oxford hadden gebracht en wiens criminele instincten hem een leven hadden bezorgd van klasseloze rijkdom. 'Ik ben hier voor zaken, niet voor de drank.'

'En u doet zaken door dingen te ontvreemden die niet van u zijn?'

Die opmerking had Wynter niet op zich laten zitten, dus dat deed Carver ook niet. 'Ik dacht dat het Amerikaanse leger ook in die bedrijfstak zat.'

Vermulen begon te lachen. 'Touché, meneer Wynter.'

Zo praatten ze nog wat verder, elkaar aftastend, allebei kijkend uit wat voor hout de ander gesneden was. Toen werd de lunch opgediend, een enorme schaal vol halve kreeften, langoustines, oesters, inktvis en filets van de mediterrane zeebaars die door de Fransen *loup de mer* wordt genoemd, oftewel zeewolf. Zodra de borden waren gevuld en hij ijswater in de glazen had geschonken, werd Vermulen serieuzer.

'U bent een ontwikkeld man, meneer Wynter, dus u zult begrijpen wat ik bedoel wanneer ik zeg dat ik het gevoel heb dat wij in een tijd leven die veel lijkt op het oude Rome aan het eind van de vierde eeuw na Christus. Onze beschaving is nog intact. Wij leiden een comfortabeler leven dan ooit tevoren in de geschiedenis. Maar onze wilskracht brokkelt af. Wij hebben niet langer het lef en de vastberadenheid om ons te verdedigen. Een duister tijdperk is in aantocht. Vijanden liggen op de loer; hele bevolkingsgroepen hebben geen vaste verblijfplaats meer. Zij voelen onze zwakte en ze wachten het juiste moment af om toe te slaan.'

De retoriek was welsprekend genoeg, maar Carver klonk het nogal hypocriet in de oren, nu het kwam van een man in een luxe restaurant, in plaats van een strijder in de voorste linies.

'U bent degene die een militaire loopbaan de rug toe heeft gekeerd,' antwoordde hij. 'U bent opgehouden met vechten. Hoe kunt u de rest van ons dan verwijten dat wij niet doen wat we moeten doen?'

Even voelde Carver een lichte ergernis van Vermulen om deze aanval op zijn zelfrespect. Maar toen herstelde hij zich.

'Integendeel, ik heb het Amerikaanse leger juist verlaten omdat onze defensie en ons buitenlands beleid niet voorbereid waren op het leveren van de noodzakelijke strijd, de strijd die naar mijn mening het lot van het Westen zal bezegelen: de strijd tegen de radicale islam.'

Dat had Carver niet verwacht. 'Bent u soms een soort kruisvaarder?'

'Absoluut niet: ik wil helemaal geen oorlog. Maar ik vrees dat die er toch gaat komen. Hij is begonnen in Afghanistan. Op dit moment wordt hij in Tsjetsjenië uitgevochten, en in voormalig Joegoslavië. islamitische terroristen willen in Kosovo een radicale moslimstaat vestigen, die Europa recht in het hart kan treffen. Amerika zal als volgende aan de beurt zijn.'

'Denkt u?' vroeg Carver. 'En wat heeft dat te maken met waarom ik hier ben?'

'Omdat u mij iets gaat bezorgen wat ik heel hard nodig heb voor onze strijd. En door dat te doen zult u het onze vijand onthouden. U bent mij bijzonder aanbevolen, dus ik zal u een serieus aanbod doen. U brengt mij wat ik wil, in onberispelijke staat, en ik betaal u vijfhonderdduizend dollar, de helft vooruit, in welke vorm u maar wilt, op elke rekening die u wilt.'

'En wat moet ik u bezorgen?'

'Een document. Vraag mij niet naar de inhoud, want die zal ik u niet onthullen. Het enige wat ik kan zeggen is dat het mogelijk van vitaal belang is voor de toekomstige wereldvrede.'

Carver keek net zo onverschillig als Wynter zou hebben gedaan.

'Dat zegt u alsof het mij iets zou kunnen schelen. Maar goed, waar is dat document?'

Vermulen boog zich naar voren en begon op zachte toon te praten.

'Het zit in een bruine enveloppe, voorzien van een waszegel. Dat zegel moet intact zijn wanneer u hem bij mij brengt, anders krijgt u de rest van uw geld niet. De enveloppe wordt op dit moment bewaard in een kluis en die bevindt zich in een huis dat hier een kilometer of twaalf vandaan staat, in de heuvels boven het dorpje Tourrettes-sur-Loup, ten westen van de stad Vence. Het huis wordt bewaakt door gewapende mannen en afgerichte vechthonden, maar ook door bewegingsdetectors, zowel binnen als buiten. Op alle deuren en ramen van de begane grond zit een alarm. Ik heb geen informatie over het model van de kluis, of het slot. Ook de combinatie, als die er al is, is onbekend. U kunt er maar het beste van uitgaan dat hij naast een combinatieslot ook wordt beveiligd door handpalm- of irisscanners.

De bewoners van het huis zijn etnische Georgische bendeleden, die hun thuisbasis hebben in Rusland. Hun leider is ene Bagrat Baladze. Hij houdt er niet van om lang op één plek te blijven, dus zullen zijn mensen en zijn document nog hooguit zesennegentig uur, misschien minder, op deze locatie blijven. Ik weet niet waar zij hierna naartoe willen en weet ook niet zeker of ik hen kan volgen. Dat betekent dat het nu moet gebeuren. Bent u geïnteresseerd?'

Carver leek niet erg onder de indruk. 'Dat weet ik zo net nog niet. Ziet u, ik houd er namelijk van mijn werk grondig voor te bereiden. Dat kan weken, soms zelfs maanden duren. Maar een grondige voorbereiding voorkomt domme fouten. Daarom zit ik hier nog steeds, en zit ik niet weg te rotten in een cel.'

'In het leger hebben we exact hetzelfde principe,' zei Vermulen, weer op normale spreektoon. 'Maar er kunnen zich altijd gelegenheden voordoen waarbij snelheid van het grootste belang is. Dit is zo'n gelegenheid. Dus, kunt u het doen, of moet ik iemand anders zoeken?'

'Dat hangt ervan af. Eerst wil ik meer weten over dat gebouw waar die lui zitten.'

'In de aktetas zitten gedetailleerde plattegronden.'

'Dat kan zijn, maar vertel me toch maar in het kort waar het op neerkomt.'

'De indeling is karakteristiek voor vakantiewoningen in deze omgeving. Het is een oude, onlangs gerenoveerde boerderij. Het is nog niet eens op de markt om te worden verhuurd, niet officieel althans.'

'Dus de werklui zijn er nog maar net uit?'

'Dat lijkt me wel.'

'Oké, dat kan nuttig zijn. En nu iets over de ligging – hoe groot is het terrein? Staan er veel huizen in de buurt? En hoe zit het met topografie en dekking – bomen, struiken, rotsen, dat soort dingen?'

'De woning ligt aan de noordrand van het dorp. Ze is gekozen om de afgelegen locatie en de privacy. Binnen een straal van honderdvijftig meter staan er geen andere huizen. Het huis staat op een hectare grond, op de onderste helling van een twaalfhonderdvijftig meter hoge heuvel...'

'In Engeland noemen we dat een berg,' viel Carver hem in de rede.

'Nou, voor mij is het niks meer dan een verdomde heuvel,' antwoordde Vermulen. 'Hij heet de Puy de Tourrettes en hij kijkt in zuidelijke richting uit over zee. Het huis staat op het hoogste punt van het terrein, om het beste uitzicht te garanderen en vlak voor het huis liggen een zwembad en een pad dat heuvelafwaarts naar de dichtstbijzijnde weg voert. Er staan bomen voor het huis en om het zwembad, maar verder is het terrein vrijwel onbegroeid, zodat indringers zich nergens kunnen verschuilen en er vrij geschoten kan worden. Maar achter het huis, op de heuvel, staan bomen en struiken. Daar zou ik als ik u was mijn observatiepost plannen.'

Dat was Carver inderdaad van plan.

'Dan weet ik nu wel genoeg,' zei hij.

Carvers bord was leeg. Hij schoof het van zich af. Toen stond hij, tot zichtbare verbazing van Vermulen, op.

'Oké, geef me tien minuten,' zei hij. 'Ik ga even een eindje lopen; dat helpt me nadenken. Wanneer ik terugkom vertel ik u of ik het doe, wat ik nodig heb en wat het gaat kosten.'

'Ik heb uw honorarium al genoemd.'

'Maar ik ben er nog niet mee akkoord gegaan. Tot over tien minuten.'

56

Carver was langs het zwembad gelopen, dat omringd was door lege ligstoelen, en over het beboste terrein van het hotel. Hij bleef iets langer dan elf minuten weg.

'En?' zei Vermulen, toen Carver weer was gaan zitten.

'Ik doe het. Maar de prijs is een miljoen pond sterling, de helft vooraf en de helft bij levering. Graag of niet.'

Voordat Vermulen iets kon zeggen, ging Carver verder: 'En dan is er nog iets. Ik ben hier gekomen met een commerciële vlucht en ik verwachtte alleen een gesprek. Ik heb dus geen spullen bij me voor de klus. Aan sommige dingen kan ik zelf wel komen, maar voor andere dingen zult u moeten zorgen.'

Vermulen keek naar links en rechts om te controleren of er niemand meeluisterde.

'Waar hebben we het dan over: wapens, gespecialiseerde apparatuur?'

'Dat soort dingen, ja,' zei Carver. 'Wat ik nodig heb zijn nietdodelijke wapens, met name een veertigmillimetergranaatwerper, bij voorkeur een MGL Mk 1. Ik wil zes magazijnen CS-gas voor de granaatwerper plus drie M84-stungranaten; een 21 inch inklapbare wapenstok; een lichtgewicht kogelvrij vest; een hoogwaardig gasmasker en twintig valiumtabletten van vijf milligram...'

'Je lijkt me niet het nerveuze type,' merkte Vermulen op.

'Schijn bedriegt. Goed, ik wil al die dingen binnen achtenveertig uur in mijn bezit hebben. U kunt het poste restante achterlaten op het postkantoor in Vence. En tot slot ben ik van plan me de komende paar dagen heel rustig te houden en zo min mogelijk onder de mensen te komen. Dus alle communicatie moet door middel van sms plaatsvinden en er wordt niet gebeld, tenzij ik anders mocht besluiten. Ik zal u een nummer geven dat u kunt gebruiken en ik wil er van u ook een.'

Vermulens gezicht verstrakte van woede, alsof er opeens een donderwolk voor de zon was geschoven. 'Weet u, meneer Wynter, u meet u nogal een houding aan voor een betaalde kracht. Ik weet niet of ik het wel prettig vind om bevelen te krijgen van een man die voor mij werkt.'

'Ik geef u geen bevelen, generaal. Ik leg uit wat er allemaal zal moeten gebeuren voordat u het voorwerp in handen kunt krijgen dat u hebt besteld en ik ongedeerd weer naar huis kan.'

'Ik kan het ook anders doen. Ik beschik ook over mijn eigen mensen.'

'Die "matelots" op uw boot? Een stel matrozen in korte broeken? Ik dacht het niet.'

'Dat waren niet de mannen die ik in gedachten had,' zei Vermulen. Hij keek Carver met half toegeknepen ogen aan: 'Weet u, dat is een interessant woord: "matelot".'

'Het is Frans,' zei Carver, zich er pijnlijk van bewust dat hij zojuist een domme, slordige fout had gemaakt en dus kennelijk nog niet helemaal in topvorm was.

'Inderdaad. Het is ook het woord dat Britse mariniers gebruiken voor gewoon marinepersoneel. Ik heb het hen zelf horen gebruiken. Dus nu vraag ik me af hoe u aan dat woord komt, en ook zo bekend lijkt te zijn met termen voor militair materieel: MGL-granaatwerpers, M84-granaten. Als ik het me goed herinner, heeft Kenny Wynter geen enkele militaire ervaring. Dus misschien zou u mij kunnen vertellen hoe een burger zo vertrouwd is geraakt met al die soldatentermen?'

Carver haalde zijn schouders op. 'Hier en daar pik je eens wat op.'

Vermulen zei niets. Hij was niet overtuigd. Carver ging nog een stapje verder.

'Denkt u dat ik, na al die jaren dit werk te hebben gedaan, nog steeds geen materiaalkennis heb? En "matelots", zo noemde mijn vader zeelui. Ik weet ook niet hoe hij eraan kwam. Uit zijn diensttijd misschien? Of misschien had hij het in de bak van iemand opgepikt. Ik ben ook goed in Cockney-rijmpjes, als u er daar misschien een paar van wilt horen.'

Er gleed een wrang glimlachje over Vermulens gezicht. 'Oké, ik geef me gewonnen. Goed, ervan uitgaande dat u al uw bestellingen hebt ontvangen, waar en wanneer bent u dan van plan de aflevering te laten plaatsvinden?'

'Hier, in de hotelbar, naast de foyer, over drie of vier dagen – ik sms de exacte tijd zodra ik mijn opdracht heb uitgevoerd. Ik zag een meid aan boord van uw boot – sorry, een dame...'

'Ja, mijn secretaresse.' Er klonk een spoortje argwaan in Vermulens stem. Hij vroeg zich af wat er nu ging komen.

'Vertrouwt u haar?' vroeg Carver.

'Natuurlijk.'

'Mooi, dan kan zij het komen halen. U en ik mogen elkaar niet meer zien; we hebben al genoeg risico genomen. Dus wat er gaat gebeuren is het volgende: een aardige, fatsoenlijk ogende mevrouw heeft een afspraak met een oude kennis in de bar van een hotel. Hoe heet ze trouwens?'

'Natalia Morley.'

'Natalia... mooie naam. Hoe dan ook, Natalia en Kenneth zeggen hallo, hoe gaat het met je, en al die dingen meer. Ze nemen iets te drinken. Ze vraagt hem waar hij de laatste tijd zoal mee bezig is geweest, hij haalt de enveloppe te voorschijn en zij werpt er beleefd een blik op. Op een gegeven moment wordt ze gebeld door haar "echtgenoot" – dat bent u dan – en vertelt hem dat ze zojuist die goeie ouwe Kenny tegen het lijf is gelopen. Wanneer u haar dan hebt gevraagd of ik de enveloppe heb, geeft zij de telefoon aan mij, net alsof u dolgraag even uw oude vriend aan de lijn wilt hebben. Vervolgens vertelt u mij dat u de tweede helft van de betaling op mijn rekening hebt gestort. Zodra ik de bevestiging van mijn bank heb, overhandig ik Natalia heel keurig en discreet het document en zij stopt het in haar handtas. Dan drinken we onze glaasjes leeg, nemen afscheid en gaan allebei ons weegs. Oké?'

'Ik wil niet dat juffrouw Morley gevaar loopt.'

'Ik ook niet, generaal. Als zij gevaar loopt, loop ik het namelijk ook.'

'Oké, maar ik wil wel eerst zeker weten dat zij dit wil doen. Ik zal het met haar bespreken.'

Tijdens zijn laatste woorden had Carver een zwart Moleskine-notitieboekje uit zijn jaszak gehaald en iets op een van de pagina's geschreven.

'Doe dat,' zei hij, terwijl hij het blaadje uit het boekje scheurde en aan Vermulen overhandigde. 'Maar voordat u dat doet, dit is de code van mijn bank en het nummer van mijn rekening. Ik zou het bijzonder op prijs stellen als u de eerste termijn nu zou overmaken. Wij gaan hier geen van tweeën weg voordat ik mijn half miljoen heb.'

Vermulen keek niet eens naar het afgescheurde velletje papier.

'Nogmaals, meneer Wynter, met deze houding zult u weinig vrienden maken.'

'Het is niet persoonlijk bedoeld, generaal. Ik ben er alleen door schade en schande achter gekomen dat ik mijn kant van een afspraak beter niet kan nakomen voordat de andere zijn afspraken is nagekomen.'

Vermulen deed wat hij hem had gevraagd. Carver kreeg zijn bevestiging. Hij maakte het geld, voordat Vermulen ook maar een poging kon doen om de transactie ongedaan te maken, onmiddellijk over op een andere rekening: dat was een andere les die hem miljoenen had gekost.

Veel meer viel er niet te doen. Vermulen overhandigde Carver een enveloppe met plattegronden van het huis en een gedetailleerde kaart van de omgeving. Hij belde 'juffrouw Morley', die toezegde dat ze het document voor hem wilde oppikken. Carver kon Alix' stem aan de andere kant van de lijn net horen. Hij voelde zich erdoor verscheurd. Toen hij haar Vermulen 'schat' hoorde noemen, moest hij snel een glas water grijpen en naar de zee kijken, anders had hij zichzelf verraden.

Toen alles was geregeld, stond Carver op. Dit leek hem het moment dat Wynter, nu hij alles had wat hij wilde, zijn charme weer in de strijd zou gooien. Dus stak hij met een zalvend glimlachje zijn hand uit.

'Dank u, generaal Vermulen, dat was een verrukkelijke lunch. Het was mij een genoegen zaken met u te doen.'

Vermulen stond op en schudde hem de hand, maar liet zich niet inpakken. 'Tot ziens, meneer Wynter. Als u het niet erg vindt, schort ik mijn oordeel nog even op tot onze zaken zijn afgehandeld.'

'Doet u dat, generaal. En doe de hartelijke groeten aan juffrouw Morley...'

57

Onderweg naar Tourrettes-sur-Loup maakte Carver een omweg naar Cannes. Daar dumpte hij het stuk schroot dat hij op de luchthaven had gehuurd en ging naar een van de gespecialiseerde luxe-autoverhuurbedrijven die wagens leveren aan allerlei sterren, producenten en zakenlieden uit de amusementsindustrie die de festivals en zakelijke congressen bijwonen die in die stad worden gehouden. Daar huurde hij een Audi S6 sedan, zijn persoonlijke keuze. Hij hield ervan omdat hij er net zo saai uitzag als een Ford Mondeo, maar zo snel was als een Ferrari – sneller, in feite, op heel veel wegen, dankzij de vierwielaandrijving: de perfecte vluchtauto.

Hij stopte bij een Géant-*hypermarché* buiten de stad om wat levensmiddelen, makkelijke buitenkleding en een kampeeruitrusting in te slaan, inclusief een verrekijker en een paar stevige wandelschoenen. Toen reed hij de heuvels in. Die Georgische gangsters hadden een spectaculaire locatie uitgezocht voor hun schuilplaats in de uitlopers van de Alpes Maritimes, een landschap van grillige hellingen, begroeid met pijnbomen en eiken, en doorkruist door spectaculaire kloven, waar haarspeldbochten en absurd pittoreske dorpjes vastgeplakt leken te zitten aan steile kliffen.

De kortste weg naar het huis was over een kleine weg tussen Vence en Grasse, en van daaruit omhoog naar het dorpje Tourrettes zelf. Maar Carver nam de toeristische route, langs de Puy de Tourrettes – de twaalfhonderdvijftig meter hoge berg waarop het dorpje en het huis stonden – tot het asfalt overging in een onverharde weg, en vervolgens in een spoor dat zelfs voor een sedan met vierwielaandrijving ondoenlijk was. Hij parkeerde de Audi, deed zijn rugzak om en begon naar een punt op de berg te wandelen dat zich pal boven het huis bevond, waarbij hij het laatste stukje op zijn buik kroop, tot hij de ideale plek voor zijn observatiepost had gevonden.

Ver onder zich zag hij de mensen die hij kwam beroven. Hun stemmen dreven omhoog op de wind, samen met het geblaf van de honden. Ze hadden hem niet gezien.

Carver pakte zijn verrekijker. Nu hoefde hij alleen nog maar te kijken, en te wachten.

Dat, en verzinnen hoe hij in vredesnaam dat kostbare document van Kurt Vermulen in handen moest krijgen.

58

'Man, dat is nog eens een lust voor het oog, vind je niet?'

Het was 's ochtends vroeg in East Side Park en een grote stroom joggers nam het pad van 23rd Street naar de South Street Seaport en weer terug, onder de Williamsburg, Manhattan- en Brooklynbrug, langs de Fulton Fish Market. Dit was New York en de mensen waren te zeer in zichzelf gekeerd om een blik over te hebben voor de drie mannen die bij de hekken stonden en geen oog hadden voor het uitzicht over de rivier, maar alleen voor de meisjes die langskwamen.

'Ik zou willen dat ik dertig jaar jonger was,' zei Waylon McCabe, toen een mooie jonge blondine langs kwam rennen, haar strakke dijen en lekkere kontje in een zwarte joggingmaillot gestoken. 'Ik zou al blij zijn met tien jaar jonger.'

Hij wendde zich tot een van de andere mannen; een kalende vent met overontwikkelde spieren die aan het vervetten waren in een bruin leren jasje dat openstond over zijn uitdijende buik. Hij heette Clinton Tulane en hij was legerinstructeur geweest in de tijd dat McCabe West-Afrikaanse guerrillastrijders had gesteund. Tulane had hem toen geholpen, zoals hij heel veel anderen had geholpen, van Sarajevo tot El Salvador. Zo had hij ook Dusan Darko leren kennen, hoewel dat niet de naam was waaronder de man in de zwarte overjas met het steile, vette haar de Verenigde Staten was binnengekomen. Wanneer je een Servische krijgsheer was en in de hele westerse wereld werd gezocht voor misdaden tegen de menselijkheid, loonde het om incognito te reizen.

'Jij kunt nu wel gaan, Clint,' zei McCabe. 'Bedankt dat je ons aan elkaar hebt willen voorstellen. Maar meneer Darko hier en ik moeten een zakelijk gesprek voeren en het is nogal privé.'

'Natuurlijk,' zei Tulane, wiens mogelijke gevoel van wrok om zijn buitensluiting meer dan goedgemaakt werd door het stapeltje biljetten van honderd dollar dat nu in zijn binnenzak zat.

McCabe wachtte tot Tulane hen niet meer kon horen en richtte zijn aandacht op de andere man.

'Zo, meneer Darko, volgens Clint bent u in uw eigen land een man met behoorlijk wat invloed, is dat zo?'

Darko haalde zijn schouders op, alsof hij wilde suggereren dat hij inderdaad veel invloed had, maar te bescheiden was om dat hardop te zeggen.

'Dus stel dat ik uw land vanuit de lucht zou willen binnenkomen, zou willen landen om nieuwe brandstof in te nemen en een pakketje op te pikken en weer zou willen vertrekken, zonder dat iemand me lastigviel, dan zou u dat mogelijk kunnen maken?'

'Maar natuurlijk... voor een prijs. U begrijpt dat ik mensen zou moeten betalen. Maar het is zeker mogelijk.'

'Ja, ja, ik begrijp het. En u hebt ook mannen onder uw commando, soldaten?'

Darko rechtte zijn rug.

'Mijn mannen hebben zeven jaar lang aan mijn zijde gestreden. Tegen Kroaten. Tegen Bosniërs. Nu tegen Albanees tuig. Die mannen zijn leeuwen en onverslaanbaar, net als de partizanen die tegen de nazi's vochten.'

McCabe deed zijn best om zijn gezicht in de plooi te houden. Hij had geen lessen in oorlogvoering nodig van de een of andere vettige salamivreter die afstamde van zigeuners.

'Nou, dat is mooi, meneer Darko. Ik zal u vertellen wat de bedoeling is...'

59

Carver had geen idee wat het voor wilde bloemen waren die op de helling groeiden, maar hij was blij met hun volle, kruidige geur. Hij hield het huis nu al achtenveertig uur in de gaten. In die tijd had hij water gedronken, chocolade, noten en gedroogde vruchten gegeten en in een plastic boterhammenzakje gepoept dat hij naast zijn schuilplaats in de aarde had begraven. Ook had hij plannen gemaakt om het document uit het huis te ontvreemden.

De woning was zodanig gebouwd dat alle gemeenschappelijke ruimtes zich aan de zuidkant bevonden, om te kunnen genieten van het uitzicht over de mistige, grijsgroene heuvels van de Provence naar het glinsterende water van de Riviera. Alle praktische dingen waren aan het zicht onttrokken. Het pad naar het huis lag, van waar Carver zich bevond, van bovenaf erop neerkijkend, aan de rechterkant van het terrein. Er was een klein afzetplekje bij de voordeur van het huis, maar de echte parkeerplaats bevond zich aan de achterkant, zodat de wagens uit het zicht bleven. Er was geen garage, maar een enorme zevenpersoons Mitsubishi Shogun stond onder een luifel met een metalen frame en een plastic dak.

Tegen de achtermuur van het huis was een afdakje gebouwd waaronder houtblokken lagen opgeslagen voor de open haard die, volgens de plannen van de architect, de belangrijkste plek in de grote woonkamer moest zijn. Een eindje verder, aan de andere kant van een achterdeur die naar de keuken leidde, zorgden twee rode propaanflessen van zevenenveertig kilo, die zo ongeveer tot schouderhoogte reikten, voor gas voor het fornuis.

Er moest nog wel het een en ander gebeuren aan het huis en het terrein erachter. Het lage stenen muurtje dat de parkeerplaats omsloot was nog niet af en overal lag nog afval van de bouwers: puin, afgedankte stukken hout, lege blikken, zelfs een kleine cementmolen.

Iemand had echter wel een ruimte vrijgemaakt voor de hoge draadgazen hekken die de twee honden binnenhielden tot zij los werden gelaten voor de nacht.

In het huis woonden zes mensen: vier mannen en twee vrouwen. Het was nog steeds warm en tegen het middaguur waren de mannen naar buiten komen wankelen voor een drukke dag drinken, roken en naar de sletjes te kijken die bij het zwembad lagen en hun namaak bruine velletjes echt bruin probeerden te krijgen. Het had Carver niet veel tijd gekost om uit te vinden wie van de mannen Baladze was. Zijn haantjesgedrag, de kruiperige gehoorzaamheid van de mannen en de hoge gilletjes van vrouwelijk gelach maakten snel duidelijk wie hier het alfamannetje was.

Carver had zijn tijd doorgebracht met het verzinnen van namen voor de mensen die hij ging overvallen. Hij overwoog figuren uit soapseries, historische personen, zelfs Jezus en zijn apostelen. Uiteindelijk koos hij voor The Beatles. Zijn codenaam voor Baladze was John, de oorspronkelijke leider van de band. De man die zo te zien de tweede in rang was, een vettige dikzak met een vaalblonde kuif, werd dus Paul. Een jongere, magere ondergeschikte met lang, donker haar was een gedroomde George. En dat liet Ringo over voor het vierde bendelid. Hij had de afzichtelijk overontwikkelde spieren, de woeste uitdrukking en de Pizza Hut-huid van een man die steroïden over zijn cornflakes strooit en te veel tijd doorbrengt met zijn gewichten. De vacht van dikke zwarte haren op zijn schouders bood bepaald geen smakelijke aanblik.

De vrouwen waren een makkie. De een was donker en de ander blond, dus een typische Yoko en Linda.

Overdag hield of George of Ringo de wacht bij de toegangspoort tot het huis. Degene die de ochtenddienst deed, moest vroeg opstaan en eerst de honden terugbrengen naar hun kooi. De enige bezoeker was de plaatselijke bakker, die halverwege de ochtend met zijn bestelbusje kwam aanrijden. Aan de hoeveelheden voedsel en drank te zien die de chauffeur door de achterdeur de keuken binnenzeulde, nog afgezien van zijn broden, pizzapunten, hartige en zoete taarten, had hij een soort overeenkomst gesloten om de gasten volledig te bevoorraden.

Op het terras stond een barbecue en het was de taak van Paul om elke avond de biefstukken en vleesspiesen te grillen. Afgezien daarvan werden alle huishoudelijke karweitjes overgelaten aan de vrouwen, die de mannen bedienden als huishoudsters, koks en seks-speeltjes. Carver kon zich voorstellen hoe hij het tafereel aan Alix zou beschrijven. Hij wist niet precies hoe ze zou reageren, maar wat ze ook zou zeggen, het zou cynisch zijn en doorspekt met gortdroge zwarte humor. Hij vroeg zich af hoe vaak zij al als een van deze vrouwen was behandeld, maar bleef er niet te lang bij stilstaan en concentreerde zich liever op de toekomst. Nog even en hij zou haar terugzien. Ze hoefden alleen nog maar even dag te zeggen tegen Vermulen en dan konden ze dit leven voorgoed de rug toekeren.

De middag van de tweede dag besloot Carver dat hij genoeg had gezien. Morgen zou hij het doen. Vanavond zou hij een hotelletje nemen voor een nacht goed slapen, een heet bad en een stevige maaltijd. Maar eerst moest hij Vermulens pakketje nog ophalen bij de poste restante in Vence en zelf inkopen doen. Hij had een boodschappenlijstje gemaakt: suiker, lijnzaadolie, voedselkleurstof, oordopjes van was en nog een heleboel andere spullen, van verfkwasten tot paté. Hij zou er verschillende winkels voor moeten bezoeken.

En dan was er nog iets: zuurstoftabletten voor aquaria. Hij maakte nog even een mentale aantekening: niet vergeten langs de dierenwinkel te gaan.

60

'Toe, meneer Novak, neem gerust waar u trek in hebt. Ik ben een vrouw, ik moet aan mijn figuur denken. Maar ik hou ervan een man lekker te zien eten.'

Olga Zhukovskaya gebaarde uitnodigend naar de legendarische hors d'oeuvres-trolley van het restaurant Drei Husaren in Wenen. Op het wagentje stonden meer dan dertig seizoensgerechten, van kalfshersenen tot kaviaar.

Helaas voor de ober in zijn gestreepte vest had Pavel Novak niet veel honger. En hij was al evenmin in de stemming om te genieten van de huiselijke luxe van de Bibliotheek, de kleinste van de twee eetzalen van het vijfenzestig jaar oude restaurant. Onder normale omstandigheden zou hij zich juist rustig en tevreden hebben gevoeld tussen al die kasten vol oude boeken, de mandjes vol voorjaarsnarcissen, de stenen beeldjes in nissen in de muur en de rustgevende tinten van de houten lambrisering en de donkergroene stoelen. Maar niet nu hier ter plekke zijn ergste nachtmerries werden bewaarheid.

Het feit alleen al dat hij en Zhukovskaya Russisch spraken was al genoeg om de slechtste herinneringen naar boven te brengen. Bijna vijftien jaar had hij meegewerkt aan de omverwerping van de Sovjetheerschappij, door geheime informatie aan het westen door te spelen. Al die tijd was hij ervan overtuigd geweest dat niemand wist wat hij deed. En nu, meer dan acht jaar na de Fluwelen Revolutie die zijn Tsjechische vaderland vrijheid had gebracht, hadden de Russen hem dan toch nog te pakken.

Toen hij het telefoontje had gekregen waarin hij was uitgenodigd voor dit diner, had hij precies geweten wie Zhukovskaya was en wat zij vertegenwoordigde. Hij had de uitnodiging aangenomen omdat het weinig zin had te weigeren of te proberen om te ontsnappen. Als ze achter hem aan zaten, zouden ze hem ook te pakken krijgen. Zo niet, dan had hij niets te verliezen bij een ontmoeting met een van de legendes van de Sovjetspionage. Zijn fatalisme maakte hem echter niet minder zenuwachtig.

Zhukovskaya was zich natuurlijk volkomen bewust van Novaks ongemakkelijke gevoel. Ze had er plezier in en had er zelfs even mee gespeeld, alvorens te besluiten hem uit zijn lijden te verlossen. Als ze nog lang naar deze zwetende angsthaas met zijn meelijwekkende hangsnor moest blijven zitten kijken, had ze straks zelf ook geen trek meer. Het was onzin om naar een van de beste restaurants van Wenen te gaan, waar net zo serieus met eten wordt omgegaan als in elke Franse of Italiaanse stad, en dan niet in staat te zijn van het menu te genieten.

'Bent u ongerust, of bang voor wat er met u gaat gebeuren? Alstublieft, we leven niet meer in de oude tijd. We zijn geen stalinisten meer.'

Novak ontspande zich een beetje. Hij slaagde erin om wat kip in gelei te bestellen.

'Mooi zo,' zei Zhukovskaya, 'en voor het hoofdgerecht kan ik de *Tafelspitz* aanbevelen – mals gekookt rundvlees, gebakken aardappelen, spinazie met room en appelmoes – ze zeggen dat je het nergens in Wenen zo lekker kunt eten. Maar dat weet u natuurlijk, u woont hier. Maar laten we het tijdens het eten niet over zaken hebben. Laten we verhalen uitwisselen over die goede oude tijd... toen u voor de Amerikanen werkte.'

Bijna had Novak een mondvol kip over de tafel gespuugd. Hij kauwde en slikte zijn hap door, terwijl hij intussen een antwoord probeerde te verzinnen.

Zhukovskaya was hem voor. 'Kom nu, hoe incompetent dacht u dat wij waren? Natuurlijk wisten we daarvan. Maar het kwam ons beter uit u in leven te laten. U was een vertrouwde bron omdat u oprecht geloofde dat de informatie die u doorspeelde echt was. Maar ik vrees dat dat meestal niet het geval was. Daar hebben wij wel voor gezorgd. Dus in plaats van ons schade te berokkenen, wat u ongetwijfeld zult hebben gehoopt, hebt u de Sovjet-Unie een geweldige dienst bewezen door onze vijanden om de tuin te leiden... O, kijk, uw wijnglas is leeg. Misschien kan de sommelier u nog eens inschenken.'

Eindelijk slaagde Novak erin iets te zeggen.

‘Wanneer bent u erachter gekomen?’

‘Zelf was ik destijds nog maar een jonge officier, dus ik kreeg het pas veel later te horen. Maar mijn superieuren waren van uw verraad op de hoogte vanaf het moment dat u voor de allereerste keer nerveus toenadering zocht tot de Amerikanen.’

‘Mijn god... Hoe ver zijn jullie in de DIA doorgedrongen?’

‘We hebben enkele officieren kunnen chanteren en anderen werden door ons betaald. Een enkeling deed het om ideologische redenen. Maar in totaal waren het er niet zoveel, minder dan twaalf. Uw tussenpersoon, Vermulen, is zijn land altijd trouw gebleven. Zowel u als hij was absoluut oprecht in wat u deed. Dat was heel belangrijk voor ons.’

‘Waarom wilt u mij nu dan spreken?’

Zhukovskaya schoof haar half opgegeten portie kaviaar weg. ‘Goed, als u dat liever hebt, kunnen we ook wel eerst zaken doen en dan pas eten. Misschien is dat eigenlijk wel beter. Welnu... waarover hadden u en Vermulen het in de opera?’

‘Nergens over. Ik heb Vermulen al jaren niet gezien. En ik hou niet eens van opera.’

Er gleed een gekwetste uitdrukking over Zhukovskaya’s gezicht. ‘Ik wil u er nogmaals op wijzen, meneer Novak, dat u ons vooral niet moet onderschatten. U hebt hier in Wenen een voorstelling bijgewoond van de opera *Don Giovanni*. Voorafgaand aan het concert hebt u in de bar met Vermulen gesproken. Dus nu vraag ik u: waarom had u afgesproken? Waar hebt u het over gehad? Wat hebt u sindsdien van hem gehoord? En ik herhaal: als u mijn vragen eerlijk beantwoordt, kunnen we ons allemaal gedragen als beschaafde mensen. Zo niet... nu ja, laten we onze eetlust daar niet mee bederven.’

Novak werd niet warm of koud van het dreigement. Wat hem betreft, was hij al dood. De enige edele daad die hij zijn hele leven had verricht, zijn persoonlijke strijd tegen de communistische bezetting van zijn land, was een farce geweest. Hij had de zaak van de vrijheid niet geholpen, maar waarschijnlijk eerder geschaad. En nu zag hij zijn zwakke poging om te voorkomen dat de lijst met bommen in verkeerde handen zou vallen ook nog eens voor zijn ogen in rook opgaan.

Hij kon nog een laatste, groots gebaar maken. Hij kon weigeren iets te zeggen en die Russische heks laten proberen de waarheid uit hem te slaan. Misschien hield hij het lang genoeg vol om Vermulen de kans te geven te doen wat hij moest doen. Maar dat verzet zou veel inspanning en geestkracht van hem vergen en hij was zich er opeens pijnlijk van bewust die kracht niet langer te bezitten. Waarom zou hij de schijn dan nog langer ophouden?

Novak wenkte de sommelier.

'Ik wil graag een fles rode bordeaux, iets wat ik mijn leven lang niet meer zal vergeten. Prijs speelt geen rol.'

De sommelier, die heel goed wist wie er voor deze maaltijd betaalde, keek naar Zhukovskaya. Zij gaf hem een nauwelijks zichtbaar knikje alvorens hij inging op Novaks verzoek.

'In dat geval, *mein Herr*, zou ik de La Mission Haut Brion uit 1982 willen voorstellen. Een voortreffelijke wijn van een van de grote chateaux. Ik denk dat u het een welhaast spirituele ervaring zult vinden.'

Er speelde een vermoeid glimlachje om Novaks mond. 'Spiritueel, zegt u? Dan lijkt de Haut Brion mij een perfecte keus.'

Zhukovskaya haastte hem niet toen hij de wijn proefde, goedkeurend knikte, de intense en complexe smaak goed tot zich door liet dringen en vervolgens zijn eerste kleine slokjes nam. Zij begreep net zo goed als hij wat hier gebeurde.

Toen hij zijn eerste glas had leeggedronken, begon Novak te praten. Hij vertelde dat hij was benaderd door Bagrat Baladze, die de lijst van vermiste bommen aan de man probeerde te brengen; dat hij vervolgens naar Vermulen was gegaan, in de hoop de lijst aan de Amerikanen te bezorgen; dat hij hem had verteld waar de lijst zich bevond en hoe hij hem in handen kon krijgen.

Toen hij klaar was, reikte Zhukovskaya over de tafel en gaf een zacht kneepje in zijn hand.

'Dank u,' zei ze, zacht en oprecht. 'En geniet nu maar van de rest van uw maaltijd.' Haar glimlach was onverwacht charmant, heel vrouwelijk en bijna flirtend, toen ze eraan toevoegde: 'En van uw spirituele wijn!'

Op de een of andere manier, misschien omdat hij was bevrijd van de last van zijn geheim, of gewoon omdat de bordeaux een magisch elixer was, was Novak in staat van zijn maaltijd te genieten. Hij en Zhukovskaya praatten met elkaar als twee mensen van middelbare leeftijd die in de loop der jaren gelijksoortige ervaringen hadden gehad en dezelfde merkwaardigheden hadden waargenomen. Hij was een man met een talent voor grappige anekdotes; zij was een vrouw die graag om zijn humor lachte.

Aan het eind van de maaltijd was Zhukovskaya precies zo beschaafd, zo *kulturny,* om de Russische term te gebruiken, als zij had beloofd. Zij verzocht hem uiterst beleefd haar zijn mobiele telefoon te overhandigen. Ook vertelde ze hem dat er straks een storing zou zijn in de telefoonlijnen naar en van het appartementencomplex waar hij woonde. Met andere woorden: hij kon niemand op de hoogte brengen van wat hij haar zojuist had verteld. Ze vertelde hem dat hij een lift terug naar huis zou krijgen, naar zijn vrouw.

'Alstublieft,' zei ze, 'maak dit voor ons allebei zo gemakkelijk mogelijk.'

Een kwartier later ging Pavel Novak het gebouw binnen waar hij woonde, liep de hal door en stapte in de lift, een rijkversierde metalen kooi die al bijna een eeuw lang door het midden van de wenteltrap omhoog en omlaag ging. Op de vijfde verdieping stapte hij uit en ging zijn appartement binnen. Zijn vrouw lag te slapen in hun slaapkamer. Hij kuste haar gezicht en fluisterde in haar oor: 'Ik hou van je.'

Ze maakte een slaperig geluidje.

Novak keek op haar neer met de liefde die een man voelt voor een vrouw met wie hij al bijna dertig jaar lief en leed heeft gedeeld, een liefde waarin jeugdige hartstocht plaats heeft gemaakt voor een veel diepere mengeling van affectie, weten en wederzijds vergeven. Even legde hij zijn hand op haar schouder, toen verliet hij de kamer.

Hij liep naar de bovenste verdieping van het gebouw en ging naar buiten door de deur die toegang gaf tot het dak. Hij liep naar de rand, keek nog een keer om zich heen naar de lichtjes en de daken van Wenen, haalde een laatste keer diep adem en stapte in de leegte.

61

Alvorens zijn bed in te duiken belde Carver Grantham in Londen.

'Morgen gaat het gebeuren,' zei hij. 'Ergens in de namiddag.'

'Heb je enig idee waar het om gaat?'

'Nog niet. Het enige wat de cliënt mij heeft verteld is dat het hem te doen is om een soort document, in een verzegelde enveloppe. Hij heeft me niet verteld wat erin staat en waarom het zo waardevol is. Hij zei alleen, en ik citeer, dat het "van vitaal belang is voor de toekomstige wereldvrede".'

'Wat...?'

Wat Grantham ook had verwacht, dit in elk geval niet.

'Ja, ik weet het,' zei Carver. 'Ik vond het ook behoorlijk idioot klinken. En dan weet je nog niet alles. Hij heeft een soort obsessie dat wij net als de Romeinen zijn, op het moment dat het keizerrijk op instorten stond, en de barbaren aan de poorten stonden. Alleen zijn de barbaren nu geen Hunnen en Vandalen, maar islamitische terroristen die de hele wereld over willen nemen.'

'Dat meen je niet.' Grantham slaakte een korte, geërgerde zucht.

'Daar moet je het maar met hem over hebben. Het enige wat ik weet is dat ik morgen, vroeg in de avond, de overdracht wil doen. Dat gebeurt in Hotel du Cap, waar we ook hebben geluncht. Ik geef je morgen de exacte tijd nog wel door. Een kwartier later ben ik van plan het hotel weer uit te wandelen, samen met de vrouw en, indien mogelijk, het document. Ik heb Vermulen verteld dat ik niemand van zijn mensen erbij wilde hebben, maar ik weet niet zeker of hij zich daaraan zal houden. Hij wil zijn investering natuurlijk ook beschermen. Dus heb ik vervoer nodig – een auto, misschien zelfs een chauffeur, een goeie – en een onderduikadres om te overnachten.'

Grantham liet een ongelovig snuivend geluidje horen. 'Zal ik meteen ook maar een privéjet voor je regelen? Daar ben je nogal gek op, heb ik begrepen.'

'Ik kan dat document natuurlijk ook gewoon aan die jongens van Vermulen geven, in ruil voor Alix...'

'Ik zal kijken wat ik voor je kan doen.'

62

Zelfs de machtigen hebben bazen. En net zoals Olga Zhukovskaya haar ondergeschikten kon laten sidderen, zo had zij de zenuwen toen zij de directeur van haar bureau uit zijn bed moest bellen om hem het slechte nieuws te vertellen. Ze bracht verslag uit van alles wat Novak haar had verteld en benadrukte hoe dringend deze kwestie was. Naar haar mening moest de lijst met nucleaire wapens en hun exacte locaties binnen vierentwintig uur worden gevonden. Daarna mocht hij voor altijd verdwijnen.

'Wij kennen de locatie van een document dat van reusachtige militaire en politieke betekenis is voor het moederland,' besloot zij. 'Wij moeten dus onmiddellijk plannen maken om het in ons bezit te krijgen.'

De directeur had geen leven vol geheimhouding, onderlinge concurrentie en voortdurende, vaak dodelijke veranderingen in regime overleefd met overhaaste en ondoordachte beslissingen. Hij reageerde in eerste instantie dan ook behoedzaam.

'Weten we zeker dat die lijst werkelijk bestaat, of van zoveel belang is als Novak beweert? Het inzetten van die wapens viel onder de KGB, wij zijn nog steeds de enigen die weten waar ze zich bevinden en ik ben me er niet van bewust dat er documenten uit onze archieven zijn verdwenen. In theorie is het mogelijk dat mensen van het ministerie van Defensie een manier hebben gevonden om onze documentatie te kopiëren of te stelen...' Hij zweeg even om stil te staan bij de verontrustende mogelijkheid dat een ander bureau het zijne te slim af was geweest, ook al was het maar tijdelijk. 'Hoe je het ook bekijkt, Novak was een verrader en een zwarthandelaar. Stuk voor stuk goede redenen om aan alles wat hij zegt te twijfelen.'

'Dat is waar, directeur. Onder andere omstandigheden zou ik het volkomen met u eens zijn. Maar ik zat nog geen twee meter bij

Novak vandaan toen hij me dit vertelde. Ik weet zeker dat hij de waarheid sprak.'

'Vrouwelijke intuïtie?' vroeg de directeur smalend.

'Nee, meneer, vijfentwintig jaar ervaring met ondervragingen.'

'Goed, laten we aannemen, hypothetisch, dat die lijst zo gevaarlijk is als je beweert. Dan hebben we nog een probleem. Hij bevindt zich in een vreemde, soevereine natie en wij willen geen diplomatiek incident creëren door een gewelddadige actie te ondernemen tegen gewapende criminelen, die ook nog eens het voordeel zouden hebben van een goed verdedigbare positie.'

Zhukovskaya kwam onmiddellijk met tegenwerpingen. 'Maar directeur, wij ondernemen aan de lopende band gewelddadige acties in andere landen...'

'Wat u onlangs in Genève – overigens met betreurenswaardig weinig succes – nog maar eens hebt bewezen,' antwoordde haar baas ad rem. 'Ons alibi heeft misschien de plaatselijke politie en media een rad voor ogen gedraaid, maar denk maar niet dat we onze vijanden hebben kunnen misleiden. De betrokkenen waren veel te gemakkelijk te identificeren als mensen van ons. Hoe dan ook, we hebben nog een bijkomend probleem. Zoals je weet zien alle overheidsinstanties zich op dit moment geconfronteerd met strenge financiële beperkingen. Wij vormen daarop geen uitzondering...'

'Dat is heel vervelend, directeur,' fluisterde Zhukovskaya, die haar uiterste best deed om hem van zijn stokpaardje af te krijgen en weer terug naar de actuele kwestie. 'Maar ik zie hier niet de relevantie van in...'

'De relevantie, adjunct-directeur, is dat ik geen geld heb voor een operatie zoals u die voorstelt. Ik heb op uw verzoek al fondsen vrijgemaakt voor een undercoveroperatie.'

'Die heeft geleid tot onze ontdekking van Novak en zijn document...'

'... waarvoor we mensen naar Amerika en Zwitserland hebben moeten sturen; contacten hebben moeten leggen door heel Europa; om nog maar niet te spreken van de Amerikaanse dollars die zijn uitgegeven aan juffrouw Petrova's dekmantel, en waarvoor het kennelijk nodig is geweest om kleding te kopen die geen enkele fatsoenlijke Russische vrouw zich kan veroorloven en waarvoor zij zichzelf heeft moeten laten opdoffen in schoonheidssalons...'

Terwijl de oude man nog even verder raasde, verspreidde zich langzaam een glimlach over Olga Zhukovskaya's gezicht. Ze zag opeens een manier waarop ze de operatie kon uitvoeren, het document kon bemachtigen, de staat geld kon besparen, alles kon ontkennen in het geval dat er iets misging, en een maximum aan verlegenheid kon veroorzaken voor de uitgerangeerde oude mastodont die nog steeds tussen haar en de baan stond die ze zo graag zelf wilde hebben.

'Dus uw officiële instructies luiden dat ik geen middelen van het bureau mag gebruiken voor deze zaak?' vroeg zij plichtsgetrouw.

'Inderdaad,' zei de directeur. 'En wat juffrouw Petrova betreft, verbaast het me eerlijk gezegd dat u nog iets met haar te maken wilt hebben, gezien haar rol in de dood van uw man. Als ik in uw schoenen stond, zou ik er bijzonder veel genoegen in scheppen haar te vermoorden.'

'Misschien dat ik dat ook wel doe, maar alles op zijn tijd. Voorlopig maak ik nog graag gebruik van haar talenten om onze belangen te bevorderen.'

Voor het eerst klonk er oprechte bewondering in de stem van de directeur.

'Ik moet zeggen, mijn beste, dat ik dat bewonderenswaardig koelbloedig vind, zelfs voor u.'

Goede Vrijdag

63

Het was weer een volmaakte lenteochtend in de Provence. Carver kwam het oude bestelbusje van de bakker op straat tegen, ongeveer een kilometer voor het huis, en stak zijn duim op voor een lift. Nu reed het rammelend en pruttelend naar de poort. Het bendelid dat hij Ringo had gedoopt verscheen op de oprit en gaf hun een teken om te stoppen. Van dichtbij, waar de plukken haar op zijn rug en borst boven de hals van zijn T-shirt uit kwamen, zag hij er nog minder aantrekkelijk uit. Maar hij droeg wel een halfautomatisch geweer en zo te zien aan de manier waarop hij het vasthield, schuin voor zijn borst – met de kolf in de holte van zijn rechterarm, zijn rechterhand op de trekker en de loop omlaag – had iemand hem geleerd hoe hij ermee om moest gaan.

Ringo wierp een boze blik op de bakker, negeerde diens beleefde '*Bonjour m'sieur*', en bromde niet eens iets ten teken dat hij zijn gezicht herkende. Hij wees alleen op de sleutels in het contactslot en knipte met zijn vingers, ten teken dat hij ze af moest geven.

Toen het busje eenmaal stilstond, liep hij om het voertuig heen en opende de achterdeuren. Met een oneindig argwanende blik bekeek hij de rijen baguettes, ronde broden, cakes, taartjes en croissantjes die achter in het busje lagen, blijkbaar immuun voor de verleiding van de knapperige bruine korstjes, smeuïge vulling en geuren om van te watertanden. Wat hem betreft was elke *pain au chocolat* een potentiële boobytrap, elke quiche een verborgen granaat. Hij keek in de plastic tasjes die vol zaten met vlees, groenten en drank. Uiteindelijk was hij er blijkbaar van overtuigd dat de inhoud van het busje hooguit een gevaar vormde voor de slagaderen en hersencellen van de mensen die het allemaal gingen consumeren.

De gangster met de stierennek sloot het hek en hervatte toen zijn rondgang om het busje. Bij de passagiersdeur bleef hij staan. Hij gebaarde dat het raampje moest worden opengedraaid. Toen dit was gebeurd, stak hij het geweer naar binnen, boog zijn hoofd, keek omlaag langs de loop en staarde Carver recht in het gezicht.

Ringo's doorlopende wenkbrauwen trokken nog dichter naar elkaar toe toen hij de dreiging overwoog die deze onbekende persoon in een witte huisschildersoverall vertegenwoordigde. Hij deed een stap naar achteren, zodat hij vlak achter het portier stond en zorgde ervoor dat zijn schootsveld nergens door werd gehinderd, waarna hij met de loop gebaarde, ten teken dat Carver uit moest stappen.

Carver stapte uit in de warme, geurige zonneschijn en stak zijn handen omhoog, de natuurlijke reactie van een onschuldige, onervaren burger die zich geconfronteerd ziet met een man met een geweer. De Georgiër wees met zijn wapen naar de rafelige, kaki canvas schoudertas die onder de passagiersplaats lag. Hij wilde dat Carver de tas zou pakken. Opnieuw deed Carver wat hem werd opgedragen. Hij voerde de betrekkelijk simpele taak uit in langzame, duidelijke fases, zodat de man te allen tijde wist dat hij niets in zijn schild voerde.

Zodra hij weer rechtop stond, met de tas in zijn hand, hield hij hem open voor inspectie. Er zaten twee blikken verf in: een witte hoogglans, gloednieuw en nog ongeopend, en het andere leeg, maar volgepropt met oude lappen. Naast de blikken lagen drie kwasten van verschillende breedte, een grote bus schoonmaakmiddel, een zak chips, een glazen literfles sinaasappellimonade en een klein pakje in vetvrij papier.

'Sandwiches, voor mijn lunch,' zei Carver, terwijl hij het omhoog hield. Hij betwijfelde ten zeerste of de bewaker ook maar een woord Frans sprak, maar praatte gewoon verder.

'Ik kom alleen maar wat schilderwerk doen, ja? Mijn *patron* zei dat het houtwerk in de keuken en zitkamer nog een beetje moest worden bijgewerkt. Hij zei dat hij de man gesproken had die dit huis huurt... *comprenez*?'

Ringo wierp nog wat boze blikken, haalde toen, met zijn hand op het geweer, zijn telefoon tevoorschijn en drukte op een sneltoets. Hij voerde een kort gesprekje in een taal die Carver nooit eerder had gehoord, maar waarvan hij aannam dat het Georgisch moest zijn. Toen gaf hij Carver een teken dat hij weer in het busje moest stappen en maakte een hoofdbeweging in de richting van het huis.

De bakker startte de lawaaierige motor weer en ze reden de heuvel op, om het gebouw heen, naar de parkeerplaats erachter. Daar stapte de bakker uit en liep, met een paar van de volle plastic boodschappentasjes, naar de keukendeur. Hij keek nerveus naar de twee honden, die vanuit de kooi naar hem stonden te grommen en te blaffen terwijl hij aanklopte. De deur ging open en de donkerharige vrouw, Yoko, stak haar hoofd naar buiten. Ze riep iets naar de honden, die hun geblaf terugbrachten tot een vals, wrokkig gegrom en wat naar achteren kropen. Toen liet ze de bakker binnen.

Carver bleef achter, alsof hij afwachtte tot hij aan de beurt was om zijn zegje te doen. Hij stond vier, vijf meter bij de keukendeur vandaan, bij de stapel brandhout, onder het houten afdakje. Hij keek om zich heen. Er keek niemand naar hem. Hij hurkte achter de stapel houtblokken tegen de achterkant van het huis en deed zijn tas open.

Binnen een paar tellen voerde hij een serie snelle, precieze handelingen uit. Eerst haalde hij het pakje brood uit zijn tas en stak het in zijn zak. Toen trok hij voorzichtig een klein houtblok uit de achterkant van de stapel, alsof hij een steen uit een Jenga-toren trok, en schoof de zak chips en de fles sinaasappellimonade ervoor in de plaats. De canvas tas werd uit het zicht gelegd, in de schaduw van het afdak, vlak naast de muur van het huis. Carver liet de tas openstaan, met de fles thinner boven op het lege, met lorren gevulde verfblik.

Toen liep hij naar de keukendeur. Binnen hield de bakker Yoko ter inspectie een blad vol taartjes voor. Ervoor zorgend dat niemand hem kon zien, maakte Carver zijn pakje brood open en gooide de twee sandwiches in de hondenkooi, waar ze ogenblikkelijk werden verslonden. Toen draaide hij zich weer om en bleef wat voor de keukendeur hangen, terwijl de vrouw haar keuze maakte en de bakker er een notitie van maakte alvorens het blad weer op te pakken en terug te gaan naar zijn busje.

Toen hij aan de beurt was om te zeggen waarvoor hij was gekomen, ging Carver in de deuropening staan en stak van wal met hetzelfde onverstaanbare verhaal als hij de bewaker bij de poort had opgedist. Yoko keek eerst verbaasd en leek toen nerveus te worden. Ze keek achterom, het huis in, en stond kennelijk te overwegen of ze haar baas hiervoor wakker kon maken. Tot Carvers opluchting besloot ze het niet te doen en begon hem weg te wuiven, terwijl ze intussen op verontwaardigde toon tegen hem aan stond te babbelen.

Hij gehoorzaamde en liep terug naar het busje, waar de bakker op hem stond te wachten, met een brede grijns op zijn gezicht – de verrukte grijns van een man die zojuist een andere man op zijn falie heeft zien krijgen van een boze vrouw. Toen hij instapte, schudde Carver zijn hoofd en blies zijn wangen op.

'*Les femmes, hein?*' verzuchtte hij.

De bakker lachte, startte de wagen en reed rammelend de heuvel af.

64

Ivan Sergeyevich Platonov, beter bekend als Platon, was de man die tot taak had de activiteiten van de Podolskaya-misdaadbende in West-Europa uit te breiden. Hij lag in bed met een van de vrouwen wier lichaam zijn bende zoveel opleverde toen Olga Zhukovskaya belde.

'Hoe gaat het, Ivan Sergeyevich?' vroeg Olga Zhukovskaya.

'Heel goed, dank je, en met jou?'

'Ook goed. Ach, mijn man sprak altijd met zoveel warmte over jou...'

'Hij was een groot man. Nog gecondoleerd. Ik hoop dat je mijn krans hebt ontvangen?'

'Ja, nog bedankt, heel indrukwekkend. Stoor ik je niet?'

Het meisje was wakker geworden, geeuwde en begon toen plichtsbewust Platons buik te strelen. Hij wapperde haar weg.

'Natuurlijk niet. Wat kan ik voor je doen?'

'Ik wil iets op laten halen, of misschien is terughalen een beter woord...'

Terwijl Platon luisterde, en haar zo nu en dan onderbrak voor een specifieke, praktische vraag, vertelde de adjunct-directeur hem over een vermist document, eigendom van het Russische volk, dat zich op dit moment in een huis in Zuid-Frankrijk bevond, ongeveer negenhonderd kilometer van waar hij op dit moment in bed lag. Het huis werd bewaakt door vier Georgiërs, aangevoerd door een onbeduidende bendeleider met de naam Bagrat Baladze. Binnen vierentwintig uur zou het document worden doorverkocht aan een smerige Arabische terrorist of worden gestolen door een zo mogelijk nog verachtelijker Amerikaan, tenzij Platon en zijn mannen er eerder bij waren.

'Jij hebt in het verleden voor het moederland gevochten,' zei Zhukovskaya. 'Nu roept het je hulp in voor een laatste missie.'

Haar stem had bijna iets verleidelijks; het was niet zozeer het bevel van een hogere officier als wel het verzoek van een kwetsbare vrouw aan een machtige strijder.

Platon trapte er niet in. 'Natuurlijk ben ik een patriot,' zei hij. Zelfs nu ik een leven leid als vreedzaam zakenman, ben ik bereid mijn plicht te doen. Maar er zijn wel kosten aan verbonden. Er kunnen mannen sterven. Dan moeten hun gezinnen goed verzorgd achterblijven.'

Hij had van zijn leven nog geen roebel uitbetaald aan een weduwe of wees, een feit waarvan Zhukovskaya zich volledig bewust was.

'Maar natuurlijk moet je worden gecompenseerd,' zei zij. 'Ik zat te denken, misschien weet je dat wijlen mijn man namens de staat betrokken was bij de productie en verkoop van bepaalde soorten munitie.'

Dat wist Platon heel goed. Zhukovski had een vermogen verdiend met het aan de man brengen van landmijnen, totdat die Engelse prinses haar bemoeizuchtige neusje in zijn zaken had gestoken. Dat had haar dood betekend... en de zijne. Sindsdien, naarmate de politieke druk begon toe te nemen, hadden de mijnen in opslagplaatsen in heel Rusland liggen wegrotten. Maar de illegale vraag ernaar was niet afgenomen. Er werden tienduizenden mijnen verkocht, en op elke mijn werd driehonderdduizend Amerikaanse dollar pure winst gemaakt. Als hij die vergunning in de wacht kon slepen, kon hij een fortuin verdienen.

'Ik zou er trots op zijn mijn land te mogen dienen, maar het zal niet meevallen,'zei hij. 'Ik moet mijn beste mannen weghalen van hun huidige opdrachten. Ze moeten een uitrusting hebben. En natuurlijk moeten we allemaal zo snel mogelijk bij dat huis zien te komen. Een helikopter lijkt me de snelste methode. De Fransen hebben er een die Dauphin wordt genoemd. Die biedt plaats aan zes man en brengt ons met slechts één tussenlanding om te tanken tot vlak voor de deur. Als ik er vanmorgen nog een kan charteren, kan ik er vanmiddag al zijn.'

Uiteindelijk ondervond Platons vertrek enig uitstel. De helikopter die hij huurde had technische problemen. Het was al lunchtijd toen de Eurocopter Dauphin de Parijse heliport verliet en aan de drie uur durende vlucht naar het zuiden begon.

65

Carver was op een aantal problemen gestuit toen hij een plan had gemaakt om het document dat Vermulen wilde hebben uit het huis te krijgen waar Bagrat Baladze het bewaarde. Ten eerste was hij geen professionele dief, in tegenstelling tot Kenny Wynter, de man voor wie hij zich uitgaf. Hij wist niet waar in het gebouw het document verborgen was, en de enige manier die hij kende om een kluis te openen was om hem op te blazen: niet zo'n slim idee als je een dun kartonnen mapje met papier intact moest zien te houden. En dan waren er natuurlijk ook nog eens zes potentiële opponenten – hij kon er niet zomaar van uitgaan dat de vrouwen hun mannetje niet stonden in een gevecht – en was hij maar in zijn eentje.

Van al deze overwegingen was de laatste de minst belangrijke. Gezien het element van verrassing en een goed geplande overval zou hij die verhouding snel kunnen normaliseren. Dat had hij vaak genoeg gedaan. Maar hij was hier niet om mensen te doden. Hij was hier om te stelen. Dus werkte hij het probleem zo logisch mogelijk door, nam daarbij alle mogelijke veranderingen in aanmerking, totdat hij tot een oplossing kwam waar hij wat mee kon. Daarom had hij zijn boodschappenlijstje nodig gehad. Dat, en wat basiskennis van eenvoudige scheikunde zoals die van toepassing was op de kunst van het saboteren.

De logica was simpel. De simpelste manier om het document uit het huis te krijgen was om Bagrat Baladze het werk voor hem te laten doen. Daarover peinzend was Carver onvermijdelijk op de chemische eigenschappen gekomen van de substanties die op zijn lijstje hadden gestaan.

Lijnzaadolie bijvoorbeeld, heeft de neiging spontaan tot ontbranding te komen, waar kunst- en huisschilders – om nog maar niet te spreken van hun cliënten – vaak door schade en schande achter komen. Wanneer de olie in aanraking komt met lucht, oxideert deze en komt er hitte vrij. Hoe meer lucht, hoe groter de hitte. Als de lijnzaadolie in een dunne laag over een betrekkelijk groot oppervlak van een katoenen lap wordt verdeeld, vergroot dit de blootstelling aan de lucht, dus loopt de hitte op. Over een periode van pakweg zes uur kunnen de lappen een temperatuur bereiken van meer dan 430 graden Celsius, oftewel 800 graden Fahrenheit, wat genoeg is om een vlam te produceren.

Maar er zit een addertje onder het gras. Als er sprake is van te weinig ventilatie, loopt het oxidatieproces sterk terug. Bij een teveel aan ventilatie verspreidt de luchtstroom rond de lappen de hitte die wordt gecreëerd. Het is net als een vuur aanblazen. Blaas te zacht en het vuur dooft. Blaas te hard en je blaast het uit. Je moet de juiste balans zien te vinden.

Een ideale manier om niet te veel en niet te weinig lucht te krijgen is om in lijnzaadolie gedrenkte lappen in een open bus te stoppen. Een leeg verfblik is perfect.

Aquariumtabletten hebben even krachtige chemische eigenschappen. Ze dienen om water op te frissen door zuurstof te produceren, en hun werkzame bestanddeel is kaliumchloraat, een uitermate efficiënt oxiderend middel. Net als bij lijnzaadolie produceert deze oxidatie energie in de vorm van hitte. Als het vrijkomen van energie met voldoende kracht gepaard gaat, ontstaat er een explosie. Kaliumchloraat is een prima oxidans, wat verklaart waarom het ook een werkzaam ingrediënt is in veel zelfgemaakte explosieven, of ze nu vervaardigd worden door vuurwerkhobbyisten of moordzuchtige terroristen. Carver had de tabletten in een vijzel fijngemalen en het poeder vervolgens vermengd met suiker, dat voor een nog grotere knal zou zorgen.

Hij goot het mengsel in de geopende, leeggemaakte chipszak, stopte de chips weer terug en lijmde de zak dicht. Toen pakte hij de fles 'sinaasappellimonade', waar in werkelijkheid aceton in zat – gekocht bij dezelfde doe-het-zelfzaak waar hij de rest van de schilderspullen had aangeschaft – oranje kleurstof en, opnieuw, suiker. Aceton is een uiterst brandbare vloeistof, waarvan de dampen maar een vonkje nodig hebben om te exploderen. Een van de eigenschappen van suiker is dat het bij verhitting karamelliseert en ontzettend kleverig wordt. De toevoeging van suiker aan dit soort flessenbom, of molotovcocktail, zorgt ervoor dat de vlam aan zijn doelwit blijft kleven, zoals dat ook bij napalm gebeurt.

Aan de verfthinners of de olieverf hoefde Carver niets meer toe te voegen. Die waren prima zoals ze waren.

Zijn schilderstas met inhoud vormde dus in wezen een zelfdetonerende brandbom. Nadat hij alles had neergelegd, was Carver met de bakkerswagen teruggereden naar het dorp, had zijn hotelrekening betaald en was de berg weer op gereden, ditmaal via de toeristische route. Hij maakte een tweede wandeling over de berg naar zijn waarnemingspost, nu beladen met de spullen die Vermulens mensen hem, geheel volgens zijn instructies, poste restante hadden bezorgd. Daarna was het een kwestie van afwachten.

Tegen de middag was de temperatuur gestegen tot een graad of achtentwintig. De vrouwen lagen te zonnen met de dankbaarheid van Noord-Europeanen die aan het eind van een lange, koude winter de zon weer zien. De mannen liepen rond met ontbloot bovenlijf, zodat alle tatoeages zichtbaar waren die een essentieel statussymbool zijn binnen de Russische bendecultuur. De honden lagen te dommelen in hun kooi, hoewel hun ontspannen houding niet zozeer werd veroorzaakt door de hete zon op hun vacht als wel door de hoeveelheden valium – vijftig milligram vermalen en vermengd met de paté op hun sandwiches – in hun bloedbaan.

De mensen lunchten pas laat, om een uur of twee 's middags. Ze dronken er stevig bij. Om halfvier had George de wacht bij de poort van Ringo overgenomen. Bagrat en Linda waren naar binnen gegaan voor seks en een dutje. Verder lag iedereen half in coma bij het zwembad. Dat was het moment waarop Carver de eerste rookkringeltjes uit zijn canvas tas zag komen.

Hij sms'te naar Vermulen: 'Levering 19.00 uur in bar, zoals afgesproken.' Carver spelde de woorden voluit. Hij vond sms-taal infantiel gewauwel en ging ervan uit dat een gepensioneerde generaal er hetzelfde over zou denken. Eigenlijk betwijfelde hij het of Vermulen ooit van zijn leven wel eens een sms'je had verstuurd.

Tegen de tijd dat hij klaar was, was er al een duidelijk zichtbare vlam. Hij had de binnenkant van de tas ook met lijnzaad ingesmeerd, puur voor de zekerheid. Zodra de vonk aansloeg, zou het vuur zich snel verspreiden.

Opeens klonk er een scherpe knal, een geluid van versplinterend glas en een geruis van vlammen toen de fles schoonmaakmiddel openbarstte en de inhoud vlam vatte. Vanaf dat moment was het een kettingreactie. De eerste vlam stak de zak chips aan, die met een explosief gesis afging, als een vuurpijl. Dat verbrijzelde de limonadefles, die een vuurbol van aceton en suiker uitspuwde, die op hun beurt de kurkdroge houtblokken in vuur en vlam zetten.

Carver had zijn kogelvrije vest al aangetrokken, met zijn pistoolholster eronder. De geladen granaatwerper hing op zijn rug. De wapenstok zat in zijn broekzak. De wasbolletjes had hij diep in zijn oren geduwd. Zijn handen, in strakke leren handschoenen, hielden zijn gasmasker vast. Dat was het laatste wat hij zou opzetten.

Inmiddels stond de houtopslag in lichterlaaie en de vlammen dansten tegen de zijkant van het huis omhoog. Op de eerste verdieping stond een raam open en de houten luiken en raamkozijnen en de nylon gaasgordijnen vatten vlam. Zo heimelijk als een geveltoerist glipten de vlammen de kamer binnen. Ook de eiken balken onder de overhangende dakrand begonnen nu te smeulen. Het zou niet lang duren voordat ook die vlam zouden vatten.

66

Het was de bewaker bij de poort die als eerste begreep wat er aan de hand was. Carver zag George's reactie toen hij rook boven het huis zag uitkomen. Hij rende luid schreeuwend de heuvel op. Bij het zwembad richtte Paul zich op één elleboog op om te kijken wat de oorzaak van al die commotie was. Na een paar seconden drong tot hem door wat hij zag en hij sprong overeind en schreeuwde tegen Ringo dat hij wakker moest worden. Yoko begon te gillen. De drie mannen renden naar de zijkant van het huis. Ze verdwenen heel even uit Carvers gezichtsveld en doken toen achter het huis weer op, waar zij naar het vuur stonden te wijzen, terugdeinsden voor de vlammen en elkaar van alles toeriepen.

Boven de keuken werd een raam open gegooid en Bagrat stak zijn hoofd naar buiten. Carver zag de blik van afgrijzen op zijn gezicht toen hij de vuurzee zag. Vervolgens zag hij de uitdrukking van pure paniek op het gezicht van de Georgiër toen hij de flessen propaangas onder zijn raam zag staan. Als die explodeerden, zouden ze het halve gebouw meenemen. Hij schreeuwde een aantal bevelen naar de drie mannen, gooide een sleutelbos uit het raam op de grond en dook toen terug naar binnen.

Carvers hele plan was afhankelijk van wat Bagrat nu zou doen, maar hij had geen tijd om af te wachten wat er zou gebeuren. Hij moest in beweging komen en kon alleen maar hopen dat zijn vijand er dezelfde logica op nahield als hij.

De mannen hadden zich in twee groepjes opgesplitst. George en Ringo probeerden wanhopig de propaancilinders los te koppelen en weg te slepen van het vuur. Dat kon niet goed gaan. Carver wilde de mannen zo ver mogelijk uit de buurt hebben, zowel in hun eigen belang als in het zijne. Hij had verwacht dat ze naar de voorkant van het huis zouden rennen, weg van het vuur. Paul had de sleutels van de grond geraapt en liep naar de Shogun. Carver was van plan geweest de Georgiërs aan te vallen wanneer ze in een groepje voor het brandende huis stonden. Zoals normale mensen zouden doen.

Hij moest snel iets anders verzinnen.

Hij zette zijn gasmasker op en rende zo snel mogelijk door het struikgewas de heuvel af, zonder op het lawaai te letten dat hij maakte. Hij wist dat de mannen nu toch alleen nog maar aandacht hadden voor het vuur.

Hij was op weg naar de scheidingsmuur, halverwege tussen de gastanks en de carport, vrijwel exact tegenover het vuur. De muur was iets meer dan twee meter hoog. Het voelde als de oefenbaan van de mariniers toen Carver omhoog sprong, de bovenkant van de muur greep, zich met zijn voeten afzette en zichzelf over de muur heen rolde en aan de andere kant weer op de grond sprong.

Op het moment dat zijn voeten de grond raakten, pakte hij de granaatwerper en vuurde tweemaal: één keer op de auto en één keer op de gasflessen. Twee pluimen wit gas spoten uit de granaten en vingen de drie mannen in dikke wolken die in hun ogen en keel brandden. De Georgiërs wankelden, duizelig, gedesoriënteerd en kokhalzend, terwijl Carver dwars door de rook heen op hen afkwam en zijn stalen wapenstok meedogenloos liet neerkomen op hun weerloze schedels en nekken.

De mannen bij de gasflessen waren zijn eerste doelwit. Toen zij bewusteloos op de grond lagen, liep hij naar de man bij de auto en sloeg hem op zijn knieën, waar hij kokhalzend en hoestend dubbel klapte tot Carver hem met een gemene tik tegen de zijkant van zijn hoofd neerlegde.

Maar waar waren de autosleutels? Het bewusteloze bendelid had ze niet in zijn handen en in het contactslot zaten ze ook niet. Nu moest Carver op zijn knieën vallen en blindelings over de grond tasten, door het heldere plastic van zijn gasmasker turend terwijl zijn handen door het zand en de rommel op de grond graaiden. Het leek een eeuwigheid te duren voordat zijn vingers zich om de plastic sleutelring sloten en hij op kon staan en naar de Shogun kon rennen.

Hij startte de motor en gaf gas, reed de oprijlaan af en sloeg vervolgens links af naar het kleine grindplaatsje voor het huis. Daar stond Bagrat te wachten, met de twee vrouwen. Yoko droeg nog steeds de bikini waarin ze bij het zwembad had gelegen, terwijl Linda de slaapkamer uit was gevlucht in niet meer dan een slipje en een deken, die ze om haar schouders had geslagen en stevig voor haar borsten hield. Bagrat had niet veel meer aan. Zijn bovenlichaam was naakt en hij liep op blote voeten. Hij droeg alleen een spijkerbroek. In zijn rechterhand hield hij een pistool. Maar het goede nieuws voor Carver was de aktetas die met een ketting aan Bagrat linkerpols zat bevestigd.

Hij zag hem toen hij de hoek om kwam en wist meteen wat er moest gebeuren. Met zijn rechterhand aan het stuur bracht hij de Shogun in een regen van opspattend grind tot stilstand. Tegelijkertijd trok hij met zijn linkerhand een van de stungranaten uit zijn vest. Hij trok met zijn tanden de slagpin eruit en smeet de hexagonaal geperforeerde stalen koker uit het autoraampje, terwijl hij bukte en zijn ogen stijf dichtkneep.

De Britse speciale eenheden, voor wie stungranaten oorspronkelijk waren ontworpen als een middel om gijzelnemers te overmeesteren, noemden ze altijd 'flitsboems', een term die de lading exact dekt. De granaat ontplofte voor de drie Georgiërs met een oogverblindende lichtflits, die gelijkstond aan de gloed van meer dan honderdduizend standaard-60-wattlampjes voor huishoudelijk gebruik, en dat op nog geen meter afstand van hun onbeschermde oogbollen. Tegelijkertijd kwam er een knal uit die acht keer zo hard was als het geluid van de straalmotor van een gevechtsvliegtuig. Carver wist wat er komen ging en had zijn maatregelen genomen, maar zelfs hij was een paar seconden volkomen versuft. Bagrat en de vrouwen leken door de bliksem getroffen.

De twee vrouwen zaten zonder iets te zien of horen op de grond met lege, zombieachtige uitdrukkingen hun gezicht. Linda's deken was van haar schouders gevallen, maar haar naaktheid kon haar niets schelen, of ze had het gewoon niet in de gaten.

Bagrat was er niet veel beter aan toe. Hij zat op zijn knieën en probeerde overeind te komen, maar zijn ledematen weigerden te doen wat hij wilde. Zijn pistool zwaaide heen en weer in zijn hand, terwijl hij zijn bovenlichaam van de ene kant naar de andere draaide, blindelings op zoek naar zijn aanvaller. Opeens ging het wapen af en knalde er een kogel door de achterruit van de Shogun. Carver was meteen weer bij zijn positieven, trapte het portier open en liet zich naar buiten vallen. Hij krabbelde over het grind naar Bagrat en probeerde daarbij zo dicht mogelijk bij de grond te blijven, want hij hoorde nog drie willekeurige, ongerichte schoten. Eén ervan floot over zijn hoofd. Een andere ketste af van de stenen trap die van het huis naar het zwembad leidde. De derde kogel trof Linda vol in haar keel, scheurde haar luchtpijp aan flarden en bleef steken in haar ruggengraat. Ze viel op haar rug en bleef hulpeloos op de grond liggen terwijl het bloed uit de gapende, borrelende wond spoot als water uit het spuitgat van een walvis.

Ze zou er waarschijnlijk wel even over doen om te sterven, maar er was niets wat Carver of wie dan ook nog voor haar kon doen. Hij concentreerde zich op Bagrat, woedend dat zijn pogingen om te voorkomen dat er doden zouden vallen op niets waren uitgelopen, een woede die zich uitte in de felheid waarmee hij de man met zijn wapenstok drie keer snel achter elkaar tegen zijn hoofd sloeg. Toen hij hem had uitgeschakeld, pakte Carver Bagrats hand met het pistool, richtte het wapen op de stervende vrouw, hield Bagrats vinger op de trekker en loste nog een schot. De kogel drong haar schedel binnen, zodat zij op slag dood was en uit haar lijden was verlost.

Carver kwam even in de verleiding het pistool op Bagrat zelf te gebruiken. Maar de onnodige dood van de vrouw had hem al misselijk genoeg gemaakt. Hij had geen enkele behoefte aan nog meer koelbloedig moorden. In plaats daarvan hield hij het wapen, nog steeds in Bagrats rechterhand, tegen de ketting die de aktetas met zijn linkerpols verbond. Hij vuurde nog één kogel af, brak de ketting en greep toen de loop van het pistool en smeet het in de struiken bij het zwembad. Als de politie kwam, zouden ze het daar vinden, met Bagrats vingerafdrukken erop, kruitsporen op zijn handen en twee bijbehorende kogels in het lichaam van de dode vrouw.

Hij pakte de tas en stond op. Er waren ongeveer vijftien seconden verstreken sinds de ontploffing van de stungranaat. De effecten zouden nog ongeveer een minuut aanhouden. De andere drie mannen zouden nog maximaal twintig minuten last hebben van het traangas. Maar wanneer ze allemaal weer bij hun positieven waren, zouden het vier kwaaie Georgiërs zijn. Intussen zou het niet lang meer duren voordat er politiewagens en brandweerwagens vanuit Tourrettes-sur-Loup kwamen aanrijden, gealarmeerd door de vlammen die zich inmiddels door het hele huis verspreid hadden en zwarte rookwolken de lucht in zonden. Het was tijd om ertussenuit te knijpen.

Carver pakte de granaatwerper uit de Shogun en hees hem weer op zijn rug. Hij verzamelde de granaathulzen en rende naar de achterkant van het huis. Het traangas was vervlogen, maar de drie mannen waren niet bij machte Carver tegen te houden toen hij langs hen heen rende. Hij raapte de granaat op die was afgegaan bij de carport, maar de andere, bij de propaanflessen, lag te dicht bij de vlammen die nu aan de twee rode metalen kokers begonnen te lekken. Binnen een paar tellen zouden ze ontploffen en dat besef bezorgde Carver een adrenalinestoot die hem in staat stelde over de muur te springen en zo snel mogelijk de heuvel af te rennen, weg van het huis.

Hij had een afstand van ongeveer honderd meter afgelegd toen de gasflessen explodeerden. De oorverdovende knal leek de lucht te veranderen in een massieve, ondoordringbare kracht die Carver in zijn rug trof, hem van de grond tilde en tegen de stam van een boom aan smeet, waar hij even bleef liggen, beurs en buiten adem, terwijl er een vlaag van takjes en blaadjes over hem heen werd geblazen. Toen bereikte de ontploffing de uiterste grens van haar bereik en implodeerde weer terug, de lucht uit zijn longen zuigend totdat de storm eindelijk ging liggen.

Zijn lichaam deed overal pijn. Zijn hersenen voelden bont en blauw aan in zijn schedel, alsof hij zojuist tien rondes met een zwaargewicht had gebokst. Toen hij opstond en keek hoe een vuurbol waarbij alle eerdere vlammen in het niet verdwenen boven de geblakerde ruïne van het huis uitsteeg, testte hij zijn ledematen op gebroken botten en merkte tot zijn eigen verbazing dat hij nog kon lopen en zelfs rennen, aanvankelijk heel voorzichtig, maar daarna steeds zelfverzekerder.

Carver mankeerde niets, maar hij moest er niet aan denken wat er met de hulpeloze, versufte mannen was gebeurd die zich slechts enkele meters van de explosie hadden bevonden, of met de honden die slaperig van de valium in hun kooien hadden gelegen. Waarschijnlijk was er niets meer van hen terug te vinden.

67

Kurt Vermulen zat met de burgemeester van Antibes te praten toen zijn mobieltje luid piepte en er een mededeling op het schermpje verscheen, die hem vertelde dat hij een sms'je had. Hij verontschuldigde zich bij de burgemeester, die aangaf dat hij het absoluut niet erg vond, niet van zo'n belangrijke gast als *monsieur le général.*

Vermulen drukte hulpeloos op een paar toetsen van zijn mobiele telefoon, maar gaf het toen op, met een zucht die de ander duidelijk maakte dat het voor een beschaafd man in deze tijd toch onmogelijk was om al die nieuwigheden bij te houden. De burgemeester grinnikte begrijpend.

Met een blik van vrouwelijk plezier om de onhandigheid van hulpeloze mannen nam Alix de telefoon uit Vermulens hand. 'Kom, laat mij maar,' zei ze. Haar vingers gleden behendig over de toetsen en de boodschap verscheen op het schermpje.

'Het is Wynter,' zei ze. 'Hij zegt dat hij om zeven uur in het hotel kan zijn voor een drankje.'

Vermulen keek op zijn horloge. 'Dan hebben we nog tijd genoeg,' zei hij. 'Maar het zit me nog steeds niet lekker. Weet je zeker dat je dit wilt doen? Hij kan moeilijk klagen als ik zelf kom opdagen. Zeker vandaag niet...'

Hij keek uit het raam van de werkkamer van de burgemeester. Het stadhuis, met zijn zachtroze muren en witte luiken, keek uit over de Cours Masséna, midden in het oudste gedeelte van de stad. Het plein stond elke dag vol marktkraampjes met vers gevangen vis, of fruit en groenten die rechtstreeks van de boerderijen in de Provençaalse heuvels kwamen. Aan de overkant van het plein stond de Notre Dame. De zee lag op een steenworp afstand.

Alix stak haar arm door de zijne en gaf er een geruststellend kneepje in. 'Maak je niet druk,' zei ze. 'Dat kan ik best. Daarom ben ik hier toch...'

Vermulens ogen lichtten op met een blik van oprechte genegenheid. De burgemeester, die dit zag, glimlachte.

'Ja,' zei Vermulen, Alix even tegen zich aan drukkend. 'Ik weet het. Jij kunt eigenlijk alles.'

Toen keek hij weer op zijn horloge.

'Goed,' zei hij, 'dan moesten we maar eens gaan...'

'*Bien sûr, mon général,*' antwoordde de burgemeester.

68

Het uitzicht vanuit de Dauphin-helikopter naar Tourrettes-sur-Loup, dat nog vijf kilometer weg lag, was spectaculair: een verzameling ruwe stenen muren en pannendaken tegen een V-vormig vooruitspringend klif. De gebouwen klampten zich aan de rand van de kliffen vast als een kolonie lemmingen, die elkaar uitdaagden de sprong te wagen. Maar Platon, die op de plek van de copiloot zat, had geen enkele belangstelling voor de esthetische waarde van het plaatsje. Zijn enige zorg was de oriëntatiepunten die hij zag te combineren met de kaart in zijn handen. Hij had de coördinaten gekregen van het huis waar de Georgiërs zich verborgen hielden. Nu moest hij het nog zien te vinden.

Toen zag hij de rookpluim halverwege de berghelling, keek nog eens op de kaart, en zag dat zijn probleem was opgelost. Het vuur was een baken, exact op de plek waar hij had verwacht hun bestemming te vinden. Maar ze waren te laat. Tenzij die stomme boeren er op de een of andere manier in waren geslaagd hun eigen huis in de fik te steken, was de Amerikaanse dief hem voor geweest.

'Naar die rook toe!' zei hij tegen de piloot. 'En snel!'

Ze vlogen parallel aan de vallei aan de voet van de Puy de Tourrettes. Nu veranderde de piloot van koers en zette de daling in. Ze gingen regelrecht op de rook af toen die opeens werd overschaduwd door een explosie die een vuurbol de lucht in schoot in een uitbarsting van kronkelende, hoog opspuitende vlammen.

Platon spuwde een hele serie Russische krachttermen in de koptelefoon en draaide zich toen om in zijn stoel, naar de vijf mannen die achter hem zaten. Ze waren allemaal uitgerust met kogelvrije vesten en automatische wapens met bolvormige geluiddempers op de loop. Dit waren Platons beste mensen, geharde veteranen die samen met hem in Afghanistan hadden gevochten, of hadden deelgenomen aan de wrede campagnes tegen de guerrillastrijders in Tsjetsjenië.

'We zijn er over een halve minuut. Jullie tweeën gaan als eersten naar buiten, zoeken dekking en maken je klaar om rugdekking te geven. De rest gaat met mij mee.'

Toen hij het huis naderde, begon de piloot naar een plek te kijken waar hij zijn machine aan de grond kon zetten. Hij probeerde nerveus het vuur en de rook te ontwijken die het huis in hun greep hadden. Van dichtbij zag Platon dat er een enorme hap was genomen uit de achterkant van het huis, waar de explosie moest hebben plaatsgevonden. Hij zag maar drie mensen, twee vrouwen en een man, verspreid over het terrein voor het huis, niet ver van een SUV.

De man stond over een van de vrouwen gebogen en schudde haar aan haar schouders heen en weer. Hij leek geen erg te hebben in de nadering van de helikopter. Pas toen het toestel nog geen dertig meter bij hem vandaan amper twee meter boven de grond hing, keek hij om, kneep zijn ogen halfdicht en schudde zijn besnorde gezicht heen en weer. Hij stond op, maar deed geen poging om te vluchten. Hij leek verbijsterd door alles wat er om hem heen gebeurde.

De Dauphin hing met de cockpit in de richting van het huis en het neuswiel op de grond. Omdat de helling zo steil was, hield de piloot de rotoren draaiende, half boven de grond hangend, zodat zijn toestel volledig horizontaal bleef, met de achterwielen los van de grond.

De eerste twee mannen schoven de passagiersdeur open, sprongen eruit en renden gebukt over het terrein, alvorens zich plat op de grond te laten vallen en hun wapens op de man te richten. Hun drie kameraden volgden hen. Zij renden naar de neus van de helikopter en gaven Platon dekking toen hij uit het toestel sprong. Toen liepen zij alle vier naar de man, de voorste drie met hun geweren tegen hun schouder, klaar om te schieten.

De man droeg geen wapen. Ze konden nu wel zien dat de vrouw naast hem dood was, in haar keel en hoofd geschoten. Op een slipje na was ze helemaal naakt. De andere vrouw, die net zo weinig van hun komst leek te merken als de man, droeg een bikini. De man had alleen een spijkerbroek aan. Hij keek hen een paar tellen wazig aan, alsof hij niet goed kon zien, en boog zich toen, heel onverwacht, voorover, sloeg zijn handen voor zijn gezicht en begon te snikken.

'Godallemachtig...' mompelde Platon, die na zoveel jaren te zijn blootgesteld aan de gevolgen van oorlog nog steeds geen geduld had met mensen die onder druk instortten. Nu hij vlak bij het jammerende wrak stond kon hij zien dat de man voldeed aan de beschrijving van Bagrat Baladze. Dus deze huilebalk moest een bendeleider voorstellen. Geen wonder dat hij zo'n gemakkelijk doelwit was geweest. Hij had het wel heel snel opgegeven. Iemand had hem een paar flinke klappen tegen zijn hoofd verkocht, maar verder had hij geen schrammetje.

Platon greep hem bij zijn keel. 'Ben jij Baladze?' vroeg hij.

De Georgiër keek hem niet-begrijpend aan, fronste toen en probeerde zijn schouders op te halen.

Platon gaf hem een klap in zijn gezicht. 'Ben... jij... Baladze?' herhaalde hij, zijn stem strak van woede.

Er verscheen een blik van paniek in de ogen van zijn gevangene. Hij wees met zijn wijsvingers naar zijn oren en schudde zijn hoofd. 'Hoor niks...' piepte hij, en toen: 'Ik geloof dat ik haar heb gedood. Maar ik weet niet hoe... Ik weet het niet... O, god...'

Hij begon weer te huilen en zijn gezicht leek in Platons handen te verschrompelen, betraand en snotterend als dat van een kind.

Toen Baladze zijn handen had opgetild, had Platon de handboei al gezien die nog aan zijn linkerpols zat, met de ketting er los aan. Hij greep de ketting en trok hem omhoog, de pols meetrekkend. Hij moest hem vlak voor Baladzes neus houden voordat de Georgiër hem kon zien.

Platon liet de ketting rammelen. Zijn onuitgesproken vraag lag voor de hand.

'Hij is weg,' zei Baladze. 'Iemand heeft hem meegenomen. Ik heb hem niet gezien. Kon niks zien... niks horen... zo hard...'

Platon gaf een van zijn mannen een teken. 'Vraag het aan die meid. Misschien heeft zij gezien wat er is gebeurd.'

Aan de bruinharige vrouw hadden ze net zo weinig als aan haar baas: net zo doof, net zo blind. Toen ze begreep dat haar blonde vriendin dood was, begon zij ook te jammeren.

Vervolgens richtte Platon zijn aandacht op de SUV. Die had een duidelijk spoor achtergelaten, waaraan hij kon zien dat hij met hoge snelheid de heuvel af was gekomen, een scherpe bocht had gemaakt en vervolgens slippend tot stilstand was gekomen. Degene die erin had gereden moest Baladze hebben verrast: hij had geen aanval van boven aan de heuvel verwacht, op zijn eigen terrein.

Platon realiseerde zich dat de aanvaller een stungranaat moest hebben gebruikt om Baladze en de twee vrouwen uit te schakelen voordat hij datgene wat er aan die handboei bevestigd had gezeten eraf haalde. Waarschijnlijk was het een koffertje geweest of zoiets. Als Baladze het belangrijk genoeg had gevonden om het aan zijn lichaam te ketenen, moest de inhoud wel waardevol zijn geweest. Dat document dat Zhukovskaya wilde hebben moest erin hebben gezeten. Maar dat kwam dadelijk wel; eerst moesten ze de rest van het terrein veiligstellen. De eerste twee mannen lagen nog steeds in positie. Platon maakte hun met snelle handgebaren duidelijk dat zij naar de achterkant van het huis moesten gaan en rapport moesten uitbrengen van wat zij daar aantroffen. Toen wendde hij zich weer tot Baladze.

De effecten van de granaat moesten nu wat gaan afnemen. Hij bracht zijn mond tot vlak bij het oor van de Georgiër en riep: 'Kun je me horen?'

Baladze probeerde niet-begrijpend te kijken, maar een schittering in zijn ogen, een onwillekeurig teken dat hij Platons woorden had verstaan, verraadde hem.

'Dat dacht ik al,' zei Platon. 'Goed... wat zat er in het koffertje?'

'Welk koffertje?'

Platon stompte hem keihard in zijn maag. Toen trok hij zijn hoofd aan zijn haren omhoog. 'Het koffertje dat aan die ketting heeft vastgezeten,' zei hij.

Baladze piepte en hapte naar lucht. Platon bleef zijn haar vasthouden. Hij gaf er een ruk aan en trok Baladzes hoofd op en neer.

'Nou?'

Voor het eerst toonde Baladze wat lef. Hij spuwde een klodder speeksel op Platons borst. Platon glimlachte.

Toen gaf hij Baladze een knietje in zijn kruis.

Platon hield Baladzes hoofd nog steeds vast. Dus toen deze automatisch dubbel sloeg, werd zijn hoofd, heel pijnlijk, op zijn plek gehouden.

De pijn zou nog veel erger worden. Platon stak twee vingers in Baladzes ogen. Drie van de gevoeligste plekken van zijn lichaam bezorgden hem nu tegelijkertijd helse pijnen. Baladze jankte en kronkelde, wat het trekken aan zijn haar alleen maar erger maakte. Hij zakte door zijn knieën, maar Platon trok hem weer omhoog. Hij gilde het uit.

Toen het gekrijs was weggestorven, herhaalde Platon zijn vraag. 'Wat zat er in het koffertje?'

'Een lijst...' jammerde Baladze.

'Wat voor lijst?'

'Lijst met bommen.'

Platon vernauwde zijn ogen tot spleetjes. Hij boog zich naar voren en trok Baladzes hoofd naar zich toe tot hun gezichten nog geen handbreedte van elkaar verwijderd waren. 'Wat voor bommen?'

Baladze liet zijn schouders hangen. 'Nucleaire bommen, oude Sovjetbommen... verspreid over de hele wereld... honderd stuks.'

Van pure verbazing liet Platon hem los. Geen wonder dat die uitgedroogde ouwe heks zo geheimzinnig had gedaan. In Moskou zouden ze het wel in hun broek doen. De voormalige heersers over een machtig rijk, die de hulp van gangsters moesten inroepen om hun smerige geheimpjes te redden: als je een bewijs wilde hebben van hoe alles was veranderd, dan was dit het wel. Maar het was wel een kans voor hem. Als hij dat koffertje terug kon krijgen, of het zou vernietigen en vervolgens bluffen dat hij het had, zou hij in een bijzonder machtige positie verkeren.

Maar waar was de dief gebleven?

Zonder acht te slaan op Baladze, die nu in foetushouding voor zijn voeten op de grond lag, verplaatste Platon zich in de positie van de dief. Hij was van de achterkant van het huis gekomen: waarom? Omdat hij ergens boven op de heuvel de boel in de gaten had gehouden, dat was wel duidelijk. Dus waar was hij naartoe gegaan? Platon keek de oprit af naar de voorkant van het terrein. De poorten waren nog gesloten. Dus die kant was hij niet op gegaan. Daar zat ook wel wat in: waarom zou je eventuele politie tegemoet gaan? De meest voor de hand liggende vluchtroute was zoals hij hier ook was gekomen. Gezien Baladzes toestand was het allemaal nog maar net gebeurd. En er waren hooguit drie minuten verstreken sinds die explosie de lucht had verscheurd.

Platon tuurde omhoog langs de Puy de Tourrettes. Die man zat ergens daarboven, of was op dit moment bezig zich als de sodemieter uit de voeten te maken. Hij kon nog worden ingehaald.

'Dood haar,' zei hij tegen zijn soldaat die bij de brunette stond.

Er klonken drie droge plofjes toen de 9mm-kogels een einde maakten aan haar leven.

Zelf pompte Platon twee kogels in Baladze.

Inmiddels hadden zijn mannen zich om hem heen verzameld.
'Niets te zien,' zei een van de mannen die naar de achterkant van het huis waren gestuurd.
'Dan kunnen we weg,' zei Platon. 'Terug naar de helikopter. Snel!'
Hij rende naar de helikopter, rukte de deur open, hees zich op de stoel van de copiloot en zette de koptelefoon op.
'Vlug!' riep hij. 'Langs de berg omhoog. We gaan op jacht!'

69

Carver hoorde de helikopter pas toen die bijna boven hem vloog, slechts een paar honderd meter bij hem vandaan. Die ellendige oordopjes ook! Hij trok de wasbolletjes uit zijn oren en onmiddellijk hoorde hij het oorverdovende lawaai van de rotoren. Hij rende naar de beschutting van de dichtstbijzijnde boom, drukte zich tegen de stam aan en bleef doodstil staan terwijl de helikopter over hem heen vloog en uit het zicht verdween.

In het voorbijgaan had Carver de open deuren gezien en de mannen die eruit hingen om het terrein onder zich af te speuren. Ze zochten hem. Maar wie waren het? Het was een burgertoestel, niet van de politie of het leger.

Het moest Vermulen zijn. Die gluiperige Yank was op zijn afspraken teruggekomen. Hij wilde zichzelf een half miljoen besparen en elk risico op ontdekking vermijden door zich te ontdoen van een ingehuurde man die hij niet kon vertrouwen. Nou, dat had Carver vaker meegemaakt.

Het geluid van de helikopter stierf weg, maar nam weer in volume toe toen het toestel draaide en terugkeerde naar de met bomen begroeide helling, ditmaal iets verder heuvelopwaarts. Hij zocht het hele terrein af, heen en weer, als een tuinman die het gras maait.

Wie het ook waren, ze wisten dat hij hier moest zijn. Zodra ze hem zagen, zouden de jagers worden afgezet en te voet achter hem aan komen. Vermulen had aan het hoofd gestaan van een regiment Amerikaanse legercommando's, dus hij zou alleen de allerbeste mensen kiezen, en hen voorzien van de allerbeste uitrusting. Carver was in zijn tijd ook heel, heel goed geweest, maar hij was nog steeds niet honderd procent fit. Tenzij hij ongelooflijk veel geluk had, of zij opeens alles zouden vergeten wat ze ooit hadden geleerd, zouden ze hem uiteindelijk te pakken krijgen.

Hij had echter één voordeel. Vermulen kon het zich niet permitteren het document kwijt te raken dat, naar hij vurig hoopte, in Bagrats aktetas zat. In feite hield hij dus een kostbaar document in gijzeling. Hij moest zich dus in een situatie manoeuvreren waarin hij niet kon worden aangevallen zonder dat de veiligheid van zijn gijzelaar in gevaar werd gebracht. In zijn auto bij voorbeeld.

Hij wachtte bewegingloos tot het geluid van de helikopter weer wegstierf en sprintte toen regelrecht naar de plek waar de Audi op hem stond te wachten, vlak naast het pad, met zijn neus naar de voet van de berg.

Twee keer moest hij stoppen en wachten tot de helikopter weer over hem heen was gevlogen. Maar toen was hij er. Hij schoof de grote granaatwerper op de passagiersstoel en ging achter het stuur zitten.

Toen hij het pedaal intrapte, kwam de 4,2 liter-motor brullend tot leven. De vier wielen draaide een fractie van een seconde in de losse aarde, tot ze houvast vonden, zodat de wagen naar voren schoot, het pad op dat schuin de heuvel af liep alvorens de hoogte te bereiken waarop het overging in een echte weg.

Carver had zijn auto bereikt op het moment dat de helikopter het verste punt van zijn zoekgebied bereikte. Hij had nog geen vierhonderd meter gereden, toen het toestel weer omdraaide en zijn richting op kwam. Een paar tellen later werd hij gezien. De helikopter schoot naar voren als een roofvogel die zijn prooi ziet. Carver zag hem in zijn spiegels opdoemen, laag boven de boomlijn, en voelde een golf adrenaline toen hij zijn voor autorally's gemaakte wagen nog sneller over het hobbelige, onverharde pad liet razen.

Zelfs met zijn veiligheidsgordel om werd hij heen en weer geschud als een gedroogd erwtje in een fluitje. De Audi stortte zich in kuilen, slingerde heen en weer en sprong hoog op bij het raken van uitstekende keien en boomwortels of plotselinge gaten in de weg. De harde klappen van massieve aarde, steen en hout tegen de onderkant van de wagen maakten een oorverdovende herrie die het geluid van de motor, het angstaanjagende geknars van de overbelaste versnellingsbak en het geluid van ronddraaiende rotorbladen een paar meter boven zijn hoofd bijna overstemde.

Maar niet het scherpe geknal van geweervuur, of het geluid van kogels die glas verbrijzelden en de carrosserie openscheurden: dat hoorde Carver wel.

De piloot vloog over en om de auto heen om de beste positie te vinden voor de schutters. Er werd van één kant van de helikopter geschoten, als de boordbatterij van een ouderwets oorlogsschip. Maar zolang hij naast Carvers auto vloog, parallel aan het pad, ontnamen de bomen aan weerskanten de schutters een vrij schootsveld. Maar er was nog een andere manier. De piloot verhoogde zijn snelheid, vloog een paar honderd meter voor de auto uit, maakte toen een draai van negentig graden en bracht het toestel abrupt tot stilstand, zodat hij pal boven het pad bleef hangen, vlak voor de aanstormende wagen.

De hele voorruit leek zich te vullen met de aanblik van de helikopter, zijn open deuren en de mannen die een salvo voorbereidden dat Carver vol zou treffen. Hij reed meer dan honderddertig kilometer per uur, en naderde de in de lucht hangende helikopter met een snelheid van bijna veertig meter per seconde. De mondingen van de lopen van de halfautomatische geweren lichtten op als een muur van paparazziflitslampen. De aarde voor de auto werd opengereten door de kogels. Hij hoorde en voelde de inslagen toen andere kogels een koplamp raakten, een buitenspiegel vernielden en van de flanken van de Audi afketsten.

Wonder boven wonder werd Carver niet geraakt, maar zoveel geluk zou hem niet veel langer beschoren zijn. Als een waanzinnige op een zekere dood afstormen hoorde toch wel in hetzelfde rijtje thuis als de charge van de lichte brigade. Dus deed Carver wat de lichte brigade destijds niet kon. Hij staakte de charge.

Hij rukte het stuur hard naar links, trapte op zijn rem, maar bleef volop gas geven terwijl de achterkant van de auto wegdraaide, even weg dreigde te glippen op het onverharde pad, maar toen zijn greep weer hervond. In een fractie van een seconde was de wagen negentig graden gedraaid en stond nu met zijn neus heuvelafwaarts, in de richting van het bos.

Carver liet het rempedaal los en de wagen stoof weg. Nu kon de helikopter niet meer bij hem komen. Maar de bomen die hem beschermden vormden zelf ook een dodelijke dreiging. Zichzelf dwingend om zijn voet niet van het gaspedaal te halen, al zijn instincten negerend die hem vertelden snelheid te minderen en voorzichtig te zijn, stortte hij zich in een gemotoriseerde slalom de berg af, zigzaggend tussen de bomen die hem bij de geringste misrekening een zekere dood in het vooruitzicht stelden. De bodem was hier ruwer en minder compact en bood weinig houvast aan zijn wielen. Zijn stuur was zo goed als nutteloos. Hij moest op zijn remmen en versnellingen navigeren, zonder acht te slaan op de laaghangende takken die tegen zijn voorruit en dak sloegen en biddend dat de struiken en jonge boompjes waar hij dwars doorheen reed geen serieuze tegenstand konden bieden.

En toen zag hij een eind verderop het geboomte dunner worden en de zon ertussendoor schijnen en wist hij dat zijn problemen nog maar net waren begonnen.

Het zou al erg genoeg zijn geweest als dit het licht was van een open plek in het bos, waar hij een makkelijk doelwit zou zijn voor de helikopter, die boven de bomen nog steeds met hem meevloog. Maar wat zich voor hem bevond was geen open plek in het bos, maar de bijna verticale wand van een diepe bergkloof. Een hang-glider kon van het klif af springen en in sierlijke spiralen afdalen naar de riviervallei in de diepte. Met een auto zou dat fataal zijn.

Carver had zichzelf één kans op overleving gegeven. De bergweg zat vastgeplakt tegen de wand van de kloof en liep zigzaggend omhoog in een harmonica-achtige reeks haarspeldbochten. Maar de weg was slechts een paar meter breed en bood weinig hoop op een veilige landing voor een auto die er met hoge snelheid dwars op terechtkwam. Carver draaide de Audi weer naar links om een andere naderingshoek te kiezen, zodat hij diagonaal op de weg terecht zou komen.

Nog een paar bomen om te ontwijken en een laatste struik om plat te rijden en toen scheen de middagzon door zijn voorruit naar binnen en vloog Carver door de lucht, niet langer als een chauffeur, maar meer als een piloot die zijn toestel veilig aan boord van een vliegdekschep probeert te brengen, aan alle kanten omringd door een oceaan van dood.

Onder Carvers wielen stortte de weg zich in een hoek van honderdtachtig graden heuvelafwaarts. Hij moest op tijd op het asfalt staan om te kunnen remmen en keren, maar hij vloog te snel door de lucht en de wagen wilde niet snel genoeg dalen.

Hij kon nu over de rand kijken, naar de diepte erachter.

Nog steeds weigerde de auto de wetten van de zwaartekracht te gehoorzamen.

De metalen vangrails die de bocht beveiligden kwamen steeds dichterbij. Hij leek er nog maar centimeters van verwijderd.

En toen raakten de wielen het wegoppervlak.
Carver stuurde hard naar rechts, trapte op de remmen, hoorde de achterwielen gierend protesteren en prevelde een bedankje aan de uitvinder van de vierwielaandrijving toen de wagen zijn commando's opvolgde en greep kreeg op het o zo welkome asfalt. Hij had weer vaste grond onder zijn wielen. Nu kon hij hard en snel rijden over een echte, verharde weg.
Maar de helikopter wachtte hem op.
Hij hing misschien vijftig meter van de bergwand in de lucht. En aan de lichtflitsen uit de geweerlopen te zien hadden de mannen die erin zaten nog volop munitie.
Opnieuw kwamen de bomen Carver echter te hulp. Ze stonden aan weerskanten van de weg en gaven hem dekking. En ditmaal kon de helikopter niet zo dichtbij komen dat hij hem de weg kon afsnijden. Als hij dat deed, zouden de rotoren de rotswand raken. Een halve minuut lang verkeerden de twee machines in een soort patstelling, terwijl Carver vier duizelingwekkende bochten nam. Maar beide kanten wisten dat hier snel een eind aan zou komen. De berg begon af te vlakken en het zou niet lang duren voordat Carver zich weer op open terrein zou bevinden, waar de achtervolging zich in alle hevigheid zou voortzetten.
Hij wist nu dat, wie er ook in die helikopter zaten, ze niets te maken hadden met Kurt Vermulen. Ze wilden geen gestolen document in handen krijgen. Ze wilden het vernietigen, en hem erbij.
Carver vroeg zich af wie er belang bij had kostbare documenten te vernietigen die oorspronkelijk van de Russische overheid waren gestolen. Hij dacht aan de enig bekende verrader binnen Vermulens organisatie, en het bureau waarvoor zij had gewerkt – en waarschijnlijk nu weer werkte. Toen glimlachte hij wrang om de ironie van dit alles. Hier zat hij nu, zijn leven wagend om bij Alix te komen terwijl zij er, zonder het te weten, aan meewerkte om hem te vermoorden.

70

In de cockpit van de Dauphin-helikopter sloeg Platon met zijn linkerhand op het controlepaneel om uiting te geven aan zijn woede en frustratie. Deze hele missie was van begin tot eind een mislukking geweest. Het was allemaal veel te haastig gebeurd, met veel te weinig informatie. Niemand, hijzelf incluis, had alles goed doordacht en nu liep alles voor zijn ogen in het honderd.

De bestuurder van die auto was een maniak, wiens drang tot het nemen van risico's slechts werd geëvenaard door zijn wil om te overleven. Hij had inmiddels allang aan flarden moeten zijn geschoten door kogels, verpulverd moeten zijn door een boom of verpletterd door een val van tweehonderd meter, en toch reed hij daar nog steeds, als een bezetene tussen de villa's en boerderijen door racend waarmee de lagere hellingen bezaaid waren. Maar waar racete hij naartoe? Hij moest toch weten dat hij er nooit in zou slagen een helikopter te snel af te zijn?

Toen de weg van de berg omlaag de grote route van Vence naar Grasse kruiste, was de Audi rechts afgeslagen, in westelijke richting. Het was in beide richtingen een drukke weg. Platon kwam wel even in de verleiding er toch op los te knallen, met het idee dat overige verkeersdoden ruimschoots de moeite waard waren als hij daarmee ook de Audi kon uitschakelen. In Rusland zou hij naar die logica hebben gehandeld. Daar maakten bendeoorlogen zozeer deel uit van het dagelijks leven en stond de politie zo machteloos door gebrek aan middelen en had zijn bende zulke goede contacten bij de overheid dat hij er waarschijnlijk wel mee weg was gekomen. Maar dit was Frankrijk, waar de politiemacht heel sterk was en zijn politieke invloed nihil. Boven op de berg, met niemand in de buurt, hadden hij en zijn mannen kunnen schieten wat ze wilden. Hier beneden lag dat anders.

Bovendien was de man die ze achtervolgden heel sluw. In plaats van keihard over de weg te racen en het risico te lopen een ongeluk te veroorzaken waarbij zijn auto in brand zou vliegen, gebruikte hij andere voertuigen als schilden. Steeds als hem geen tegenliggers tegemoetkwamen, verschool hij zich achter een auto of vrachtwagen die dezelfde richting op ging. Vervolgens ging hij er dan weer met een noodgang vandoor en gebruikte de tegenliggers als schild.

Vroeg of laat echter, zou hij weer alleen zijn. Voor Platon was het slechts een kwestie van geduld hebben totdat dat moment aanbrak, en de wegenbouwers van de Provence leken te hebben samengespannen om hem het leven makkelijker te maken. Want nu ging de weg over in een reusachtige haarspeld. Hij liep langs één kant van de vallei naar het noorden, alvorens de rivier over te steken die door de vallei liep en vervolgens terug te keren in de richting waaruit hij gekomen was en aan de overkant van de vallei in zuidelijke richting verder te lopen. Als de helikopter in het midden van de haarspeld bleef hangen, kon hij de auto van alle kanten onder schot nemen.

Platons mannen openden wel vijf, zes keer het vuur terwijl de Audi slingerend en zigzaggend over de weg reed. Steeds bleef de auto rijden, geraakt, maar niet total loss. En toen, net op het moment dat Platons frustratie een hoogtepunt bereikte, gebeurde er een wonder.

De weg naderde opnieuw een belachelijk pittoresk dorpje, boven op een steil klif. Platon keek op zijn kaart. Het plaatsje heette Le Bar-sur-Loup. Net buiten het dorp stond een viaduct dat een deel van de vallei overbrugde in een ritmische, regelmatige lijn van stenen bogen. Er reden geen auto's op het viaduct, maar er stonden er wel een paar op een parkeerplaats er vlak voor. Platon zag enkele mensen de vallei in wandelen om het uitzicht te bewonderen.

Hij zag de Audi eveneens de parkeerplaats op rijden. Hij zag de bestuurder uitstappen, met iets groots tegen zijn borst geklemd. Zijn hoofd zag er misvormd uit, alsof het ergens door werd bedekt. De man begon te rennen en draaide zijn schouders weg, zodat het voorwerp in zijn armen half verscholen was en vanuit de helikopter niet te identificeren was. Platon ging ervan uit dat dit het bewuste koffertje moest zijn.

Een paar tellen lang werd de rennende man verborgen door een groepje bomen, maar toen kwam hij weer tevoorschijn en rende regelrecht naar het midden van het viaduct.

De man stond vlak naast de stenen balustrade. Nu was goed zichtbaar dat hij een gasmasker droeg. Platon veronderstelde dat hij niet herkend wilde worden door de mensen om hem heen. De Rus glimlachte: prima, de identificatie zou hij aan de patholoog overlaten.

De man zette wat hij in zijn armen had gedragen op de grond, achter de balustrade en hief toen een pistool in de lucht. Platon kon door het lawaai van de rotoren de schoten niet horen, maar nam aan dat ze wel degelijk waren gelost, want de andere mensen op het viaduct begonnen alle kanten op te rennen.

Platon probeerde te bedenken waar de man mee bezig was. Dacht hij soms dat hij met een pistool een hele helikopter vol gewapende mannen kon neerhalen? Of hoopte hij de een of andere deal te kunnen sluiten? Als hij werkelijk het koffertje had dat Bagrat Baladze aan zijn pols had gedragen, zou hij nu misschien gaan dreigen het over de rand van het viaduct te gooien, in de hoop daarmee zijn leven te redden.

Hoe dan ook, hij kon de boom in. Platon had schoon genoeg van zijn spelletjes. Hij was van plan deze irritante dief weg te vagen.

'Ga omlaag,' zei hij tegen de piloot. 'Probeer zo dicht mogelijk bij hem te komen.'

71

Staande op het viaduct zag Carver de helikopter op zich afkomen en glimlachte. Hij stond het toestel met rechte rug op te wachten. Hij wist dat hij pas gevaar liep wanneer het zich met de zijkant naar hem toe draaide.

Daar rekende hij op.

Verder redeneerde hij dat de helikopter een veel groter doelwit vormde dan hij. En hij was degene met vaste grond onder zijn voeten, terwijl zijn vijanden heen en weer werden geslingerd in een vliegtoestel dat nooit volledig bewegingloos was, zelfs niet als het op één plaats bleef hangen.

Hij hoopte dat hij daar zijn voordeel mee kon doen. Zo niet, dan kon hij het wel vergeten. In het beste geval kon hij misschien één schot lossen.

Dus bleef hij staan en wachtte af, zo roerloos en recht als een gevangene voor een vuurpeloton. De helikopter was nu nog maar honderd meter van hem verwijderd en kwam nog steeds dichterbij. Naarmate het toestel hem naderde, werd het geluid van de rotoren die door de lucht kliefden oorverdovend en beukte de neerwaartse luchtstroom op hem neer als een kunstmatige storm.

Ze dachten dat ze hem hadden, dat was wel duidelijk.

Eindelijk staakte de helikopter zijn voorwaartse beweging. In het moment van stilte dat volgde, meende Carver de man op de plek van de copiloot te herkennen, maar die gedachte verdween onmiddellijk toen de staart van de roofvogel draaide en de open deuren met de geweren zich naar hem toe keerden.

Op het moment dat dit gebeurde, pakte hij de granaatwerper die aan zijn voeten lag en richtte hem in dezelfde beweging op de helikopter. Toen, met het koele geduld van een goed getrainde soldaat, wachtte hij nog net die extra fractie van een seconde die nodig was om het grootst mogelijke doel te kunnen raken. De helikopter beëindigde zijn draai en, net toen de eerste kogels om zijn oren vlogen, met dat afschuwelijke fluitende geluid, opende de hele breedte van de deur zich voor hem en haalde hij de trekker over.

Op hetzelfde moment dat de granaat de loop verliet, werd Carver op de borst geraakt door twee kogels en werd hij achteruit over de hele breedte van de brug gesmeten, waarna hij met een smak tegen de andere balustrade terechtkwam. De klap van de stenen muur in zijn rug versufte hem een ogenblik lang en tegen de tijd dat hij zich weer op zijn doelwit kon concentreren, had het gas in de cabine van de Dauphin al een ondoordringbare wolk gevormd en slingerde en draaide de helikopter door de lucht. Carver zag een van de mannen die op hem hadden geschoten uit de rook tevoorschijn komen en regelrecht nar buiten springen, zijn dood tegemoet. Zijn keel was door het gas al zo beschadigd dat hij niet eens kon schreeuwen toen hij in de diepte stortte.

Toen kwam de helikopter weer in beweging en Carver realiseerde zich tot zijn afgrijzen dat het toestel regelrecht op hem afkwam. Angst verdreef de duizeligheid uit zijn hoofd en hij krabbelde overeind en rende voor zijn leven terwijl achter hem de helikopter in een kakofonie van bulderende motoren, krijsend metaal en massief gesteente tegen de zijkant van het viaduct vloog, waarbij de rotorbladen zich in de balustrade groeven en grote brokken steen als projectielen alle kanten op slingerden. Eén raakte Carver tegen zijn rug en opnieuw dankte hij de goden voor het feit dat hij bij het verlaten van het brandende huis geen tijd meer had gehad om zijn kogelvrije vest uit te trekken.

Achter hem had de helikopter zijn greep op het viaduct verloren, gleed langzaam langs de stenen muur en stortte toen omlaag naar de bodem van de vallei, waar hij met een laatste, metaalachtig gekraak neerkwam. Hierna volgde er een ogenblik van stilte, waarna het toestel in een zee van vlammen explodeerde.

Carver liep terug naar de plek waar hij had gestaan, pakte de granaatwerper en gooide hem in de vlammenzee in de diepte. Hij keek even om te zien of er niemand in de buurt was en gooide toen zijn gasmasker erachteraan. Toen keek hij op zijn horloge. Het was halfzes. Dat gaf hem nog anderhalf uur om naar Cap d'Antibes te rijden, in te checken in het Hotel du Cap, wat hij aan schone kleren kon vinden aan te trekken en zich op te maken voor zijn ontmoeting met Alix.

Perfect.

72

Het was halftwaalf 's ochtends in Washington DC, en ze waren weer terug in het Witte Huis, in de vergaderruimte in de Woodshed. Leo Horabin wilde worden bijgepraat over het onderzoek. Het verhaal werd van het begin af aan verteld en Kady Jones liet op het grote scherm Henry Wongs foto van Vermulen en Francesco Riva zien en legde uit wat de mogelijke betekenis van hun ontmoeting was. Vervolgens vertelde Tom Mulvagh over het onderzoek dat hij had ingesteld naar Vermulens bewegingen in Europa en de dood van zijn persoonlijk assistente, Mary Lou Stoller.

'Ik heb in samenwerking met Ted Jaworski een gedetailleerde analyse gemaakt van mevrouw Stollers vervangster als assistente van de generaal, juffrouw Natalia Morley. Ted, misschien wil jij de uitkomsten van die analyse presenteren.'

De CIA-man nam het over. 'Natuurlijk. Waar het op neerkomt is dat Natalia Morley niet bestaat. Het is een valse identiteit, die echter goed genoeg is voorbereid om elke navraag die een werkgever ook maar naar een sollicitant zou kunnen doen te doorstaan. Er was een geboorteakte, een huwelijksakte en scheidingspapieren, referenties van eerdere werkgevers, gegevens van creditcards enzovoort. Maar op het moment dat ik dieper en breder ging graven, bleef er niets van over. Ik kon geen spoor van haar zogenaamde man, Steve Morley, vinden. Hun adressen in Rusland en Zwitserland bleken niet te bestaan. Juffrouw Morley had een naam en nummer voor de afdeling Personeelszaken opgegeven van de Zwitserse bank waar zij had gewerkt, maar toen ik dat nummer belde, was het afgesloten en had niemand bij de bank ooit van haar gehoord.

'Dus als deze vrouw niet Natalia Morley is, wie is zij dan wel? Aangezien zij beweerde Russische te zijn, ben ik daar als eerste gaan zoeken. Ik heb mijn mensen beeldmateriaal van de beveiligingscamera's van Dulles International laten verzamelen, van de dag dat zij en Vermulen naar Parijs vertrokken en die beelden vergeleken met bekende KGB- en FSB-agenten.'

Hij liet een foto zien, die het halve scherm aan de andere kant van de ruimte in beslag nam.

'Oké, dit is "Natalia Morley", een maand geleden op Dulles. En dit...'

De andere helft van het scherm werd gevuld met een andere foto. De twee gezichten op het scherm waren met vele jaren tussentijd gefotografeerd, maar lieten onmiskenbaar dezelfde vrouw zien.

'... is voormalig KGB-agente Alexandra Petrova. Ze is dertig jaar, geboren in de stad Perm, een paar honderd kilometer ten noorden van Moskou en begon negen jaar geleden in Moskou te werken. Haar specialiteit was het verleiden van machtige, westerse mannen van middelbare leeftijd. De afgelopen vijf jaar is zij naar ons weten niet betrokken geweest bij activiteiten van de inlichtingendienst. Maar het lijkt erop dat ze weer aan de slag is gegaan...'

'Je zou toch denken dat een man met zoveel ervaring als Kurt Vermulen beter zou moeten weten,' viel Horabin hem in de rede. 'Waarschuwen we hem dat hij wordt gecompromitteerd?'

'Nee, meneer,' antwoordde Jaworski. 'Integendeel, ik stel voor dat we eerst uitzoeken waarom de Russen zoveel moeite doen hem te compromitteren. Zij denken dat generaal Vermulen hun aandacht waard is. Wij denken dat hij wellicht betrokken is bij een project dat te maken heeft met kleinschalige nucleaire wapens. Voeg die twee dingen bij elkaar en je krijgt iets wat veel wegheeft van die Russische kofferatoombommen. Wij hebben opdracht gekregen die bommen te vinden. Volgens mij is dit het aanknopingspunt waar we op hebben gewacht.'

'Goeie god,' mompelde Horabin. 'Wat voert Vermulen op dit moment uit?'

Jaworski's gezicht vertrok. 'Dat is het probleem. Dat weten we niet. We denken niet dat hij nog in Rome is. Hij heeft zijn huurauto achtergelaten op de internationale luchthaven Leonardo da Vinci, maar hij heeft voor zover wij weten geen commerciële vlucht genomen en er bestaan ook geen gegevens dat hij een privévliegtuig heeft gecharterd. Er is echter nog een andere mogelijkheid. Da Vinci ligt bij het stadje Fiumicino, zo'n dertig kilometer buiten Rome. Dat is een kustplaats en er is een haven, een jachthaven. Het is dus mogelijk dat hij Italië over zee heeft verlaten.'

'Wat bedoel je "het is dus mogelijk"?' vroeg Horabin met hese stem. 'Wil je me vertellen dat je het niet weet?'

'Inderdaad,' zei Jaworski. 'Ik beschik niet over de middelen om die informatie boven water te halen. Om veiligheidsredenen, en eerlijk gezegd ook om politieke redenen, is ons onderzoek naar deze kwestie beperkt gebleven tot een klein aantal mensen. Generaal Vermulen is een veelvuldig onderscheiden oorlogsheld, die nog nooit ergens van is verdacht, laat staan dat hij ergens voor is gearresteerd of veroordeeld.'

'Daar ben ik me van bewust,' zei Horabin op bitse toon.

Jaworski ging verder.

'Ik ben van mening, en ik denk ook voor Tom te kunnen spreken, dat als wij ernst willen maken met dit onderzoek, met alle middelen die dat zou vergen, en de mogelijkheid van een politiek incident, we toestemming nodig hebben... van de top.'

Horabin wilde iets zeggen, maar werd daarvan weerhouden door een kuchje van iemand halverwege de tafel. Het was afkomstig van een kolonel in uniform die de DIA, de inlichtingendienst van het ministerie van Defensie, vertegenwoordigde.

'Neem me niet kwalijk, meneer... maar voordat daar een besluit over wordt genomen, is er nog iets wat u moet weten. Het is een kwestie waarvan het belang mij pas duidelijk is geworden na het aanhoren van dit verslag.'

'Ga uw gang.'

'Dank u. Het betreft een voormalige officier van de Tsjechische militaire inlichtingendienst, ene Pavel Novak. Vroeger was Novak een dubbelagent, die ook voor ons werkte. Gisteravond laat is Novak van het dak van zijn appartementencomplex in Wenen gevallen. Tom had ons verteld dat generaal Vermulen onlangs in Wenen was geweest. Ik weet het niet, misschien is het toeval. Maar toen de generaal nog voor de DIA werkte, was hij Novaks tussenpersoon.'

'Godsamme,' mompelde Tom Mulvagh binnensmonds. Overal rond de tafel klonk soortgelijk geroezemoes. Leo Horabin maande de vergadering weer tot stilte.

'Dank u, kolonel,' zei hij. 'Ik zal het allemaal in overweging nemen. En ja, Ted, dit gaat regelrecht naar de top.'

73

Samuel Carver verliet Tourrettes-sur-Loup en reed over een wirwar van binnenwegen naar het zuidoostelijke gedeelte van de stad, alvorens een veld te vinden waar hij onopgemerkt kon parkeren. Hij kleedde zich snel om – ironisch genoeg weer in het pak dat hij had gedragen voor Kenny Wynters lunch met Vermulen – zette een zonnebril op en opeens leek hij een heel stuk minder op de krankzinnige man die zojuist vanaf een oud viaduct een helikopter uit de lucht had geschoten.

Hij haalde de weekendtas met de rest van Wynters kleren en toiletspullen uit de achterbak van de auto. Dat en de jerrycan met alle aceton die hij nog overhad toen hij klaar was met zijn zelfgemaakte bom. Hij liet de jerrycan open op de passagiersstoel staan. Hij legde de roodgloeiende autoaansteker erbovenop. Toen deed hij de deur dicht en begon te rennen. Hij had ongeveer tweehonderd meter afgelegd toen de jerrycan explodeerde, kort daarna gevolgd door de benzinetank, die nog voor ongeveer driekwart vol zat. Er was niemand in de buurt die zag hoe hij zijn kleding afklopte, de zweetdruppels van zijn voorhoofd veegde en ongeveer een kilometer terug wandelde naar de hoofdweg. Niet lang daarna vond hij een Bar Tabac, waar hij een welverdiend glas ijskoud bier bestelde en een taxi belde. Hij genoot van zijn drankje en had zijn glas net leeg toen de taxi voorreed. Een halfuur later stond hij onder de douche in zijn suite in het Hotel du Cap.

Pas nadat hij zich had gewassen, peuterde hij eindelijk Bagrat Baladzes aktetas open om te zien waarvoor hij al die moeite had gedaan. Daar lag hij dan, een bruine, kartonnen enveloppe van dertien in een dozijn. Met het verstrijken van de tijd had hij de daarmee onvermijdelijk gepaard gaande vermoeide onooglijke aanblik gekregen en de Russische letters die erop stonden waren vervaagd.

Het zegel was nog intact. Daar zou Vermulen blij mee zijn. Hoewel Carver zich niet kon voorstellen wat hij in dit trieste bureaucratische relikwie hoopte te vinden.

Niet dat dat hem op dit moment ook maar ene mallemoer kon schelen. Hij dacht weer aan Alix. Hij bekeek zichzelf in de spiegel. Gezien wat hij zojuist had meegemaakt, zag hij er niet eens slecht uit. Heel wat beter dan de laatste keer dat zij hem had gezien in elk geval. Toen hij zijn jasje aandeed en de kraag van zijn overhemd rechttrok, voelde hij zich zo opgewonden als een kind op kerstochtend, en hij kon niet wachten tot hij zijn cadeautje open mocht maken.

Hij keek op zijn horloge. Op de kop af zeven uur.

Tijd om een feestje te bouwen.

74

De bar bevond zich vlak naast de hotelfoyer, in een doorlopende, ruime, wit geschilderde ruimte. Carver zag twee mannen in de foyer zitten en een andere die o zo nonchalant tegen de houten bar geleund stond, een zwarte man met de lichaamsbouw van een kleerkast. Hij realiseerde zich dat het Reddin was, de man van de foto in Venetië. Vermulen had Carvers instructies genegeerd en toch wat zware jongens gestuurd om zijn koerier en het pakketje dat zij kwam ophalen te bewaken, precies zoals hij had verwacht.

En toen zag hij Alix. Ze zat in een zachte, witte leunstoel aan een tafeltje voor twee, met een klein glazen vaasje met een boeketje gele bloemen voor zich, op hem te wachten.

Hij had een paar tellen om vanuit de deuropening naar haar te blijven kijken voordat zij hem in de gaten kreeg. Ze zag er fantastisch uit, zonder nu meteen iets heel bijzonders aan te hebben. Ze was gewoon de vrouw van wie hij hield.

Er was iets wat hem dwarszat, iets wat niet klopte. Maar die gedachte verdween toen zij hem over de marmeren vloer aan hoorde komen en opkeek. Een fractie van een seconde gleed er een uitdrukking van... absoluut afgrijzen over haar gezicht. Schrik. Alsof ze een geest had gezien. Alsof ze niet gewoon verbaasd was hem te zien, maar ontsteld.

Ze glimlachte duidelijk geforceerd.

Carver had Alix al eerder een rol zien spelen. Hij had haar zien veinzen en huichelen. Maar zo'n namaakglimlach als deze had hij nog nooit gezien.

Hij had geen tijd om erover na te denken, want ze stond op en sloeg haar armen om hem heen, als iemand die een oude vriend ontmoet. Ze gaf hem twee luchtkusjes naast zijn wangen en fluisterde hem daarbij in: 'Ik draag een microfoontje.'

Ze gingen zitten. Carver had geen idee gehad hoe het zou zijn wanneer ze elkaar eindelijk weer zouden zien, maar was niet voorbereid op dit vreselijk ongemakkelijke gevoel, bijna schaamte, een spanning die tastbaar tussen hen in hing.

'Hallo... Natalia,' hij legde de nadruk op de naam. Nu hij wist dat de generaal meeluisterde, moest hij zich weer inleven in de rol van Kenny Wynter. 'En hoe staat het leven met de generaal? Hopelijk laat hij je niet al te hard voor zich werken...

'Nee, dat doet hij niet... Sterker nog, ik werk helemaal niet meer voor Kurt.'

'O nee? Heeft hij je ontslagen?' Hij kon de sluwe grijns en de plagerige klank in zijn stem niet verbergen.

'Nee,' zei ze, en de volgende woorden klonken zo zacht dat Carver even dacht dat hij haar niet goed had verstaan: 'Hij is met me getrouwd.'

'Pardon...?'

'Ik heet nu Natalia Vermulen,' met een stem waarvan de vrolijke intonatie werd tegengesproken door de wanhoop in haar ogen. 'We zijn vanmiddag getrouwd... door de burgemeester van Antibes.'

Carver voelde zich misselijk worden. Hij had het gevoel alsof iemand een vork in zijn buik had gestoken en zijn ingewanden eromheen draaide als spaghetti. Maar hij moest Kenny Wynter blijven, de harteloze dief wie het een zorg zou zijn als een Amerikaanse generaal zo stom was met zijn sexy secretaresse te trouwen, alleen maar om haar in zijn bed te krijgen.

'Mijn gelukwensen, meid,' zei hij en toen, naar de ring kijkend – de ring die hij niet had willen zien toen hij haar zoëven had zien zitten: 'Mooie steen.'

'Dank je... Kenny.'

'Mij hoef je niet te bedanken. Als je daar nog veel langer mee blijft zitten schitteren, kom ik misschien in de verleiding hem te jatten.'

Ze giechelde beleefd. 'Ik weet zeker dat je dat niet echt zou doen.'

Haar stem had de klank die hoorde bij een beleefd gesprekje, maar haar ogen keken hem smekend aan. Wat wilde ze van hem? Begrip? Vergiffenis? Alsof Carver zich nu opeens in haar situatie moest zien in te leven.

Ze was nog steeds aan het woord. 'Het was een opwelling.'

'Aardig van je dat je op je trouwdag met mij wilde afspreken.'

'Ik had het Kurt beloofd...'

'En je wilde hem niet teleurstellen. Hij is een imposante kerel, die generaal van je. Hij heeft iets. Hij is bijzonder, vind je ook niet?'

'Ja, hij is heel bijzonder.'

Carver nam aan dat die opmerking speciaal voor Vermulen was bedoeld, en dat ze nu probeerde uit te leggen wat er was gebeurd.

'We hebben de afgelopen weken zoveel tijd met elkaar doorgebracht. Ik heb Kurt heel goed leren kennen. Hij is een bijzondere man en hij is heel erg lief voor me. Ik heb namelijk pas te horen gekregen dat iemand die mij heel dierbaar was, iemand van wie ik hield, is overleden. Kurt was er voor me. Hij gaf me weer het gevoel dat het leven de moeite waard is.'

Opeens besefte Carver dat hij het maar half had begrepen. Ze probeerde hem inderdaad iets uit te leggen. Maar ze legde geen verschrikkelijke vergissing uit die ze samen weer konden rechtzetten. Wat hij nu hoorde was: jij bent verleden tijd.

Hij voelde zich vernederd, ontdaan van elke trots. Woede en pijn vulden zijn schedel en bouwden een druk op waarvan hij zeker zou barsten als hij niet ergens naar uithaalde, wat dan ook – de glazen van de tafel zou smijten en de flessen van de bar; zijn pistool zou trekken en het vuur zou openen op iedereen om hem heen, op hun lichaam mikkend, zodat ze net zoveel pijn zouden lijden als hij. Hij wilde Alix vermoorden. Hij wilde haar terug. Hij wist niet meer wat hij wilde... Op de een of andere manier wist hij ergens nog een restje professionaliteit vandaan te halen.

'Ja, dat moet wel veel voor je betekenen, dat een man dat voor je doet...' zei hij, reagerend zoals hij dat altijd deed op emotionele pijn, door afstand te nemen en zijn emoties af te sluiten. 'Weet je wat, laat mij je vertellen wat ik heb gedaan terwijl jij bezig was met al dat trouwen. Ik heb een huis gevonden dat een mooie investering zou zijn. Het lijkt me wel iets voor je man.'

Ze speelde het spelletje net zo goed als hij. Ogenblikkelijk was ze weer Natalia Vermulen, de zorgeloze nieuwe vrouw van een rijk, machtig man.

'O ja? Dat klinkt interessant. Kun je me iets laten zien?'

'Hier, kijk maar...'

Hij overhandigde haar de enveloppe en zij bekeek het Russische handschrift en het zegel waarmee hij was afgesloten, een eenvoudig Georgisch kruis: het symbool van zowel Georgië als Engeland.

'Dat ziet er inderdaad uit als iets waarvoor Kurt wel eens belangstelling zou kunnen hebben,' zei zij. 'Ik zal hem eens bellen.'

Ze pakte haar mobieltje en drukte op een voorkeurstoets. 'Hallo, schat...'

Ze glimlachte en onderdrukte een giecheltje om iets wat Vermulen had gezegd.

'Ja, daar verheug ik me ook op, lieveling... Hoe dan ook, meneer Wynter is hier. Hij heeft me iets laten zien waar jij ook wel belangstelling voor zult hebben. Zal ik hem even aan je geven?'

'Goedenavond, Wynter.'

Aan Vermulens stem was te horen dat hij de ondertoon van het gesprek tussen Alix en Carver niet had opgepikt. Zijn stem had niet de arrogantie van een man die met zijn verslagen rivaal praat, of de onzekerheid van een geliefde die zich aangevallen voelt. Hij was een en al zakelijkheid.

'Goedenavond, generaal,' antwoordde Carver. 'En mijn gelukwensen, uw nieuwe echtgenote is een buitengewone vrouw... vol verrassingen.'

Nu hielp het hem om Wynter te kunnen zijn. Hij hoefde niet al te lang beleefd te blijven.

'Hebt u het geld? Laten we dat nu dan meteen maar afhandelen, dan kunnen we allemaal weg.'

Het geld was overgemaakt. Carvers bank bevestigde de ontvangst van een half miljoen pond, en maakte het geld onmiddellijk over naar een andere rekening. Carver had in minder dan een week één miljoen pond verdiend. Hij was het met liefde allemaal weer kwijtgeraakt, plus elke cent die hij op al zijn rekeningen over de gehele wereld had staan, om een paar uur eerder in het hotel te zijn aangekomen, voordat Alix de werkkamer van die burgemeester was binnengegaan, toen er nog een kans was geweest haar van gedachten te laten veranderen.

Misschien was het nog steeds niet te laat? Hij nam haar gezicht in zijn handen, staarde verlangend in die hypnotiserend blauwe ogen en bracht zijn lippen naar haar oor.

'Ga met me mee. Alsjeblieft, ik smeek het je...'

Ze trok haar gezicht weg van het zijne en toen ze hem weer aankeek was het alsof er een transparante barrière tussen hen was opgeworpen, alsof hij een gevangene was en zij zijn bezoek, van elkaar gescheiden door kogelvrij glas.

'Het was leuk om je weer eens te zien, Kenny,' zei ze.

Het ergste moment van zijn leven, zijn hart dat werd gebroken, en hij kon niet eens zichzelf zijn.

Ze keek hem zonder een spoortje emotie recht in de ogen. 'Ik moet nu gaan. Tot ziens...'

Op een bepaald moment tijdens het gesprek moesten er nog meer van Vermulens mannen de bar zijn binnengekomen, want toen ze wegliep vormden zij een beschermend groepje om haar heen. Toen Carver haar probeerde te volgen, bleef Reddin in de deuropening staan en hield hem tegen. 'Ik weet niet waar je naartoe denkt te gaan, man, maar het gaat niet door,' zei hij.

Reddin was groot, hij had een stem als Barry White en zag eruit alsof hij zijn mannetje stond. Toch wist Carver zeker dat hij hem tegen de grond kon werken, zodat hij achter Alix aan kon gaan. Maar wat had het voor zin? Hij kon zoveel lijfwachten neerslaan als hij wilde, hij kon ze zelfs neerschieten, maar zij waren het probleem niet. Dat was zij. En zij was voorgoed verdwenen.

Toen hij ging zitten, dacht Carver aan de auto die buiten op hem en Alix stond te wachten. Zijn missie voor MI6 was mislukt; hij had het document niet. Jack Grantham zou niet blij met hem zijn. Maar op dit moment was dat wel het laatste wat hem iets kon schelen.

75

Vele maanden geleden, overweldigd door schuldgevoel vanwege haar aandeel in een moord, en geschokt door Carvers kennelijke onverschilligheid om wat hij had gedaan, had Alix uitgeroepen: 'Denk je dan helemaal niet na over wat je net hebt gedaan?'

Hij antwoordde: 'Als het even kan niet, nee.'

Carver zag er de zin niet van in zich druk te maken om dingen die al waren gebeurd en die hij toch niet meer kon veranderen. Hij geloofde dat je jezelf met zulke dingen helemaal gek kon maken – je kon je maar beter bezighouden met het hier en nu. Toen een van Reddins mannen haar wegreed van het Hotel du Cap, dacht Alix aan dat gesprek terug en realiseerde zich dat Carver het bij het verkeerde eind had gehad. Soms kon je het verleden wel degelijk veranderen. Soms had je geen keus.

De wetenschap dat Carver nog in leven was, dat Olga Zhukovskaya's bewering dat hij dood was niets anders was dan een gemene leugen, had haar overweldigd. Zelf had ze hem ook leugens verteld, om Carver te laten geloven dat ze niet meer van hem hield. Ze was totaal in de war geweest, onzeker, zich nauwelijks bewust van wat ze zei, verscheurd door de pijn die ze hem zo wreed bezorgde. En het kon niet anders.

Als ze Carver ook maar een sprankje hoop had gegeven, zou hij hebben geprobeerd haar mee te nemen. Omdat ze erbij was geweest toen Vermulen haar lijfwachten instructies had gegeven, wist ze ook dat zij niet zouden aarzelen dodelijk geweld te gebruiken tegen de man die zij kenden als Kenny Wynter. Het was vier tegen één. Ze wist dat Carver zijn mannetje stond, maar ze kon het risico niet nemen dat hij zou verliezen. Ze had het verdriet van zijn dood één keer meegemaakt. Dat wilde ze niet nog een keer, om nog maar niet te denken aan de wetenschap dat het dit keer haar schuld was geweest.

Op de een of andere manier moest ze een manier verzinnen om Carver de waarheid te vertellen: zij was de zijne, dat zou ze altijd zijn, en ze zou een manier vinden om hem terug te krijgen, hoe lang het ook zou duren. Als hij dat wist, zou hij op haar wachten, daar was ze zeker van.

Intussen had ze nog een ander, dringender probleem om op te lossen. Ze had Vermulen vanmiddag een belofte gedaan. Uit vrije wil. Nu moest iedereen zien dat zij zich eraan hield.

'Alles in orde, mevrouw V.?' vroeg de chauffeur, terwijl hij in de binnenspiegel naar haar keek. 'Neem me niet kwalijk, maar u ziet er een beetje ontdaan uit. Maar het is natuurlijk ook spannend om zo'n pakje in ontvangst te nemen, zeker als je niet aan zulke dingen gewend bent.'

'Ja, zeg dat wel,' zei ze, zonder erbij na te denken. Het enige wat ze eigenlijk had gehoord was de naam 'mevrouw V.', en die bezorgde haar zo'n schok dat de rest van zijn woorden haar min of meer waren ontgaan.

Ze dwong zichzelf te glimlachen en voegde eraan toe: 'Maar het gaat nu wel weer, dank u.'

'Maakt u zich geen zorgen, mevrouw. We brengen u snel en veilig terug naar de generaal, zodat u van de rest van uw huwelijksnacht kunt genieten. Als u begrijpt wat ik bedoel.'

De chauffeur heette Maroni. De laatste opmerking had hij vergezeld laten gaan van een ondeugende glimlach en een knipoog. Toen werd zijn blik ernstig, bijna gegeneerd om wat hij ging zeggen: 'Ik wilde alleen nog even zeggen dat het geweldig is om de generaal weer zo gelukkig te zien, net als vroeger. Dat komt door u, mevrouw. Wij waarderen wat u voor hem hebt gedaan, wij allemaal. Als u ooit iets nodig hebt, wat dan ook, dan hoeft u maar te kikken.'

'Dank u, meneer Maroni,' zei ze. 'Dat is heel vriendelijk.'

Hij gaf haar een kort hoofdknikje, alsof het niets was, maar ze zag dat het hem goeddeed dat zij nog wist hoe hij heette. Opeens werd ze getroffen door de bittere ironie dat haar man niet eens haar echte naam kende. Hij was verliefd geworden op een vrouw die Natalia heette, en voorlopig zou ze voor hem Natalia Vermulen blijven.

In zekere zin maakte dat het makkelijker. Natalia kende Samuel Carver niet.

76

De MI6-agent in de auto die achter hen reed kreeg eindelijk verbinding met zijn hoofdkwartier. Zijn baas deed niet aan overbodige beleefdheden.

'Heb je het document?' vroeg Grantham.

'Ben bang van niet. Carver is het hotel niet uit gekomen. De vrouw, Petrova, is naar buiten gekomen met een groepje mannen. Ze leek niet te worden gedwongen. Ze had een verzegelde enveloppe bij zich. Ik neem aan dat we daar achteraan zitten.'

'Verdomme... waar ben je nu?'

'Ik volg Petrova. Zij zit in een auto bij een van Vermulens mannen. De rest rijdt in een busje voor hen uit. Wacht even... ze nemen de afslag naar het vliegveld Cannes Mandelieu. Dat is een vliegveld waar bijna alleen privé- en chartervluchten plaatsvinden. Zal ik hen volgen?'

'Absoluut. Als ze een vliegtuig neemt, wil ik het registratienummer van het toestel weten. Dan kunnen we het daarmee volgen.'

De agent beëindigde het gesprek en reed het luchthavencomplex binnen.

In Londen belde Grantham de assistent-cultureel attaché op de ambassade van de Russische Federatie. Gewone diplomatieke en consulaire zaken eindigden op doordeweekse middagen om halfvijf, maar de assistent-attaché was geen gewone diplomaat. Als de FSB-president in Londen, de belangrijkste agent van zijn land in het Verenigd Koninkrijk, was hij vierentwintig uur per dag beschikbaar.

'Kolya,' zei Grantham, 'je moet iets voor me doen. Ik wil een nummer van jullie adjunct-directeur Zhukovskaya. Vertel haar dat ik haar persoonlijk wil spreken. Het is een zaak van het allergrootste belang voor onze beide bureaus. Er moet onmiddellijk actie worden ondernomen.'

77

Vermulens jacht had Antibes zesendertig uur eerder al verlaten, met bestemming Zuid-Italië, maar hij stond haar op te wachten bij het vliegtuig dat hen ernaartoe zou brengen. Alix rende op hem af, sloeg haar armen om hem heen en drukte haar borsten tegen hem aan, zodat ze hem hard voelde worden. Ze keek met halfgesloten ogen naar hem op, haar lippen een heel klein beetje geopend en hij kuste haar met een intensiteit die al haar zintuigen vervulde met zijn smaak, met de manier waarop hij aanvoelde.

Vermulen liet haar los en keek naar de dichtstbijzijnde van zijn mannen.

'Maroni.'

'Ja, meneer!'

'Zeg tegen meneer Reddin dat de mannen vijftien minuten kunnen rusten. Kom dan terug en houd de wacht onder aan deze trap. Niemand komt het vliegtuig in voordat ik het zeg. Begrepen?'

Maroni grijnsde. 'Ja, meneer!'

Vermulen leidde Alix het vliegtuig in. In de kleine cabine schonk hij haar een scheef, verontschuldigend glimlachje.

'Niet erg romantisch, vrees ik. Op het jacht staan champagne en bloemen klaar.'

Ze boog zich naar voren, liet haar lippen langs zijn wangen glijden en fluisterde in zijn oor. 'Het kan me niets schelen.'

Hij had geen idee dat ze veinsde.

78

Het eerste wat Carver voelde toen Alix de hotelbar had verlaten was een enorme, pijnlijke leegte, een absolute eenzaamheid, een donker gat in zijn leven waar eerst haar liefde voor hem was geweest. Het tweede wat hij voelde was een steek van angst. Hij dacht aan dokter Geisels waarschuwing dat een traumatische gebeurtenis hem weer in de helse vergetelheid van de waanzin kon doen storten. De schok van het verlies van Alix had tot zijn herstel geleid. Als hij haar nu weer verloor, zou dat dan het omgekeerde effect hebben?

Carver was een moedig man. Hij had de dood ontelbaar vaak in de ogen gezien. Maar het vooruitzicht van waanzin, een levenslange gevangenschap in een oneindige cyclus van vergeten, was veel, veel erger.

Niet meer aan denken. Hij had een borrel nodig.

Hij liep naar de bar en bestelde een dubbele Johnny Walker blue label. Toen dacht hij aan de laatste keer dat hij dit had gedronken, samen met Alix, op de avond van de moord. Christus, waarom deed alles hem aan haar denken?

'Dus het is niks geworden, hè?'

Het was een vrouwenstem, Amerikaans. Ze zat ongeveer een meter bij hem vandaan aan de bar. Haar lange, glanzende haar, zo vol en donker als pure chocolade, viel tot op haar schouders en schuin over haar voorhoofd, waar het bijna haar donkerbruine ogen bedekte. Ze had hoge jukbeenderen en haar lippen waren glanzend zachtroze gekleurd, met een glinstering erin, zodat het leek alsof ze er zojuist haar tong overheen had laten glijden. Haar jurk was over één schouder gedrapeerd en de hals was diep genoeg om een paar spectaculaire borsten te laten zien. De rok had een hoge split en ze zat met haar benen over elkaar geslagen op de barkruk, zodat er voldoende te zien viel.

Hij schonk haar een keurende blik, de berekenende blik waarmee mannen de begeerlijkheid van wat er wordt aangeboden afwegen tegen de kans op succes. Alsof ze zijn gedachten kon lezen, stak ze haar haar linkerhand op om hem de diamant aan haar ringvinger te laten zien. Toen haalde ze haar schouders op, alsof ze wilde zeggen: wat kan mij het ook allemaal schelen?

Carver schoot in de lach. Elke vrouw die hij vanavond tegenkwam liet hem een ring zien. Deze maakte echter lang niet zo'n getrouwde indruk als de vorige. Hij pakte zijn glas en liep naar haar toe, intussen elk detail in zich opnemend van hoe zij eruitzag. Ze rook nog lekker ook, een warme, kruidige, supervrouwelijke geur die hem eraan herinnerde hoe lang het geleden was dat hij met een vrouw naar bed was geweest. Misschien moest hij daar maar eens iets aan doen. Ze konden wat drinken, een hapje eten in het restaurant aan zee, elkaar de hele nacht suf neuken, misschien dat dat zijn pijn zou wegnemen. Het was niet de meest volwassen reactie op een gebroken hart, maar het was in elk geval beter dan gek worden.

'Hallo,' zei hij. 'Ik ben Samuel Carver.'

Ze stak een slanke hand uit, met lange, donkerrode nagels. 'Madeleine Cross, aangenaam.'

'Insgelijks, Madeleine. En, ga je me nog voorstellen aan meneer Cross?'

'Alsjeblieft niet.'

'Je gaat me toch niet vertellen dat hij je helemaal alleen heeft gelaten in een vreemd hotel, in een vreemd land? Dat klinkt heel riskant.'

Ze lachte. 'Voor wie?'

'Misschien wel voor ons alle drie.'

Ze nam Carver van top tot teen op. 'Nee, ik denk dat jij hem wel aankan.'

'Daar twijfel ik niet aan,' zei hij. 'Maar de vraag is: kan ik jou aan?'

Het was allemaal onzin. Dat wist hij en dat wist zij ook. Maar het was waar hij nu behoefte aan had, en misschien zij ook wel. Ze was een grote meid; ze kon haar eigen beslissingen nemen.

Hij bestelde voor allebei een drankje en Madeleine vertelde hem haar verhaal.

Haar man verdiende een vermogen met de verkoop van medische producten. Zij, een meisje uit Boise, Idaho, dat al tien jaar in Chicago woonde, nog vrijgezel was en hard moest werken om de eindjes aan elkaar te knopen, had gewerkt op de administratie van een ziekenhuis dat een van zijn grootste klanten was. Hij haalde haar van dat alles weg en stopte haar in een prachtig huis in Winnetka om te winkelen, het huis leuk in te richten en te roddelen met andere verveelde vrouwen uit de rijke voorsteden. En nu waren ze hier heel duur vakantie aan het vieren in Europa en was hij naar het casino in Cannes gegaan, haar hier achterlatend in haar mooie jurk met niets anders te doen dan dronken worden.

'Het casino klinkt best spannend, waarom ben je niet meegegaan?' vroeg Carver.

'Geloof me, er is niets aan. Hij zit de hele avond aan de blackjacktafel, speelt drie spellen tegelijk en vloekt elke keer als hij geen goede kaart krijgt. Verder heeft heeft hij aandacht voor niets en niemand.'

Carver keek gepast geschokt. 'Elke man die liever een avondje naar een stel speelkaarten zit te kijken terwijl hij naar jou zou kunnen kijken moet zich nodig eens laten nakijken.'

'Zal ik je eens wat vertellen? Dat vind ik nou ook,' zei ze. Ze begonnen allebei te lachen en bogen zich een beetje naar elkaar toe. Carver voelde haar hand op zijn knie, die lichte vrouwelijke aanraking waarvan een man zo kan genieten.

'Heb je zin om een hapje te gaan eten?' vroeg hij.

Ze keek hem recht in de ogen. 'Ik doe liever eerst iets om trek te krijgen.'

Toen Carver wakker werd, stroomde de zon door het raam naar binnen en gaf de wekker op het nachtkastje 09.17 uur aan.

Er lag een briefje naast, met een telefoonnummer en de boodschap: 'Als je ooit in Chicago bent... Maddy xxx.'

Toen zag hij het rode lampje op de telefoon oplichten – hij moest wakker zijn geworden van het gerinkel. Carver pakte de hoorn op en drukte op het knopje. Zijn gezicht vertrok toen hij de bekende, boze stem hoorde.

'Carver, waardeloze eikel, met Grantham. Ik zit beneden in de foyer. Zorg dat je met je luie reet je nest uit en naar beneden komt, nu, voordat ik naar boven kom en je deur intrap.'

'Shit,' zei Carver en hees zichzelf uit bed.

Paaszaterdag

79

Carver zag niet in waarom hij zich zou moeten haasten, alleen omdat Grantham hem had gebeld. Hij besteedde een kwartier aan wassen en aankleden alvorens naar beneden te gaan. Het was het wachten waard, al was het alleen maar om de irritatie op Granthams gezicht te zien. En er was nog iets anders, realiseerde Carver zich toen hij dichterbij kwam: de gebruikelijke zelfverzekerdheid, arrogantie zelfs, van de MI6-man, had plaatsgemaakt voor een nerveuze prikkelbaarheid die hij nooit eerder had gezien.

'Waar is mijn document?' snauwde Grantham hem toe.

'Op dezelfde plek als mijn vriendin, lekker dicht tegen Vermulen aan,' zei Carver, alsof het hem geen zier kon schelen. 'Ze is met hem getrouwd, wist je dat?'

Het nieuws was bedoeld om Grantham uit het veld te slaan, maar had het tegenovergestelde effect. Er gleed een zelfgenoegzame grijns over Granthams gezicht, een blik van puur plezier dat Carver nog dieper in de stront was geduwd dan hij.

'Dat zal een schok zijn geweest.'

'Dat valt wel mee,' zei Carver.

'Je ziet er niet bepaald uit alsof je overmand bent door verdriet.'

'Had je me liever dronken en betraand gezien?'

'Zoiets, ja.'

Carver haalde zijn schouders op. 'Ik heb het even overwogen. Maar ik heb een beter alternatief gevonden. Leuke meid.'

'En jij beschuldigt mij ervan dat ik nergens iets om geef?'

'Luister, ik hield van Alix; dat was echt en dat is het misschien nog steeds wel. Maar ik heb er niets aan om met mijn ziel onder mijn arm te gaan lopen. Ik wil haar gewoon zo snel mogelijk vergeten en zo ver mogelijk bij haar vandaan zien te komen.'

Carver vroeg zich af of hij overtuigender overkwam dan hij zich voelde. Kennelijk niet – Grantham keek hem bijzonder sceptisch aan, tot zijn gezicht opklaarde toen hij zich opeens iets bedacht.

'Heb je nog tijd voor een laat ontbijt voordat je ervandoor gaat? Ik wil je aan iemand voorstellen.'

Carver kreunde. 'Wat nu weer?'

'Kom op,' drong Grantham aan. 'Aan zee hebben ze een geweldig buffet. Heerlijk eten, fantastisch uitzicht... ik betaal. En volgens mij interesseert het je wel als je ziet wie er over is gekomen om jou te zien.'

Carver volgde Grantham door de lobby en door de deuren die toegang gaven tot de prachtige, bosrijke tuinen van het hotel. Terwijl hij het pad naar zee af liep, was er één klein sprankje hoop dat hem gaande hield naar een ontmoeting die hij anders zou hebben geweigerd. En toen besefte hij dat het belachelijk was om zoiets zelfs maar te denken. Het was een andere Russische vrouw die aan het tafeltje zat, met een recht, zwart kapsel dat een paar ogen omlijstte die hem met kille, onpersoonlijke objectiviteit opnamen toen Grantham in haar richting wees.

'Mag ik je voorstellen aan adjunct-directeur Zhukovskaya, van de veiligheidsdienst van de Russische Federatie?'

Ze stak een hand uit met een glimlach die nog killer was dan haar ogen. 'Hallo, meneer Carver. U hebt mijn man vermoord.'

'Daartoe werd ik uitgelokt,' antwoordde hij, alvorens haar hand los te laten.

Grantham bestelde koffie, jus d'orange en gebak.

'Ik denk dat ik voor een stevig ontbijt ga,' zei Carver, terwijl hij weer opstond. 'Ik heb trek vanochtend.'

Hij nam er de tijd voor om zijn bord vol te laden met roereieren en gerookte zalm, knapperige witte broodjes en gekoelde plakjes ongezouten Normandische boter. Vervolgens viel hij er met smaak op aan, wetend dat de twee anderen wilden praten. Maar uiteindelijk was hij toch degene die niet langer zijn mond kon houden. Hij kon zich niet langer bedwingen.

'Hebt u haar verteld dat ik dood was?' vroeg hij aan Zhukovskaya.

'Ja, ik heb opdracht gegeven haar die informatie toe te spelen,' zei ze, zonder enig vertoon van verlegenheid of verontschuldiging.

'Waarom?'

Carver was zich er pijnlijk van bewust dat er meer emotie, en zelfs wanhoop uit dat ene woordje sprak dan hij had bedoeld.

'Het was een praktische noodzaak,' antwoordde Zhukovskaya, nog steeds onbewogen. 'U had de man gedood die ik had gestuurd om u te elimineren en toen verliet u het ziekenhuis. U was niet langer een patiënt, dus dienden de betalingen voor uw verzorging te worden stopgezet. Het was mogelijk dat Petrova daarachter zou komen, als ze haar financiën controleerde. Dan zou ze natuurlijk begrijpen wat er was gebeurd. Dat moment moest ik voor zijn.'

'Maar ze nam het karwei alleen maar aan om mij in leven te houden. Waarom zou ze bij Vermulen blijven als ik er niet meer was?'

'Zelfbehoud,' zei Zhukovskaya, alsof het antwoord voor de hand lag. 'Alexandra Petrova is een agente van de Federale Veiligheidsdienst, en staat onder mijn bevel. Ze weet dat elke agent die zonder bevel van een hogere officier van een opdracht wegloopt zich schuldig maakt aan desertie, en ze kent de straf die daarop staat. In elk geval gaf ik er de voorkeur aan de situatie van de zonnige kant te bekijken. Zonder u om aan te denken, kon Petrova zich ongehinderd op generaal Vermulen concentreren.'

'Nou, dat was dan een vergissing. Ze concentreerde zich zo erg op hem dat ze met hem is getrouwd. Ze is niet meer van u en ze is niet meer van mij. Ze is nu van hem.'

Zhukovskaya nipte van haar koffie. 'Denkt u?' vroeg ze. 'Ik heb daar zelf natuurlijk ook over nagedacht, maar ik ben er nog niet zo zeker van. Veel agenten beschouwen een huwelijk als een nuttige toevoeging aan hun dekmantel; misschien denkt Petrova er ook wel zo over. Dat is echter niet waar ik mij op dit moment zorgen om maak, en dat moet u ook niet doen.'

Ze zctte haar kopje op tafel en toen ze hem weer aankeek zag hij eindelijk een spoortje echte emotie. Zhukovskaya was boos.

'U hebt ons flink in de problemen gebracht, meneer Carver. Het document dat u hebt gestolen was eigendom van de Russische staat. Het is ongeveer tien weken geleden ontvreemd uit een overheidsgebouw. Het zou gisteren zijn teruggehaald door mensen die in opdracht van de staat werkten, als u zich er niet mee had bemoeid. Zij hadden opdracht het liever te vernietigen dan het in verkeerde handen te laten vallen.'

'In vredesnaam, wat is dat voor document?' vroeg Grantham.

'Een lijst van kleinschalige nucleaire wapens, eveneens eigendom van de Russische staat, die zich op dit moment in Europa en Noord-Amerika bevinden, een paar in Zuid-Amerika, Azië en

Oceanië: hun locaties en activeringscodes,' antwoordde Zhukovskaya op effen toon.

Alle kleur trok weg uit Granthams gezicht. 'Hoeveel wapens?'

'Rond de honderd.'

'Lieve god... ook in Groot-Brittannië?'

Ze keek hem onbewogen aan, maar zei geen woord.

'Maar ze staan allemaal op een lijst...' zei Grantham.

'Ja, en dankzij meneer Carver is die lijst nu in handen van Vermulen.'

Carvers gezicht vertrok. Hij was zich er pijnlijk van bewust dat zijn prioriteiten aan een drastische reorganisatie toe waren. 'Waar is Vermulen nu?' vroeg hij.

Grantham leek opgelucht dat hij eindelijk een vraag kon beantwoorden.

'Terug naar zijn jacht. Dat heeft vannacht voor anker gelegen voor de Italiaanse kust, helemaal in het zuiden, bij Reggio di Calabria, en is kort voor de ochtend in oostelijke richting vertrokken. Vrij snel daarna zijn wij het uit het oog verloren, bij de overgang van de ene satelliet naar de andere.'

'Jullie hebben in elk geval nog satellieten,' merkte Zhukovskaya wrang op.

'Ga die boot dan zoeken,' zei Carver. 'Stuur er een paar van mijn oude maten van de SBS op af, of een stel van uw Spetznatz-jongens. Laat hen de boot enteren, het document meenemen en klaar is Kees.'

Grantham was niet onder de indruk. 'Nee, Carver, in dat scenario zou Kees een groot diplomatiek incident veroorzaken, waarin de Amerikanen uit hun dak zouden gaan over de ongeautoriseerde vijandige entering van een boot die eigendom is van een gerespecteerd, machtig Amerikaans staatsburger en wordt gebruikt door een andere, terwijl de Italiaanse overheid zou moeten bepalen of het hier om een oorlogshandeling binnen hun territoriale wateren ging.'

Carver deed een nieuwe poging. 'Oké dan, wie is die andere gerespecteerde burger?'

'Sorry?'

'Wie is die andere Amerikaanse staatsburger, de eigenaar van die boot? Zie je, er klopt iets niet aan al dat geld dat Vermulen loopt uit te geven. Tenzij hij een fortuin heeft verdiend sinds hij de gewapende strijdkrachten heeft verlaten, krijgt hij het van iemand anders. En als dat niet de Amerikaanse overheid is, dan is het misschien wel die vent van wie die boot is. Dus wie is dat?'

'De een of andere ouwe Texaan, ene McCabe,' antwoordde Grantham, die het nut van de vraag niet inzag, ongeduldig. 'Heeft een vermogen verdiend aan olie en mijnbouw. De boot is eigendom van een van zijn vele corporaties. Maar ik kan me niet voorstellen dat hij belangstelling heeft voor bommen. De man is een wedergeboren christen, heeft een aantal jaren terug een dramatische bekering doorgemaakt en besteedt nu al zijn tijd aan filantropie en goede daden.'

Carver liet een kort, ongelovig lachje horen. 'McCabe... Waylon McCabe?'

'Ja, hoezo, ken je hem?'

'Onze wegen hebben elkaar wel eens gekruist.'

'En dat heeft hij overleefd? Dat is bijzonder?'

'Zeg maar liever uniek. En laat me je één ding vertellen over Waylon McCabe – bekeerd of niet bekeerd, het is een ongelooflijke ellendeling, dat staat vast. En ik weet niet wat hij met Vermulen uitspookt, maar ik kan je garanderen dat het niets met liefdadigheid te maken heeft...'

Carver fronste: in zijn hoofd begonnen de puzzelstukjes op hun plek te vallen.

'Wacht eens even, je zei dat die boot in oostelijke richting is vertrokken... dan zou hij dus richting Ionische Zee gaan, en vervolgens Adriatische Zee, naar Joegoslavië. Toen ik hem sprak, had Vermulen het over Joegoslavië. Volgens hem was dat een van de plekken waar de islamitische extremisten waar hij zo tegen tekeerging aan het vechten waren om een achteringang naar het westen te openen.'

Hij wendde zich tot Zhukovskaya.

'Hebben jullie ook bommen in Joegoslavië liggen?'

'Die vraag kan ik onmogelijk beantwoorden,' zei ze, geïrriteerd door de brutaliteit van zo'n directe vraagstelling.

Carver glimlachte. Hij voelde dat het machtsevenwicht rond de tafel naar zijn kant begon over te hellen.

'Volgens mij kunt u dat best, mevrouw de directeur. U zit zelf ook in de shit. Niet alleen uw organisatie, of uw land, maar u persoonlijk. U hebt die idioten in die helikopter erop afgestuurd om dat document in handen te krijgen en nu liggen ze zwartgeblakerd op de bodem van een kloof. Dat moet u recht zien te zetten en daarom bent u ook hier. En jij...'

Hij wendde zich tot Grantham.

'Ik denk niet dat het in Whitehall lekker zou vallen als iemand erachter kwam wie jij gebruikt om je vuile karweitjes op te knappen, of hoe wij elkaar hebben leren kennen. Wat mij betreft, ik heb Vermulen die lijst bezorgd. Bovendien heb ik sterk het vermoeden dat je McCabes religieuze bekering terug zult kunnen voeren naar de dag dat hij op wonderbaarlijke wijze aan de dood is ontsnapt tijdens een vliegtuigongeluk in de wildernis van de Yukon. Een ongeluk dat trouwens ook op mijn naam staat. Of we het nu leuk vinden of niet, we zitten in hetzelfde schuitje, dus geef nu maar liever antwoord op mijn vraag: Joegoslavië?'

Hij nam nu wel een risico, maar ze leek niet van plan te protesteren. Hij had zich niet vergist: de machtige adjunct-directeur bevond zich niet in een positie om te kunnen klagen.

'Twee,' zei Zhukovskaya. 'Eén in het centrum van Belgrado en de andere in het Trepca-mijnencomplex. Dat is de belangrijkste en kostbaarste bron van natuurlijke grondstoffen in Joegoslavië, waar lood, zink, koper, goud en zilver worden gedolven – een uitgelezen doelwit voor economische sabotage.'

Grantham knikte bij zichzelf, alsof het hem inderdaad logische locaties leken. Hij vroeg niet hoe de KGB de locaties kende van wapens die voor de rest van de Russische overheid en het leger kennelijk verloren waren gegaan. Hem hoefde je niets te vertellen over het achterhouden van informatie voor de politieke meesters van een veiligheidsdienst.

'Waar ligt die mijn?' vroeg Carver.

'In Kosovo,' zei Grantham, voordat Zhukovskaya kon antwoorden. 'Waar Vermulens vermeende islamitische terroristen bezig zijn een burgeroorlog te ontketenen. Jezus, gaat die halvegare ze een atoombom op hun hoofd gooien? Dan wordt het zeker oorlog.'

'Persoonlijk zou ik nooit zoiets voor de hand liggends doen...' zei Zhukovskaya.

Grantham keek haar vragend aan.

'Een valsevlagoperatie?'

'Ja,' antwoordde zij. 'Daar zou ik eerder voor kiezen, denk ik. Veel effectiever om de wereld te laten denken dat de terroristen de bom hebben. Wij zitten wat dat betreft op dezelfde golflengte...

maar zou Vermulen er ook zo over denken? Hij heeft ervaring in de inlichtingendienst... Het zou kunnen. Maar hoe houden we hem tegen? Dat is het probleem.'

'Laat mij naar Trepca gaan,' zei Carver. 'Dat is ons enige aanknopingspunt. Ik zal zien wat ik kan doen.'

'U alleen?' vroeg Zhukovskaya.

'Zou u nog iemand anders weten om te bellen?'

80

Haar dekmantel werkte te goed. Alix Petrova was een goed opgeleide agente die gevaarlijke mannen had verleid, misleid en zelfs vermoord. Maar Natalia Vermulen was een onschuldige secretaresse die zojuist met haar baas was getrouwd, en wat haar nieuwe man betreft was het zijn taak om haar te beschermen en ervoor te zorgen dat haar niets overkwam. Ze kon er dus niets tegen inbrengen toen hij, terwijl zij in bed lagen – haar hoofd op zijn borst, haar hand op zijn schouder, met de ochtendzon op de wanden van de kapiteinshut van het jacht – haar vertelde: 'Je kunt vanavond niet met ons mee.'

'Dat begrijp ik,' zei ze. 'Het is alleen... ik wil bij je zijn. Ik kan er niets aan doen.'

Er welden tranen op in haar ogen. Toen zij ze wegknipperde, realiseerde ze zich dat die tranen in elk geval echt waren. Ze lag werkelijk bijna te huilen, ook al loog ze over de reden waarom.

Hij voelde het knipperen van haar wimpers tegen zijn huid. 'Stil maar,' zei hij, terwijl hij zijn arm om haar heen sloeg en haar dicht tegen zich aan trok. 'Ik heb veel nagedacht over wat me te doen staat. Ik heb veel idiote dingen verzonnen, maar wat ik nu van plan ben is veel eenvoudiger en veel veiliger.'

Ze voelde dat hij na lag te denken en bijna moed lag te verzamelen om nog iets te zeggen, zoals mannen dat doen wanneer ze iets persoonlijks willen zeggen, een bekentenis die hen kwetsbaar maakte.

Zijn stem klonk vol emotie toen hij zei: 'Nu ik jou heb gevonden, heb ik weer iets om voor te leven. Volgens mij was ik dat gevoel een tijdlang kwijt en dat had invloed op mijn manier van denken. Het maakte me een beetje gek. Maar dat is voorbij. Er is nog wel iets wat ik moet doen, iets belangrijks. Maar ik hou te veel van je om stomme risico's te nemen...'

Hij glimlachte en zag hoe zij naar hem keek. 'Alleen nog maar hele slimme risico's, die de moeite waard zijn.'

'Het maakt me bang om niet te weten wat er met je gebeurt,' zei ze.

'Dat hoort er nu eenmaal bij als je met een soldaat trouwt, zelfs al is het een ex-soldaat. Het valt niet mee om thuis te moeten blijven en niet te weten of degene van wie je houdt nog in leven is.'

'Hoe ging Amy daarmee om?'

'Dat weet ik niet. Toen ik naar Vietnam ging, waren we nog zo jong. Ze was net eenentwintig geworden. Dat hadden we nog gevierd, vlak voordat ik vertrok. Ze is al die jaren zo vaak alleen geweest. Weet je, ik heb haar nooit horen klagen.... O, god, ik bedoel niet... Ik vergelijk jou niet...'

Ze gaf een geruststellend kneepje in zijn schouder. 'Maak je geen zorgen, ik ben zelf over Amy begonnen. Ik vind het fijn dat je met liefde aan haar terugdenkt. Dat bewijst dat je een goed mens bent.'

Vermulen draaide zich om. De arm die zo beschermend om haar heen had gelegen, trok aan haar schouder, zodat zij van zijn borst op haar rug rolde. Nu lag hij boven op haar, drukte zijn mond op de hare en dwong met zijn benen haar dijen uit elkaar met een kracht waartegen ze niets had kunnen beginnen, zelfs al had ze dat gewild. Dus sloeg ze haar benen om zijn middel en trok hun lichamen naar elkaar toe.

Toen zij de liefde begonnen te bedrijven, glimlachte ze. Het gevoel van geluk was net zo echt als haar tranen waren geweest, maar opnieuw niet om de reden die Kurt Vermulen had kunnen bedenken.

Hij liet haar vanavond alleen op het jacht. Misschien was dat haar kans om te ontsnappen.

81

Carver had zich vergist. Er waren wel degelijk mensen die Grantham kon bellen. Moest bellen, zelfs. Hij kon onmogelijk hopen deze operatie nog langer voor zichzelf te houden, daarvoor stond er te veel op het spel. Maar als hij het aan andere mensen ging vertellen, moest dat wel discreet. Net als alle andere MI6-officieren onderhield hij nauwe contacten met zijn tegenhangers in de CIA. Terwijl Carver boven was om zijn spullen te pakken, liep Grantham naar buiten en overwoog zijn mogelijkheden. Hij had iemand nodig die hij op persoonlijke, niet-officiële basis kon bellen.

Ted Jaworski schrok wakker van het rinkelen van de telefoon naast zijn bed. Hij stak zijn hand onder de dekens vandaan en graaide naar de hoorn. Hij kneep zijn ogen tot spleetjes, probeerde het nummer te lezen en mompelde toen: 'Jack, hallo... weet je verdomme wel hoe laat het hier is?'

'Even na vieren. Maar dit kan niet wachten. Is dit een beveiligde lijn?'

'Natuurlijk, waar gaat dit verdomme over?'

'Wij hebben informatie in ons bezit gekregen – volkomen toevallig eigenlijk – over een van jullie mensen, en ex-legergeneraal, Kurt Vermulen.'

Jaworski stapte uit bed en bedacht zich dat hij dit gesprek misschien beter ergens anders kon voeren. Hij legde een hand over het mondstuk en fluisterde: 'Ga maar weer lekker slapen, niks aan de hand' tegen zijn vrouw toen zij hem slaperig aankeek.

'Uh-huh, wat voor informatie?' vroeg hij aan Grantham.

'Het is een beetje ingewikkeld. Maar waar het op neerkomt is dat Vermulen gisteravond een document in handen heeft gekregen waarin de exacte locatie en activeringscodes staan vermeld van meer dan honderd nucleaire Sovjetwapens.'

'Wat zeg je?'

'Je kent die legendarische vermiste kofferatoombommen toch wel? Dat blijkt dus geen legende te zijn. Ze bestaan echt. Vermulen weet waar hij ze kan vinden en wij denken dat hij dat gaat doen, waarschijnlijk al binnen de komende vierentwintig uur.'

Jaworski bleef midden in de gang staan en floot zachtjes.

'Mijn god, dan had ze toch gelijk...'

'Pardon?'

'O, iets wat iemand hier me heeft verteld...' antwoordde Jaworski, terwijl hij verder liep. 'Laat ik het zo zeggen, dit komt niet als een totale verrassing.'

Grantham klonk enigszins geïrriteerd. 'Dus McCabe ken je ook al?'

'Oké, nu kan ik je even niet meer volgen.'

'Waylon McCabe. De een of andere hotemetoot uit Texas, een fundamentalistisch christen.'

'Ja, de naam ken ik wel... wat is er met hem?' Jaworski had inmiddels zijn werkkamer bereikt. Hij plofte neer in zijn bureaustoel toen Grantham antwoordde: 'Dat weet ik niet precies. Maar wat Vermulen ook van plan is, McCabe zorgt voor de financiën. Op dit moment zit Vermulen ergens op de Adriatische Zee, op McCabes jacht, en wij denken dat hij op weg is naar Kosovo. Daar ligt een van de bommen.'

'Hoe weet je dat?'

'Vrienden in Moskou. Blijkt dat dit een KGB-operatie was. Een aantal van hun mensen heeft al die tijd geweten waar die kolere-dingen lagen. Ik wil wedden dat ze hun eigen kopie van die lijst hebben, maar gewoon geen zin hebben om de informatie door te geven, zelfs niet aan hun eigen regering. Je moet het Witte Huis maar vertellen dat iemand het Kremlin moet bellen. Die moeten de hoge omes van de FSB dwingen die lijst over te dragen. Ze moeten weten dat dit hun laatste kans is om het in het geheim te doen, en dat je het anders openbaar maakt. Jullie moeten die lijst zien. En wij ook, trouwens. Ik krijg sterk de indruk dat jouw en mijn land vol liggen met bommen.'

'Ja...' zei Jaworski afwezig, met zijn vrije hand in een rubber balletje knijpend.

'Je lijkt niet erg bezorgd door wat ik je zojuist heb verteld.'

'O, nee, ik maak me wel degelijk zorgen, Jack, geloof me. Maar wat je me net hebt verteld, is eerlijk gezegd ook niet zo'n grote verrassing voor me.'

'Wat? Hebben jullie al die tijd van die dingen afgeweten?'

'Min of meer...'

'En wanneer, als ik vragen mag, hadden jullie je naaste bondgenoot op de hoogte willen brengen van de gevaren die ons bedreigen?'

'Zodra we precies wisten waaruit die gevaren bestonden.'

'Nou, dat weet je dan nu.'

'Inderdaad, en we gaan er iets aan doen ook.'

'Hou me vooral op de hoogte,' zei Grantham op sarcastische toon.

'Wees maar niet bang, Jack. Het is nog vroeg. Maar jij en ik hebben nog heel wat te bespreken voordat deze dag ten einde is.'

Jaworski beëindigde het gesprek. Toen belde hij iemand anders. En opeens was zijn houding helemaal niet zo nonchalant meer.

Ruim een uur voordat het licht zou worden, arriveerde Kady Jones op luchtmachtbasis Andrews. Ze was gewekt door een serie stevige, aanhoudende tikken op de deur van haar hotelkamer in Washington. Ze kroop haar bed uit en liep naar de deur. Door het kijkgaatje zag ze een man in een militair uniform staan. Zonder de ketting van de deur te halen, opende ze hem op een kiertje.

'Wat moet dit voorstellen?' mompelde ze.

'Dr. Kathleen Dianne Jones?'

'Uh-huh... en u bent?'

De man liet zijn legitimatie zien, die hem identificeerde als een kapitein van het Korps Mariniers. 'Mag ik misschien even binnenkomen, mevrouw?'

Met haar hand al op de ketting bleef Kady even staan aarzelen. Ze wist niet of ze deze vreemde zomaar moest vertrouwen, ook al droeg hij een uniform. De legitimatie zag er wel heel echt uit. Ze deed de deur open en liep de kamer in. Meteen maakte haar argwaan plaats voor schaamte: ze liep in haar pyjama, met ongekamde haren, een onopgemaakt gezicht in een kamer waar het een puinhoop was.

'Dank u, mevrouw,' zei de kapitein. 'U moet zich onmiddellijk gereedmaken voor vertrek. Buiten staat een auto te wachten om u naar Andrews te brengen. Daar zult u aan boord gaan van een vliegtuig. Ik kan u niet de exacte bestemming van die vlucht vertellen, maar ik mag u wel vertellen dat het ergens in Europa is en u wordt geadviseerd om rekening te houden met een verblijf van twee à drie dagen, waarvan u een deel mogelijk in het veld zult doorbrengen.'

'Maar...' Kady kon zichzelf er nog net van weerhouden om te zeggen: 'Ik heb niks om aan te trekken.' In plaats daarvan zei ze: 'Mijn hele velduitrusting ligt thuis in New Mexico.'

'Ik weet zeker dat u van alles zult worden voorzien wat u nodig hebt, mevrouw. Maar u moet zich nu echt haasten. Ik zal u nu alleen laten. Ik wacht buiten voor het hotel. Vijf minuten, oké?'

De kapitein verliet de kamer zonder haar antwoord af te wachten. Hij ging er gewoon van uit dat zij zich nu ging wassen, aankleden, opmaken en inpakken, en dat allemaal binnen vijf minuten.

Alleen een man kon zo stom zijn.

Jaworski zei tegen Mulvagh dat hij zijn plannen voor het weekend wel kon vergeten.

'Weet Horabin hiervan?' vroeg Mulvagh, nadat hem het nieuws over Vermulen en de link met Waylon McCabe was verteld.

'Dat komt nog. Maar je kent Horabin, Tom. Die kan zijn reet nog niet afvegen zonder eerst te bedenken hoe die handeling van invloed zal zijn op de opiniepeilingen. We kunnen niet gaan zitten wachten tot hij heeft besloten hoe hij hier het best op kan reageren. We moeten erachter zien te komen wat McCabe in zijn schild voert. Nu.'

'Ik ben ermee bezig.'

De FBI verschilt in niets van enige andere organisatie: om halfvijf op een zaterdagochtend gaat het er weinig dynamisch aan toe. Het was dus niet zo dat binnen enkele minuten nadat Mulvagh het telefoontje had ontvangen overal agenten uit hun bed en in hun auto sprongen. Er moesten mensen worden gevonden, gewekt en op de hoogte gebracht – zowel FBI-personeel als de mensen die ze moesten ondervragen. Het duurde een paar uur voordat de eerste informatie Mulvagh begon te bereiken.

In Europa en het Midden-Oosten echter, was de dag al een aardig eind gevorderd. Ook al waren de hoge functionarissen van het

Pentagon nog slaperig toen ze door Jaworski werden gebeld, hun mannen en vrouwen in het veld waren klaarwakker en klaar om aan het werk te gaan.

82

Het was middag op de Adriatische Zee. De afgelopen drie uur was Vermulen samen met Marcus Reddin, zijn directe ondergeschikte, bezig geweest om de informatie van de bommenlijst om te vormen tot een werkbare missie. Het communicatiesysteem van het jacht was gebruikt om kaarten en plattegronden te downloaden. Er waren telefoongesprekken gevoerd met contactpersonen die waren geleverd door Pavel Novak en de Nederlander, Jonny Koolhaas.

Nu zaten ze met z'n negenen in de grote salon: Vermulen, Alix, de Italiaanse geleerde Frankie Riva, Marcus Reddin en de vijf mannen die onder hem stonden. De ruimte was zorgvuldig gecontroleerd op afluisterapparatuur en er was een beeldscherm neergezet, waar Vermulen nu bij stond, met een afstandsbediening in zijn hand. Hij wilde net beginnen toen er zachtjes op de deur werd geklopt en een steward zijn hoofd om het hoekje van de deur stak.

'Neem me niet kwalijk dat ik u stoor, generaal, maar de kapitein dacht dat u misschien wat versnaperingen wilde hebben. Ik heb koffie, vruchtensapjes en wat hartige hapjes, als u wilt.'

Vermulen stond op het punt het aanbod af te slaan, toen hij de gezichten van Reddins mannen zag oplichten met die instinctieve bereidheid van elke soldaat om elk aanbod van eten en drinken te accepteren, op elk tijdstip van de dag.

'Natuurlijk, kom binnen,' zei hij en de steward reed een karretje naar binnen dat was volgeladen met verleidelijke hapjes en de geur van verse koffie verspreidde. De volgende paar minuten gingen verloren aan het volschenken van kopjes en het volladen van bordjes.

'Is iedereen er klaar voor?' vroeg Vermulen ten slotte. 'Goed dan, heren, laat me jullie informeren over jullie missie.

Wat wij vanavond gaan doen kan in potentie de loop van de geschiedenis veranderen. Wij hebben de kans om een enorme slag toe te brengen aan niet één, maar twee van de grootste bedreigingen die de wereld op dit moment kent: verdwaalde nucleaire bommen en internationaal terrorisme. En zo gaan we het doen.'

Hij drukte op een knopje van de afstandsbediening en op het scherm verscheen een kaart van een aan alle kanten door land omgeven gebied in de vorm van een ruw getekende, onregelmatige diamant dat op het breedste punt zo'n zestienhonderd kilometer breed was.

'Dit is de provincie Kosovo, dat op dit moment deel uitmaakt van de Federale Republiek Joegoslavië. Het ligt in het binnenland, ruwweg honderddertig kilometer van de kust van de Adriatische Zee in het westen. Kosovo verkeert op dit moment in het eerste stadium van een beginnende burgeroorlog tussen de meerderheid van de bevolking, etnische Albanezen – dat daar is Albanië, daar aan de zuidwestgrens met Kosovo – en de minderheid, de Serviërs – dat is Servië, in het noordoosten. Om een lang verhaal kort te maken, de Serven overheersen de Albanezen en daar zijn de Albanezen niet blij mee. Zij willen van Kosovo een onafhankelijke staat maken. De Serviërs willen hen niet laten gaan.

Wat heeft dit nu met ons te maken? Simpel. De Albanese zaak wordt gekaapt door islamitische terroristen, net zoals dat met de vrijheid is gebeurd in Afghanistan. Deze terroristen, die over de hele wereld actief zijn, vormen duidelijk een actueel gevaar voor de Verenigde Staten, een gevaar dat onze regering meent te moeten negeren. En dat gevaar is des te groter omdat er sprake is van een kleinschalige nucleaire bom, hier in Kosovo, die daar tien jaar geleden door de Russen is geplaatst. Hij wordt niet bewaakt en ligt in een koffer te wachten tot er iemand langskomt die hem vindt. Wij kunnen niet toestaan dat die bom in terroristische handen valt. Dus die iemand, dat zijn wij.'

'Godallemachtig,' mompelde Maroni. 'Nu snap ik waarom we zo goed worden betaald.'

Vermulen schetste in het kort wat de bedoeling was. Later die middag zouden ze op zee een rendez-vous hebben met een vissersboot die alle wapens aan boord had die ze nodig zouden hebben. Vervolgens zou het jacht Kroatische wateren binnenvaren en aanleggen in een afgelegen baai bij het dorpje Molunat in zuidelijk Kroatië, vlak bij de grens met de Joegoslavische provincie Montenegro. Zodra het ging schemeren, zo rond halfacht, zouden ze aan land gaan, waar ze zouden worden opgewacht door een gids. Hij zou de voertuigen bij zich hebben die nodig waren om hen de tweehonderd kilometer over land naar hun bestemming te brengen, het administratiegebouw van de loodsmelterij van Zvecan, die deel uitmaakte van het uitgestrekte Trepca-mijnencomplex in het noorden van Kosovo, waar de bom zich bevond. Reddin en zijn team zouden de wacht houden, terwijl Riva zijn spectrometer gebruikte om de geheime bergplaats van de bom te vinden.

Zodra hij was gevonden, zou Vermulen een korte verklaring afleggen, op video, waarin hij zou beschrijven wat hij had aangetroffen en waar. Hij zou de gevaren voor mondiale veiligheid benadrukken van een dodelijke combinatie van internationaal terrorisme en onbeveiligde, kleinschalige nucleaire wapens. Vervolgens zou de bom, onder streng toezicht van Riva, naar hun voertuigen worden overgebracht, waarna ze nog honderd kilometer door zouden rijden naar de grens met de naburige republiek Macedonië, waar NAVO-troepen waren gestationeerd. De laatste paar kilometer moesten wellicht te voet worden afgelegd, om te voorkomen dat ze door grenswachten zouden worden opgemerkt. Zodra de videoverklaring aan de pers was vrijgegeven, teneinde te voorkomen dat de zaak in de doofpot zou verdwijnen, zou de bom worden overgedragen, samen met aanvullende informatie, die tot op dat moment veilig aan boord van het jacht zou blijven.

Vermulen keek de hele ruimte rond en keek de mannen een voor een recht in de ogen.

'Ik vermoed dat er na het vrijgeven van onze verklaring aan de wereldpers en het leveren van bewijzen aan de Amerikaanse regering twee dingen zullen volgen. Ten eerste zal er serieus actie worden ondernomen om alle vermiste wapens op te sporen. En ten tweede zal de reactie van de media, en het Amerikaanse volk – sterker nog, alle volkeren ter wereld – onze politici dwingen om eindelijk eens wakker te worden en actie te ondernemen om ons te beschermen tegen de dreiging van mondiale terreur. Als wij nu een halt kunnen toeroepen aan het islamitische terrorisme, zullen wij de wereld een veiliger plek maken voor onze gezinnen, onze buren, voor iedereen. Doen we dat niet, dan zie ik de toekomst met angst en beven tegemoet.

Heren,' besloot hij, 'deze missie is in wezen heel eenvoudig. We moeten een afstand afleggen die korter is dan die van Boston naar New York. We moeten op onze hoede zijn voor Servische eenheden en voor troepen van het Kosovaarse Bevrijdingsleger, en wegversperringen van leger of politie zien te vermijden. Maar als we goed uitkijken, is er geen enkele reden waarom we geweld zouden moeten gebruiken. Met de bom zelf kan niets gebeuren. Zonder activeringscode zal hij niet ontploffen en ook geen gevaarlijke straling afgeven.

Dus rust wat uit, probeer wat te slapen. We hebben een lange nacht voor de boeg.'

Boven op de brug had de kapitein radiocontact met een privévliegtuigje, dat op dit moment in noordwestelijke richting vloog, na twee uur eerder vanuit San Antonio te zijn opgestegen. 'Hebt u dat allemaal gehoord, meneer?' vroeg hij.

'Absoluut, kapitein, woord voor woord. Hoe hebt u dat voor elkaar gekregen? Ik had gedacht dat Vermulen wel bijdehand genoeg was om op afluisterapparatuur te controleren.'

'Dat heeft hij ook gedaan, meneer. Hij heeft voor de bijeenkomst de hele salon onderzocht. Maar we hebben hem wat versnaperingen aangeboden en een afluisterapparaatje in het deksel van de koffiepot verstopt. Dat werkte prima.'

'Inderdaad, kapitein. Ik bel u later nog met nieuwe instructies over een ander karweitje dat u nog voor me kunt opknappen.'

'In orde, meneer. Ik kijk ernaar uit.'

Waylon McCabe leunde achterover met een gevoel van tevredenheid dat zo diep was dat het bijna de pijn overstemde van de tumoren die van binnenuit zijn lichaam wegvraten. Over een paar minuten zou hij Dusan Darko in Belgrado bellen om hem de informatie door te geven die hij nodig zou hebben om Vermulen te onderscheppen en hem de bom te ontfutselen. De operatie zou met de grootste voorzichtigheid moeten worden aangepakt. McCabe wilde het wapen intact en Vermulen levend en wel in handen krijgen. Ook dokter Francesco Riva mocht niets overkomen. Vanaf het moment dat Vermulen hem over die ontmoeting in Rome had verteld, had McCabe al geweten dat de deskundigheid van de Italiaan van cruciaal belang zou zijn voor zijn plannen.

Het was nu de zaterdag voor Pasen: nog maar één dag voordat

Armageddon zou losbarsten, Christus de strijder uit de hemel zou neerdalen en hij zou worden meegevoerd naar het eeuwige leven. Goed, er zouden mensen onder lijden. Maar dat kon McCabe niet schelen. Hij had genoeg mensen om veel slechtere redenen gedood.

83

Toen agenten van het FBI-kantoor in San Antonio naar McCabes ranch in Kerr County belden, kregen ze te horen dat hij niet thuis was: hij was voor zaken naar Europa vertrokken. Daarna kostte het niet veel tijd om erachter te komen dat zijn privéjet was opgestegen van Stinson Municipal Airport, tien kilometer ten zuiden van San Antonio, kort na 3.00 's nachts, plaatselijke tijd.

'Kunt u het toestel beschrijven?' vroeg de agente die het telefoongesprek voerde.

'Het exacte model weet ik niet, een gewone privéjet voor acht personen...' antwoordde de luchthavenbeambte.

De agente luisterde al amper meer en wilde net ophangen toen de ander zichzelf onderbrak en zei: 'Nee, wacht even, dat klopt niet...'

'Wat klopt niet?' De agente deed niet eens moeite haar gebrek aan belangstelling te verbergen.

'Nou, meneer McCabe heeft dat vliegtuig onlangs laten verbouwen en het is nog maar net tien dagen terug. Het heeft nu een soort bobbel in zijn buik, u weet wel, zo'n luik dat open kan, als een soort bommenwerper of zoiets...'

Nu had ze opeens veel meer belangstelling.

Het was negen uur 's ochtends en het begon druk te worden. Een groep luchtvaartkundig ingenieurs en directieleden probeerde uit te leggen waarom ze het zo fijn hadden gevonden om voor niets aan Waylon McCabes vliegtuig te werken, in de overtuiging dat de aanpassingen zouden worden gebruikt om voedselvoorraden te droppen voor hongerende Afrikanen.

Inmiddels had het toestel het Amerikaanse luchtruim verlaten. McCabes piloot had een vluchtplan ingediend voor Shannon, in Ierland, dat nog net binnen het bereik van het toestel lag. De vluchtgegevens deden echter vermoeden dat hij in feite op weg was naar een veel noordelijker gelegen plek, richting Reykjavik, IJsland.

'Kunnen we niet iemand op Binnenlandse Zaken contact op laten nemen met de IJslandse autoriteiten, om hun te vragen het vliegtuig in beslag te nemen en McCabe te arresteren?' vroeg Mulvagh toen Jaworski hem de informatie doorbelde.

'Op grond waarvan?' kwam het antwoord. 'Waylon McCabe is niet voortvluchtig, heeft geen misdrijf begaan en we hebben geen enkele reden om te denken dat hij contrabande, drugs of wapens zou vervoeren.'

'Nee, maar hij staat wel op het punt om...'

'Om wat precies?' viel Jaworski hem in de rede. 'We hebben geen idee wat hij van plan is, dat is nu juist het probleem.'

Inmiddels werden McCabes telefoon-, reis- en financiële gegevens aan een grondig onderzoek en analyse onderworpen. McCabes artsen weigerden in detail op de gezondheid van hun patiënt in te gaan en beriepen zich op hun beroepsgeheim. Maar reisjes naar kankercentra in Houston en New York vertelden hun eigen verhaal. Ook duurde het niet lang voordat de donatie van een miljoen dollar aan dominee Ezekiel Ray aan het licht kwam, en de telefoongesprekken die beide mannen met elkaar hadden gevoerd.

Mulvagh ondervroeg de dominee persoonlijk.

'Mag ik u vragen waarover u met hem hebt gesproken, dominee?'

Ray aarzelde. 'Ik ben bang dat ik u daar niets over kan vertellen. Het is een persoonlijke kwestie tussen mij en iemand uit mijn gemeente.'

'Dat begrijp ik, maar we hebben het hier niet over een biechtgeheim, wel? Ik bedoel, u hebt geen enkele verplichting uw gesprekken geheim te houden.'

'Dat klopt, maar toch...'

'Dominee, ik begrijp uw positie. Maar ik moet u wel vertellen dat dit een zaak is van nationale veiligheid. Wij moeten weten waar meneer McCabe zich zoal mee bezighield. Kunt u ons dan tenminste vertellen over wat voor dingen u het zoal met hem had, in het algemeen, zonder op details in te gaan?'

Er viel een korte stilte, gevolgd door een bedachtzame zucht.

'Ja, dat zou ik wel kunnen doen.'

'En...?'

'Zoals u weet concentreren mijn preken zich op het concept van wegvoering, het opgaan naar de hemel van de uitverkorenen, aan het einde der tijden, zoals is voorspeld in het boek Openbaring. Meneer McCabe werd diep geraakt door het vooruitzicht daarop, net als vele, vele andere fatsoenlijke christelijke mannen en vrouwen die mijn diensten bezoeken.'

De dominee verzweeg iets. Zelfs door de telefoon, niet in staat het gezicht van de ander te zien, kon Mulvagh het voelen: iets wat met die wegvoering te maken had, had ervoor gezorgd dat Ray opeens heel erg op zijn hoede was.

'Dat geloof ik graag, dominee,' antwoordde Mulvagh. 'En toen McCabe er met u over sprak, wat raakte hem toen precies? Waarom wilde hij dat zo graag met u bespreken? Hij moet iets hebben willen weten – iets waar hij niet achter kon komen door naar uw preken te luisteren, of door naar u te kijken op de televisie.'

'Hij wilde weten...'

Opnieuw zweeg Ray even.

'Ja?' vroeg Mulvagh.

'Hij wilde iets weten over de laatste strijd tegen de Antichrist. Dat is de strijd die volgens Johannes, in Openbaring, de komst van Christus zal inluiden.'

'En wat wilde hij dan weten over die strijd?'

'Hemeltje... ik weet niet of ik u dit wel moet vertellen. Maar wat meneer McCabe wilde weten was, wat God ervan zou vinden als hij – McCabe dus – die strijd zelf zou beginnen.'

Met het verstrijken van de uren maakte het onderzoek steeds meer vorderingen. Tegen lunchtijd hadden agenten het verband gelegd met Clinton Tulane en ook een verband tussen McCabe en Dusan Darko. Het was nu wel duidelijk hoe McCabe de bom in zijn bezit wilde krijgen en in welk land. Het enige wat ze nog niet wisten was de uiteindelijke bestemming.

Er werd een brainstormsessie georganiseerd in het Witte Huis; alle betrokken bureaus waren uitgenodigd.

'We moeten elke mogelijkheid in overweging nemen, hoe idioot iets ook klinkt,' zei Leo Horabin, de Nationale Veiligheidsadviseur. 'Dus het maakt niet uit waar jullie aan denken, aarzel niet het naar voren te brengen.'

Tom Mulvagh wachtte zijn beurt af en liet eerst de anderen hun ideeën ventileren alvorens zelf met iets te komen.

'Ik denk dat we vooral het religieuze aspect moeten bekijken,' zei hij. 'We denken op het bureau al een tijdje over dit soort dingen na – je weet wel, godsdienstfanaten die Armageddon tot stand willen brengen. We waren zelfs al van plan er een groot onderzoek naar te gaan verrichten. We zijn van plan het Project Megiddo te noemen, want dat is de heuvel, in Israël, waar volgens het boek Openbaring die allerlaatste strijd zal plaatsvinden. Dus als ik op zoek zou zijn naar plekken waar een idioot met een bom naartoe zou kunnen gaan, zou ik daar beginnen.'

'Ik snap wat je bedoelt, Tom,' zei Jaworski, 'maar het zouden zoveel plekken kunnen zijn. Veel van die lui hebben de pest aan Arabieren. Misschien wil hij Mekka wel met de grond gelijkmaken, of Jeruzalem...'

'Wat dacht je van de St. Pieter in Rome?' merkte een agent van de DIA op. 'Honderdduizenden mensen die bij elkaar komen om naar de paus te luisteren – een geweldig doelwit.'

Horabin keek de tafel nog eens rond en nam een besluit.

'Volgens mij heb je gelijk, Tom. Waarschijnlijk heeft het doelwit een religieuze betekenis. En het zou logisch zijn als het vanuit Kosovo makkelijk bereikbaar zou zijn, dus binnen Europa of het Midden-Oosten. Ik wil een complete lijst van alle mogelijke doelwitten die daaronder vallen. En ik wil voor allemaal een rampenplan.'

84

In Macedonië was de avond gevallen en Carver had zojuist bezit genomen van de typische Balkan-auto, een van de talloze gedeukte oude Mercedessen die vanuit Duitsland naar het zuiden worden verscheept, naar armere, minder kieskeurige markten. Dit was een acht jaar oude C-klasse diesel, overgespoten in een soort bruinbeige kleur die de wagen nog het meest op een gemotoriseerde carameltoffee deed lijken, met een kapotte uitlaat die dikke, grijsblauwe rook de atmosfeer in spuwde. Een MI6-agent in de Macedonische hoofdstad Skopje, ene Ronan Biddle, had hem aan Carver gegeven toen hij die avond was gearriveerd, alsmede een paspoort, visa en geloofsbrieven die hem identificeerden als een BBC-radioverslaggever. De zijvakken van een oude leren weekendtas bevatten een taperecorder, laptop, telefoon, kaart en notitieboekjes die zijn dekmantel completeerden. Ook had hij de standaarduitrusting overhandigd gekregen die hij nodig had als moordenaar en saboteur: een verzameling gereedschappen, plastic explosieven, mes, pistool en munitie. Onder zijn kleding droeg hij, zoals gewoonlijk, de geldriem met daarin de contanten, aandelen aan toonder en paspoorten die hij altijd bij zich had. Vlak voor zijn vertrek uit Frankrijk had hij zijn haar laten millimeteren. Hij had er genoeg van om elke keer wanneer hij in een spiegel keek Kenny Wynter voor zich te zien.

'Het is geen SIG, ben ik bang,' zei Biddle, die eerder vrolijk klonk dan verontschuldigend om het feit dat hij Carver niet het wapen had kunnen leveren dat hij wilde hebben. 'Grantham zei dat je die wilde hebben, maar je zult het met een Beretta 92 moeten doen, het beste wat we op korte termijn konden krijgen. Hij is goed genoeg voor het Amerikaanse leger, dus zo slecht kan hij niet zijn. Er zit ook een geluiddemper bij.'

Biddle wierp Carver een verwijtende blik toe. 'Ik snap niet waarom Londen per se iemand moest sturen,' vervolgde hij. 'We hebben hier genoeg eersteklas mensen, en er lopen hier SAS-jongens rond die Kosovo op hun duimpje kennen. Maar ach, de mannen in de praktijk vertrouwen ze nooit, hè?'

Carver haalde zijn schouders op en opende de kofferbak van de auto, op zoek naar de beste plek om de explosieven te verbergen. Hij had geen behoefte aan een gesprek. Een paar minuten later was hij op weg naar de Kacanik-pas, die een van de weinige doorgangen biedt tussen Macedonië en zuidelijk Kosovo.

De file bij de grens duurde negentig minuten, een ongeregeld zooitje vrachtwagens, busjes en personenwagens, met imperials die hoog waren beladen met goederen uit Macedonië waar in Kosovo na de uitbarstingen van geweld en anarchie niet meer aan te komen was – van alles en nog wat, van vers fruit tot videorecorders. De mensen in de rij stonden om hun voertuigen heen te roken en te drinken en met andere chauffeurs te praten. Carver kon niet zien wie van hen etnische Albanezen en wie Serviërs waren. Van spanning of polarisatie was geen spoor te bekennen. Iedereen kon met elkaar overweg, mopperde op het oponthoud, deelde flessen en sigaretten en plaagde goedmoedig de kinderen die tussen de auto's door renden. Maar zodra zij de grens naar Kosovo waren gepasseerd, zouden zij worden verdeeld in rivaliserende groepen, die elkaar het liefst wilden uitmoorden.

Carver had in de loop van de tijd voldoende groepsgeweld gezien. Hij had in Noord-Ierland en Irak gediend. En waar of wanneer het ook gebeurde, het sloeg nooit ergens op.

De grenswachters waren kaalgeschoren boeven in blauwe paramilitaire uniformen. Een van hen nam Carvers paspoort en papieren mee en verdween in een laag gebouwtje met daarop het wapen van de Federale Republiek Joegoslavië dat naast de controlepost stond. Enkele minuten later kwam hij terug en gaf Carver een seintje dat hij zijn wagen uit de rij moest halen en aan de kant moest zetten, zodat andere reizigers erdoor konden: dit ging nog wel even duren.

Het begon al laat te worden, maar in het niemandsland tussen de Macedonische en Kosovaarse kant van de grenspost was nog een belastingvrije winkel met een café open. Carver ging naar binnen om naar het toilet te gaan en een dubbele espresso te nemen. Aan een tafeltje zaten vier grenswachten, met hun halfautomatische geweren rechtop tegen hun stoelen. Ze deelden een fles pruimenbrandewijn. De fles stond, te midden van een aantal lege exemplaren, op de tafel. De soldaten straalden het soort broeierige spanning uit van dronkenlappen die al een heel eind op weg waren van vrolijk aangeschoten zijn naar onbeheerste gewelddadigheid. Toen Carver hen op weg naar de toiletten passeerde, keken ze hem aan met een boosaardigheid die bereid was elk excuus – één onwillekeurige blik of gebaar was al voldoende – aan te grijpen om aan te vallen.

Toen zijn koffie kwam, nam hij die mee naar buiten. Hij wilde in alle rust kunnen nadenken. In feite was hij zo kwaad op zichzelf dat hij het gevecht met de grenswachters nog wel eens aan zou kunnen gaan ook. En dat zou dan meteen het eerstvolgende punt zijn op zijn lange lijst van stomme fouten.

Het ging tegen al zijn principes in, maar hij moest onwillekeurig aan het verleden denken en wat hij allemaal anders had willen doen. Als hij beter zijn best had gedaan op de luchthaven van Inuvik... als hij gewoon tegen het Consortium had gezegd dat ze op konden lazeren toen ze hem opdracht hadden gegeven het vliegtuig naar Parijs te nemen... als hij zich nooit had ingelaten met Alix... als hij de zaken voor het meisje had laten gaan en die verdomde lijst gewoon aan Grantham had gegeven... als, als, als, en hij kon er helemaal niets meer aan veranderen.

Alix kwam niet meer bij hem terug. Ze had haar besluit genomen en daar zou ze niet meer op terugkomen. Hij nam haar niet kwalijk wat ze had gedaan. Toen ze in de kliniek bij hem was weggegaan, was hij een kasplantje geweest. Vervolgens was haar verteld dat hij dood was. Het was niet verbazingwekkend dat ze voor de eerste de beste gezonde, succesvolle, machtige kerel was gevallen. Hij hoopte ooit de kans te krijgen haar dat te vertellen, haar te laten weten dat hij het begreep en haar geen kwaad hart toedroeg, hoeveel pijn het hem ook deed. Maar wanneer zouden zij elkaar ooit nog zien? Hij kon zich niet voorstellen dat Vermulen haar zou betrekken bij wat hij van plan was met de bom, dus in Trepca zou hij haar ook niet zien. En tegen het einde van deze nacht zat de kans er toch wel in dat óf hij óf Vermulen dood zou zijn, of misschien wel allebei. En zelfs als hij het overleefde, wat dan?

Waarschijnlijk zou ze op de boot blijven. Hij zag al voor zich hoe hij aan boord zou gaan: 'Hallo, schat, sorry dat ik je vent om zeep heb geholpen. Neem het me maar niet kwalijk.' Dat zou vast niet lekker vallen, hoe hij het ook zou spelen.

Hij kon natuurlijk gewoon rechtsomkeert maken. Als hij Vermulen niet pakte, dan deed iemand anders het vroeg of laat wel. Er waren zoveel mensen die reden hadden om die man dood te wensen. Als Alix weer vrij was, kon hij proberen haar terug te winnen.

Maar om misbruik te maken van de treurende weduwe was nu ook niet bepaald chic te noemen. Bovendien ging het toch niet gebeuren. De enige manier om al zijn fouten goed te maken was de puinhoop op te ruimen die hij zelf had gemaakt. Dat betekende dat hij Vermulen moest opsporen en hem, samen met zijn bom, onschadelijk moest maken, koste wat kost. En de lijst? Had Vermulen die bij zich? Opeens wist Carver met absolute zekerheid het antwoord op die vraag. Nee, die lag veilig op het jacht, bij Alix.

Er verscheen een sardonische, humorloze glimlach om zijn mondhoeken. Misschien zouden ze elkaar toch terugzien, of ze dat nu leuk vond of niet.

Aan de andere kant van het door schijnwerpers verlichte niemandsland zag hij een grenswacht naar hem wuiven. Zijn papieren waren geaccepteerd. Hij mocht Kosovo in.

85

Eerder die middag, toen iedereen aan boord het druk had met de voorbereidingen voor Vermulens expeditie, was Alix de pantry binnengeglipt en had een grote plastic vuilniszak, een aantal kleinere plastic zakjes en een paar meter draad gepakt. Nu waren de mannen allemaal weg en was zij alleen in de hut; ze bereidde haar vlucht voor.

Ze droeg een badjas, met daaronder een badpak. Het jacht lag ongeveer tweehonderd meter voor de kust voor anker. Alix was een uitstekend zwemster en voelde dat ze die afstand gemakkelijk kon overbruggen, zelfs met de plastic zak die ze om haar middel zou bevestigen. Ze nam het absolute minimum mee van wat ze nodig had: haar portefeuille, paspoort en telefoon; een sweater; een spijkerbroek en haar lichtste paar platte instappertjes. Behalve de spijkerbroek en de sweater was elk voorwerp apart in een plastic zakje verpakt, waarna ze alles in de vuilniszak had gedaan, die ze dichtplakte met plakband. Ze was van plan om een uur of één 's nachts te vertrekken, wanneer er maar één man de wacht hield op de brug. Als ze erin slaagde de kust te bereiken, kon ze tegen de tijd dat de zon opkwam allang weg zijn.

Er werd op de deur geklopt en ze hoorde de stem van de steward: 'Mevrouw Vermulen?'

Ze schoof de zak onder haar kussen en riep terug. 'Ja?'

'Een boodschap van uw man, mevrouw. De kapitein heeft me gevraagd hem u persoonlijk te overhandigen.'

'Ik kom eraan...'

Ze liep naar de deur en deed hem open. Daar stond de steward. Maar hij hield geen boodschap in zijn hand. In plaats daarvan richtte hij een pistool op haar en er klonk geen spoortje onderdanigheid meer in zijn stem toen hij zei: 'Trek wat kleren aan. U gaat een tochtje maken.'

Ze stapte achteruit de kamer in en hield de deur verder open om hem binnen te laten. Wat de steward betreft was zij niets anders dan het kleine blonde vrouwtje. Hij was volledig overdonderd toen ze de deur in zijn gezicht smeet, die weer opentrok en hem keihard in zijn kruis trapte. Terwijl hij dubbel klapte van pijn, stapte Alix naar voren en stootte haar knie in zijn gezicht. Ze had geen idee waarom de bemanning zich opeens tegen haar had gekeerd, maar ze had nu geen tijd om daar te lang bij stil te staan. Ze rende naar het bed, griste de vuilniszak mee en rende de gang op.

De slaapkamer bevond zich op het grote dek. Alix rende door de salon waar Vermulen zijn bijeenkomst had gehouden, naar buiten. Ze had de reling van het achterschip al bereikt en wilde net overboord springen, toen er een luid geweervuur losbarstte, en een hele serie kogels de planken vloer voor haar voeten doorboorde.

Toen ze opkeek zag ze de kapitein aan de reling van het bovendek staan, en over de loop van een automatisch geweer heen op haar neer staan kijken.

'Ik zou daar maar blijven staan, mevrouw Vermulen,' zei hij. 'Anders gaat het volgende salvo dwars door u heen.'

86

Vijftien jaar eerder had de loodsmelterij van Zvecan deel uitgemaakt van een bloeiende onderneming die twintigduizend werknemers in dienst had en welvaart bracht aan een heel volk. Nu was het niet veel meer dan een krakkemikkige oude communistische onderneming, nog verder afgezakt door de gezamenlijke gevolgen van corrupt wanbeleid en sociale anarchie. Het hele terrein, op de bodem van een vallei tussen bosrijke, van mineralen vergeven heuvels, ademde een sfeer uit van onomkeerbaar verval: roestende pijpen, stilstaande transportbanden, kapotte en nooit gerepareerde ramen. Uit de rood-wit gestreepte schoorsteen die boven de fabriek uittorende, kringelden nog een paar armzalige wolkjes zwarte rook, in een zwakke bevestiging dat dit, in theorie, een bedrijf was dat vierentwintig uur per dag in touw was. Hier en daar werd de omgeving verlicht door een zwak oranjeachtig schijnsel. Maar er was niemand om Vermulens team tegen te houden toen hun Land Cruisers door de poorten reden, geen spoor van werknemers op de verbindingswegen tussen de reusachtige fabriekshallen.

De bom lag opnieuw achter een valse muur, ditmaal in het kelderkantoortje van de onderhoudsman van de centraleverwarmingsketels. Vermulen werd getroffen door het contrast tussen de kleurloze banaliteit van de leren koffer en de ontzagwekkende kracht van wat erin zat. Hij was gewend aan systemen waarvan de capaciteit zichtbaar was aan de buitenkant, of het nu machtige tanks waren of donderend geschut. Maar dit was het ultieme heimelijke wapen. Het gaf geen enkele aanwijzing over zijn destructieve krachten.

De zwakke peertjes in de kantoorverlichting en de grijsgroene verf op de muren droegen bij tot een grimmige, spookachtige atmosfeer, maar Vermulen zag Frankie Riva's ogen glinsteren met de koortsigheid van een op schatten beluste archeoloog die op de tombe van een farao is gestuit.

'*Ammazza*!' mompelde hij, terwijl hij de koffer opende en de metalen loop zag. 'Na al die jaren... ongelofelijk!'

'Dus het is een nucleair wapen?' vroeg Vermulen.

'O, ja, generaal, dat is het zeker.'

'En het werkt nog?'

Riva hief zijn armen op in een typisch Italiaans schouderophalen. 'Wie zal het zeggen? Er is maar één manier om daarachter te komen, en dat is door een detonator in te stellen en af te wachten wat er gebeurt. Maar als ik het zo bekijk, zie ik geen reden waarom hij het niet meer zou doen. In wezen is het een heel simpel instrument. Een stuk uranium wordt in een ander stuk geperst...' Hij spreidde zijn armen. 'Boem!'

Don Maroni was stafsergeant geweest bij het Amerikaanse Korps Mariniers, lid van een van de beste lichte-infanteriestrijdkrachten ter wereld, getraind tot de hoogste niveaus van fitheid en competentie. Maar het sleutelwoord was 'was'. Hij had de dienst vijf jaar geleden verlaten, werkte voor een beveiligingsbedrijf en droeg tegenwoordig een pak in plaats van een uniform. Hij ging nog steeds drie keer per week naar de boksschool en oefende op de schietbaan. Naar normale maatstaven was hij een man met wie je het beter niet aan de stok kon krijgen. Maar hij was niet meer zo scherp als hij ooit was geweest. Hij was in elk geval niet meer zo fit als de mannen die aan alle kanten om hem heen door de grote, roestende kolossen van de smeltfabrieken slopen, mannen die al tien jaar lang man tegen man hadden gevochten in conflicten van een bandeloze wreedheid.

Dusan Darko's beste moordenaars hadden tegenover conventionele legers gestaan, maar ook tegenover wanhopige burgers en fanatieke moedjahedien die waren overgevlogen uit Pakistan, Afghanistan en Saoedi-Arabië en die hen evenaarden wat het totaal ontbreken van enige scrupules betrof. Ze hadden gevochten in de wetenschap dat de dood een bevrijding was, verre te prefereren boven de martelingen en verminkingen die onvermijdelijk volgden op gevangenname, en ze hadden net zoveel leed toegebracht als ze zelf hadden geleden. Sterker nog, zij waren afkomstig uit bergdorpen waar al eeuwenlang de cultuur van het mes en de kogel heerste. Moorden zat hun in het bloed.

Hoe goed hij ook was, toch liet Donny Maroni zich verrassen tijdens het bewaken van het kantoorblok waar de bom verborgen lag. Hij ving een flauwe geur op van tabak en knoflook van de hand die voor zijn mond werd geslagen om zijn kreten te smoren, en toen werd het mes langs zijn keel gehaald en spoot het bloed uit de gapende, dodelijke wond.

Reddins mannen waren verspreid over de directe omgeving van het kantoorgebouw. Ze waren allemaal goed bewapend, allemaal uitgerust met radio's waarmee zij om ondersteuning konden vragen. En ze stierven allemaal zonder een kik te geven.

De videocamera was opgesteld in het kantoor in de kelder, met een lamp die op Vermulen scheen en de geopende bomkoffer die hij en Frankie Riva op het bureau van de onderhoudsman hadden getild.

'Klaar?' vroeg hij aan Riva, die bij de camera stond.

'Zeker,' antwoordde de Italiaan. 'De camera loopt. Begin maar wanneer je wilt.'

Vermulen schraapte zijn keel, haalde zijn neus op en keek recht in de camera.

'Mijn naam is luitenant-generaal Kurt Vermulen. Ik heb me teruggetrokken uit het Amerikaanse leger na achtentwintig jaar trouwe dienst als aangesteld officier. Al die tijd ben ik er trots op geweest en heb ik het als een eer beschouwd het land waarvan ik hou te mogen dienen. Ik bevind mij nu in de provincie Kosovo, in Joegoslavië, op het industrieterrein van Zvecan. Enkele kilometers hiervandaan opereren eenheden van het Kosovaarse bevrijdingsleger, bijgestaan door strijders, wapens en geld van de strijdkrachten van het internationale islamitische terrorisme. En dit...' hij wees naar de koffer op het bureau, 'is hun ultieme wapen. Het is een...'

Vanaf de gang klonk opeens het geknetter van kleine vuurwapens, onmiddellijk beantwoord door een salvo van de andere kant van de kantoordeur, waardoor vervolgens een dierlijke kreet van pijn te horen was. De deur vloog open en Marcus Reddin kwam achteruit de kamer binnen gewankeld. Zijn linkerarm hing slap langs zijn zij en het bloed stroomde uit een kogelwond die helemaal door-en-door was en zijn hele schouder had opengelegd.

'Red!' riep Vermulen. Hij trok het pistool dat hij in een holster aan zijn middel droeg en schoot zijn vriend te hulp.

'Sorry, man... we hebben het verkloot,' hijgde Reddin.

Vermulen hoorde rennende voetstappen op de gang. Zonder achterom te kijken naar Riva riep hij: 'Zoek dekking!' Toen greep hij zijn pistool in beide handen, hield het voor zijn gezicht en ging naast de deurpost staan, in afwachting van het moment waarop hij de gang in moest stappen en moest beginnen met schieten.

Maar Vermulen zette die stap niet meer. Niet toen er een pistool in zijn rug werd geduwd en hij een Italiaanse stem in zijn oor hoorde zeggen: 'Laat uw wapen op de grond vallen, generaal.'

Tweehonderd kilometer naar het westen landde een helikopter op een stuk open grond bij het Kroatische dorpje Molunat. Een klein groepje mannen stond al te wachten. Terwijl de motoren bleven draaien, renden zij naar het toestel toe, instinctief bukkend, ook al bevonden de rotorbladen zich ruim boven hun hoofden. Te midden van de mannen bevond zich een kleinere, slankere gestalte, een vrouw wier blonde haren om haar gezicht wapperden door de wind van de rotoren. Twee mannen hielden haar bovenarmen vast. Haar handen waren achter haar rug gebonden en ze struikelde bijna toen ze haar meesleurden naar de helikopter en haar door de open zijdeur naar binnen duwden. Toen zij erin zat, reikte een van de mannen een dunne, kartonnen enveloppe aan door de open deur. Een onzichtbare figuur pakte de enveloppe vanuit de cabine aan en schoof de deur dicht. Toen steeg de helikopter op in de bewolkte nachthemel.

87

'Welkom in Rock City, mevrouw.'

Kady Jones was vanuit Washington rechtstreeks naar de luchtmachtbasis Ramstein in Zuid-Duitsland gevlogen. Onderweg was haar verteld wat er aan de hand was. Er was reden om te denken dat er weer een Russische bom was ontdekt, nu in Kosovo. Ze moest gaan vaststellen of hij echt was, of niet. De toon van de informatie was dringend geweest, maar routinematig: ze hoefde zich geen zorgen te maken. Na afloop had ze nog een boodschap gekregen, waarin haar om haar lengte, kledingmaten en schoenmaat werd gevraagd. Op het moment dat de cabinedeur werd geopend, was ze regelrecht naar een militair transportvliegtuig geleid, dat al vol zat met een volledig explosievenopruimingsteam van het leger plus hun uitrusting. Een tiental andere mannen zat zwijgend en onbewogen in futuristische zwarte uniformen klaar voor vertrek te wachten. Nog voordat zij haar veiligheidsgordel had vastgemaakt, begonnen de wielen al te rollen. Zodra ze in de lucht waren, kwam een van de mannen in het zwart naar haar toe.

'Majoor Dave Gretsch,' zei hij. 'Ik wilde mezelf even aan u voorstellen en u laten weten dat mijn mannen en ik vanavond de omgeving voor u zullen beveiligen. Er is een kans dat er wat gaat gebeuren, maar als u precies doet wat wij zeggen, zorgen wij ervoor dat u niets overkomt. Intussen kunt u ons alles vragen wat u wilt weten.'

'Wie zijn jullie?' vroeg Kady.

Gretsch glimlachte verontschuldigend. 'Ik vrees dat ik u dat niet kan vertellen. Het enige wat u hoeft te weten is dat wij de besten zijn.'

'O... Maar waar gaan we eigenlijk naartoe?'

'Dat kan ik ook niet zeggen. Ik weet het zelf nog niet eens. Eigenlijk hoopte ik dat u het wist.'

'Dus ik kan wel vragen, maar u kunt geen antwoord geven.'
'Daar ziet het wel naar uit, maar zo gaan die dingen in het leger.'
Nu was het tien uur 's avonds en ze was net aangekomen op de basis Tuzla in Bosnië. Terwijl de soldaten hun wapens en uitrusting gingen uitladen, werd zij verwelkomd door een luchtmachtkorporaal, een vrouw, die haar meenam naar een klaarstaande Humvee.
'We noemen het Rock City vanwege al het rotspuin dat overal ligt – het was hier een grote modderpoel voordat ze dat hier hebben neergegooid,' legde ze uit. 'Hoe dan ook, er is een kamer voor u ingericht in de officiersverblijven, hoewel ik betwijfel of u aan slapen zult toekomen.'
Kady werd naar haar kamer gebracht, niet veel meer dan een hokje met een veldbed, in een eenvoudig, prefabgebouwtje. De korporaal droeg haar beleefd op zich om te kleden en verdere instructies af te wachten. Op het bed lagen een compleet gevechtstenue, een T-shirt, een verstevigd jack, een paar laarzen en een helm. Nu wist ze waarom ze haar maten hadden willen weten.
Maar in wat voor slagveld ging ze zich begeven?

88

In de rest van Joegoslavië waren de burgeroorlogen op grote schaal uitgevochten: een strijd van legers, luchtmacht en artillerievuur, belegerde steden, ingenomen gebieden, inwoners die werden gedeporteerd, verkracht en afgeslacht. Tot dusverre was het in Kosovo anders gegaan. Het verzet van de Serviërs had zo lang een vreedzaam karakter gehad dat het voor de meeste mensen, aan beide zijden, als een verrassing kwam toen de vijandelijkheden een aanvang namen. De aanvallen waren willekeurig en sporadisch: guerrilla-acties tegen eenmalige doelwitten, in plaats van georganiseerde militaire campagnes. Terwijl hij naar het noorden reed, dieper Kosovo in, zag Carver hier en daar sporen van vijandelijkheden – een brandend gebouw in de verte, een truck vol soldaten die hem in het voorbijgaan bijna van de smalle tweebaansweg reed.

Hij bevond zich kilometers van de bewoonde wereld, midden op het platteland, toen zijn telefoon ging. Het was Grantham.

'De plannen zijn veranderd,' zei hij. 'Laat Trepca maar zitten. Je moet nu naar de luchthaven van Pristina, die bij Slatina ligt, een stadje ongeveer twintig kilometer ten oosten van Pristina. We hebben nieuwe informatie. Ik verbind je even door met Ed Jaworski. Hij is een Amerikaanse collega, die aan het hoofd staat van de taakeenheid die in Washington met deze zaak bezig is.'

'Goedenavond, meneer Carver...'

Carver zei niets. Zijn koplampen hadden zojuist een wegversperring opgepikt, een paar honderd meter verderop. Een paar gewapende Servische paramilitairen, in dezelfde blauwe uniformen als de mannen bij de grenspost, stonden bij een primitieve versperring van planken en olievaten, verlicht door schijnwerpers die op de weg schenen. Hun vrachtwagen stond achter de versperring geparkeerd, dwars over de weg, om te benadrukken dat er echt niemand door kwam.

'Meneer Carver...?'
'Ja, ik hoor u.'
'Oké, u moet weten hoe de situatie zich ontwikkelt. Wij geloven dat Vermulens financier, ene Waylon McCabe...'
'Ik weet wie dat is.'
De mannen bij de wegversperring begonnen naar Carver te wuiven om aan te geven dat hij moest stoppen.
'Nou, die McCabe speelt waarschijnlijk een dubbel spel.'
'Klinkt logisch.'
'Pardon?'
'Ik zeg alleen maar dat dat iets is wat je van hem kunt verwachten. Ogenblikje, ik krijg bezoek...'
Carver legde de telefoon op de passagiersplaats toen een van de paramilitairen bij zijn raampje verscheen en een draaiende beweging met zijn vinger maakte om aan te geven dat hij het open moest doen. Terwijl Jaworski's stem krakend door de telefoon klonk: 'Carver? Ben je daar nog?' en Grantham blafte: 'Houd op met dat gezeik,' begon de militair in het Servisch tegen hem te brabbelen.
'Sorry,' zei Carver, de domme buitenlander spelend. 'Ik versta u niet.'
Hij droeg een jachtvest, met zakken aan de buitenkant ter hoogte van zijn borst en zijn heupen. Langzaam stak hij zijn hand in een van de borstzakken en haalde zijn perskaart van de BBC tevoorschijn.
'Journalist,' zei hij, op zichzelf wijzend. 'BBC ... Brits, ja?'
De man draaide zich om naar zijn collega en wenkte hem. Dat gaf Carver de gelegenheid om zijn telefoon op te pakken.
'Sorry. Ik sta voor een wegversperring. Ik ben zo terug.'
Hij legde de telefoon weer neer en de tweede paramilitair kwam erbij staan en zei met een zwaar accent in het Engels: 'Weg dicht. Jij niet verder. Dicht. Ja?'
'Ik begrijp het, ja,' zei Carver. 'Maar ik moet verder. BBC.'
Voordat het meningsverschil zich kon voortzetten, werden de Serviërs afgeleid door de komst van een andere auto, een oude Skoda, die achter Carver tot stilstand kwam. Er zat een enorm, in plastic gewikkeld, pakket op het dak, wat hem deed vermoeden dat hij vlak na hem over de grens was gekomen.
Een van de Serviërs wees op het vlaggetje dat aan de radioantenne wapperde. Er stond een zwarte tweekoppige adelaar op,

tegen een rode achtergrond, het nationale symbool van Albanië. Hij liep naar de auto, rukte het vlaggetje eraf, smeet het op de grond en spuwde erop, alvorens het met de hak van zijn laars in de modder te trappen. En toen, terwijl zijn partner de wagen onder schot hield, rukte de paramilitair het portier open en sleepte een ongeschoren, zwartharige man van een jaar of dertig naar buiten, gekleed in een Adidas-trainingspak over een rood-zwart gestreept voetbalshirt van AC Milan. De man wees smekend op zijn wagen terwijl hij een paar stappen naar voren wankelde en op de grond werd gegooid.

Terwijl de eerste paramilitair de Albanees een paar halfslachtige trappen verkocht, nam de andere een kijkje in de auto. Hij gebaarde naar de passagiers dat ze uit moesten stappen. Aan de ene kant stapte een vrouw uit en aan de andere kant een tweede, veel oudere vrouw. Carver nam aan dat zij familie waren: de echtgenote en moeder van de man misschien. De echtgenote hield een belachelijk grote roze teddybeer in haar armen die eruitzag als een prijs van de een of andere dorpskermis. Moeder had een met franjes versierde, geweven sjaal omgeslagen. De man die hen onder schot hield, zette hen langs de kant van de weg en draaide zich toen half om, om naar zijn collega te kijken die nog steeds de man stond te trappen. Geen van beide paramilitairen zag wat er vervolgens gebeurde. Terwijl Carver toekeek, smeet de jongste vrouw haar teddybeer op de grond, terwijl de oudere vrouw haar omslagdoek afwierp. Ze hadden allebei een pistool. En geen van beiden aarzelde ook maar een seconde om het vuur op de paramilitairen te openen.

De eerste viel onmiddellijk neer, greep naar zijn buik en gilde het uit van pijn. De ander probeerde weg te komen, maar had nog maar een paar stappen gezet toen een kogel de zijkant van zijn hoofd raakte, en zijn schedel liet openbarsten zoals een lepeltje de schaal van een gekookt eitje breekt. Een aantal kogels had doel gemist en was vlak langs de paramilitairen naar Carvers auto gevlogen, waar ze zijn achterruit hadden verbrijzeld en in de carrosserie waren gedrongen.

Een stem uit de telefoon riep: 'Wat gebeurt daar?' maar Carver was niet meer in de buurt om het te horen. Hij had de autodeur opengetrapt en rolde over het asfalt, terwijl hij intussen zijn Beretta trok en zich in een greppel langs de kant van de weg liet vallen. Uit het niets was er een mes in de hand van de Albanees verschenen en hij stond over de gewonde Serviër gebogen, grijnzend om zijn gegil en met een blik die deed vermoeden dat hij er met plezier de tijd voor zou nemen om hem een langzame, pijnlijke dood te bezorgen. Maar dat kon wachten. Hij had Carver over de weg zien schieten. Terwijl de kreten van de gewonde man door de nacht klonken, raapte hij een van de machinegeweren van de militairen op en liep in Carvers richting, zijn ogen half dichtknijpend om beter te kunnen zien in het donker.

De vrouwen volgden hem, de echtgenote gebogen, haar pistool met twee handen voor zich uit houdend, de oudere vrouw volslagen onbevreesd voor elk gevaar.

Met een schok van weerzin realiseerde Carver zich dat hij ze alle drie zou moeten doden, de vrouwen net zo goed als de man.

Hij aarzelde niet.

Kniel, in schiethouding. Twee schoten in het hoofd van de man. Rol naar links. Kniel opnieuw. Twee per persoon voor de vrouwen. Drie doden.

Het was in vijf tellen gebeurd. Na afloop kwam het enige geluid van de gewonde Serviër, wiens gejammer van angst en pijn langzaam maar zeker afzwakte tot een zacht gekreun. Bewusteloosheid en de dood zouden nu snel volgen.

Misselijk van de zinloosheid van dit alles liep Carver terug naar zijn auto. Hij vroeg zich af hoeveel soortgelijke taferelen er zich de afgelopen paar jaar in dit onwetende land hadden afgespeeld, en hoeveel er de komende jaren nog zouden volgen.

Anderhalf uur geleden hadden de mensen in die auto waarschijnlijk nog in de file gestaan bij de grenspost, pratend en grapjes makend, net als iedereen. Ze leefden. Ze hadden vooruitzichten. En moest je hen nu eens zien.

Hij pakte de telefoon weer op. De eerste stem die hij hoorde was die van Jaworski.

'Waar heb jij verdomme gezeten?'

'Hou je kop,' snauwde Carver. 'Er zijn hier net vijf doden gevallen.'

'Oké, we beginnen gewoon opnieuw, heel vriendelijk en beleefd,' zei Jaworski, op minzame, verzoenende toon. 'De situatie is als volgt: Waylon McCabe is een paar uur geleden in Pristina geland. Zijn vliegtuig is aangepast om een bom te kunnen laten vallen. Ook heeft hij een soort bondgenootschap gesloten met een Servische legeraanvoerder, Dusan Darko. Wij denken dat Darko het wapen gaat stelen dat Vermulen heeft gevonden – of misschien heeft hij dat al gedaan – en het aan McCabe gaat overdragen. En vervolgens denken wij dat McCabe het wil gebruiken om Armageddon in gang te zetten.'

Carver liet een ongelovig gesnuif horen.

'Hij denkt dat hij de profetieën van het boek Openbaring in vervulling zal laten gaan,' zei Jaworski, bloedserieus.

'En Jezus huilde.'

'Dat lijkt me in dit geval een wat ongelukkige woordkeuze,' zei Jaworski.

'En wat moet ik nu doen?'

'Naar het vliegveld gaan natuurlijk, en dat vliegtuig zoeken. We hebben het helemaal tot Slatina kunnen volgen en weten dat het is geland. We weten zeker dat het niet meer is opgestegen, want het komt niet op de radar voor. Maar bij de laatste satellietopnames was het nergens te bekennen.'

'Oké, stel dat ik dat vliegtuig heb gevonden. Wat dan?'

'Observeer het. Hou ons op de hoogte. Geloof me, door ons te voorzien van de informatie die we nodig hebben, kun je een grote rol spelen bij het oplossen van deze situatie. Maar je moet goed begrijpen dat dit, wat mijn regering betreft, een binnenlandse aangelegenheid is, met Amerikaanse staatsburgers als betrokkenen. Het zal dus uitsluitend afgehandeld worden door Amerikaanse bureaus. Eerlijk gezegd, meneer Carver, hebt u er niets mee te maken. Uw plaats bevindt zich tussen het publiek, niet op het toneel. Dus bemoei u nergens mee en doe in geen geval iets anders dan observeren en informeren.'

'Heb je dat begrepen, Carver?' mengde Grantham zich in het gesprek. 'Observeren en informeren. Geen vuurwerkshow dit keer.'

'Ja hoor, ik heb het begrepen,' zei Carver alvorens op te hangen.

Hij haalde zijn spullen uit de kapotgeschoten Mercedes en gooide ze in de vrachtwagen van de dode Serviërs. Toen liep hij terug naar de man die was gedood met een schot in zijn hoofd. Hij lag in het schijnsel van de koplampen van de Albanese auto. Carver bekeek de achterkant van het uniform van de man, waarna hij het lichaam met zijn voet omrolde en de voorkant bekeek. Er zaten geen bloedvlekken op. Dit was een kans die hij niet mocht laten liggen. Hij kleedde het lichaam uit en trok het Servische uniform aan over zijn eigen broek en hemd. De maat klopte aardig, hoewel de laarzen hem een maatje te klein waren: dan maar een nachtje zere voeten.

De dode man leek niet op Carver en volgens zijn legitimatie was hij meer dan tien jaar jonger. Carver liep naar het andere lichaam. Deze man was ouder en leek wat meer op hem, dus nam Carver zijn portefeuille en papieren. Nu was hij dus Nico Krasnic, 32 jaar.

Hij raapte Krasnics machinepistool op en liep terug naar de truck. Toen hij instapte, en een achtergelaten vest en tas onder de passagiersstoel schoof, zag hij een cd-walkman op het dashboard liggen. Uit pure nieuwsgierigheid drukte Carver op play en pakte de koptelefoon. Meteen werden zijn hersenen belaagd door een beukend mitrailleurvuur van hardcore rap. Carver zette het ding uit. Als dat het laatste was waar de Serviër naar had zitten luisteren, moest de dood als een weldadige opluchting zijn gekomen.

Terwijl hij de wagen startte en zijn weg naar het vliegveld vervolgde, was Carver al bezig een plan te maken. En dat plan had weinig te maken met observeren en informeren.

Eerste Paasdag

89

In de Heilige Grafkerk in Jeruzalem, was het middernacht geworden en daarmee begon de indrukwekkende paasviering van het Grieks-orthodoxe geloof. Het gebouw zat vol gelovigen van alle christelijke gezindten toen de patriarch van Jeruzalem de wederopstanding van Christus herdacht, op de plek van de graftombe die Hij zo triomferend had verlaten. Terwijl overal kreten opgingen van 'Christus is opgestaan... Ja waarlijk, Hij is opgestaan', werden de glorie van de wederopstanding en de overwinning op de dood gevierd in een mis die door het negenhonderdvijftig jaar oude gebouw galmde in een eredienst die zowel de ontzagwekkende macht van het geloof als de glorierijke vreugde van het leven belichaamde.

90

Kurt Vermulen was niet gewond. Tot zijn schande was hij gevangengenomen zonder zelf een schot te hebben gelost. Nu zat hij dus op de achterbank van wat zijn eigen Land Cruiser was geweest, maar die nu in beslag was genomen door de man die hem zo vakkundig had verslagen, een man die zichzelf aan hem had voorgesteld als Dusan Darko.

'We moeten naar een afspraak,' zei Darko, terwijl hij Vermulen via de binnenspiegel aankeek. 'Met een vriend van u, meneer McCabe. Hij betaalt mij twintig miljoen Amerikaanse dollars om de koffer bij hem af te leveren. Misschien kunt u me meer betalen. Ik ben altijd geïnteresseerd in een betere deal. Het is nog niet te laat.'

Vermulen zei niets.

'Niet dus,' zei Darko. 'In dat geval moet ik u ook naar meneer McCabe brengen. Hij zal beslissen wat er met u gaat gebeuren. Het spijt me van uw mannen, dat die moesten sterven. U moet goed begrijpen dat het voor mij puur zakelijk is. Ik heb niets tegen u. Ik ben dol op Amerika, geweldig land. Ik begrijp dat u geen zin hebt om te praten. U hebt genoeg om over na te denken. Sigaret?'

Darko stak er een op. Zijn chauffeur zat al te roken. Ook in de vrachtwagen die voor hen uit reed zag Vermulen de oranje gloed van brandende sigaretten. Niemand in Servië leek zich ook maar iets aan te trekken van het risico van longkanker of hartaanvallen. Maar dat deden mannen in oorlogssituaties ook maar zelden. Ze gingen ervan uit dat ze toch niet lang genoeg zouden leven om een ziekte te krijgen.

Vermulen probeerde te bedenken hoe hij zo stom had kunnen zijn om in de val te lopen die McCabe voor hem had opgezet. De oude man had hem van meet af aan bespeeld en hem meegesleept in plannen die hem nu belachelijk voorkwamen. Maandenlang had hij achter nucleaire bommen aan gezeten, dieven in dienst genomen, mannen hun leven laten riskeren – hoe had hij dat kunnen doen? Misschien hadden ze wel gelijk gehad, in Washington, al die mensen die hem zo vriendelijk mogelijk duidelijk hadden proberen te maken dat hij door zijn verdriet om Amy het spoor een beetje bijster was geraakt.

Aan de andere kant had hij wel gelijk gehad wat de dingen betreft die er werkelijk toe deden. Hij geloofde nog steeds, nog sterker zelfs dan eerst, dat Amerika en al zijn bondgenoten een verschrikkelijk gevaar negeerden en vijanden weigerden te erkennen die de dood vereerden, vrijheid haatten en volkomen bereid waren hun eigen leven op te offeren om anderen te vermoorden. Vergeleken met die boosaardige waanzin had wat hij zelf had gedaan volstrekt rationeel geleken. Hij had in elk geval geprobeerd alarm te slaan.

En wat Natalia betreft had hij ook gelijk gehad. Een deel van hem, de oude inlichtingenofficier, had zich altijd afgevraagd of haar komst niet te mooi was geweest om waar te zijn. Die arme Mary Lou was gestorven en opeens had die prachtige verschijning op zijn stoep gestaan: achteraf was het allemaal wat te gemakkelijk gegaan. Desondanks twijfelde hij er geen moment aan dat Natalia's liefde voor hem oprecht was. Hij had zich talloze malen afgevraagd of hij misschien toch een oude gek was die zichzelf liet verleiden door een mooie, jonge vrouw. Misschien was dat in het begin zo geweest. Misschien had ze toen net gedaan alsof. Maar nu niet meer. Wat dat betreft was hij elke dag zekerder van haar geworden.

Slechts één aspect van de hele rampzalige kwestie was nog een raadsel voor hem. Hij begreep niet waarom McCabe een spelletje met hem had gespeeld. Hij moest er van het begin af aan een bedoeling mee hebben gehad. Maar Vermulen begreep niet wat dat kon zijn. En als hij erachter kwam, wat zou dat nog uitmaken? Hij was lang genoeg beroepssoldaat geweest om te weten wanneer hij verslagen was.

91

Dus zo was het vliegtuig verdwenen.

Carver zat op zijn hurken in het hoge gras naast de startbaan op het vliegveld van Pristina. De baan liep van noord naar zuid, door een smalle vallei, met aan weerszijden bergen. Alle luchthavengebouwen bevonden zich aan de noordkant: de verkeerstoren, de aankomst- en vertrekhal, de vliegtuighangars en de brandstofreservoirs. Maar Carver had met gedoofde koplampen een parallelweg naar het zuidelijke eind van de startbaan gevolgd. Daar liep een taxibaan vanaf de grote startbaan in westelijke richting naar een groot asfaltplatform aan de voet van een honderden meters hoge berg. Pas toen Carver zijn truck een eind van de weg af had geparkeerd en door het gras naar het hoge prikkeldraadhek langs de taxibaan was geslopen, zag hij in de rotswand een paar massieve, gecamoufleerde bombestendige deuren. Terwijl hij lag te kijken, landde er een helikopter op het platform. Toen de deuren opengingen werd er een reusachtige, in de bergwand uitgehouwen hangar zichtbaar en het toestel reed naar binnen. Zodra het binnen was, gingen de deuren weer dicht, maar niet voordat Carver een privéjet had zien staan met een lichte bolling aan de onderkant, net achter de vleugels. Dat was McCabes vliegtuig en óf het had zijn dodelijke lading al als een kwaadaardige foetus in zijn metalen buik, óf het stond erop te wachten.

Hij moest in die hangar zien te komen. Maar voordat hij kon verzinnen hoe hij die deuren open kon breken, moest hij eerst nog door het hek. De parallelweg maakte een bocht in de richting van de verborgen luchtmachtbasis, maar je kon er alleen binnenkomen via een door twee gewapende mannen bewaakte controlepost. Het hek liep zelfs over de taxibaan, en was op dat gedeelte voorzien van wieltjes, zodat het kon worden weggerold wanneer er een vliegtuig toestemming kreeg om te landen of op te stijgen. Op verschillende plekken stond aangegeven dat de omgeving werd bewaakt door honden.

De enige toegang werd gevormd door de hoofdingang. Carver bereidde zich al voor op een frontale aanval, en wist dat hij de bewakers zou moeten doden, toen hij in de verte een paar koplampen zijn kant op zag komen. Hij rende terug naar zijn truck en zag drie voertuigen voorbijkomen: twee open vrachtwagens, met mannen in het laadgedeelte, en één Land Cruiser. Hij liet ze een eind doorrijden en reed er toen in zijn onverlichte truck achteraan.

Toen de eerste van de open vrachtwagens bij de controlepost arriveerde, zette Carver zijn lichten aan en sloot aan in de rij. Een van de wachtposten liep naar de bestuurderszijde van de voorste wagen. Carver haalde zijn pistool tevoorschijn, schroefde de geluiddemper op de loop en legde het binnen handbereik op de stoel rechts van hem. Toen zette hij de koptelefoon van de walkman op zijn hoofd, zette zijn tanden op elkaar en drukte weer op play.

Bij het horen van de rapmuziek voelde Carver zich een oude man. In zijn oren klonk het als een toonloze, onsamenhangende kakofonie en de enige woorden die hij verstond waren de obsceniteiten. Hij had te veel tijd doorgebracht op exercitieterreinen en stormbanen, waar hij was uitgekafferd door schuimbekkende sergeant-majoors met een talent voor verbale mishandeling en fysiek geweld waar het eerste het beste lid van een straatbende nog een puntje aan kon zuigen, om onder de indruk te zijn. Maar nood breekt wet.

Ten slotte kwam de wachtpost naar zijn raampje. Terwijl hij zijn gezicht zoveel mogelijk in de schaduw van de vrachtwagencabine hield, stak Carver zijn hand uit het raampje en overhandigde hem Krasnics legitimatie.

De wachtpost vroeg hem iets. Carver antwoordde niet.

De man probeerde het nog een keer. Carver boog zich naar hem toe, wees op zijn oren en bewoog zijn hoofd mee op de maat. Hij grijnsde als een idioot en riep iets van: '*Crazy mutherfucka!*' in een naar hij hoopte enigszins Servisch accent.

De wachtpost keek hem een ogenblik niet-begrijpend aan, en redde toen zijn eigen leven. Hij lachte en begon zijn hoofd mee te bewegen op de maat van de sissende geluiden die door Carvers koptelefoon heen klonken. Toen gaf hij hem zijn legitimatie terug en gebaarde dat hij door kon rijden.

De andere wagens bevonden zich al halverwege het platform en de zware deuren rolden al open om hen binnen te laten. Carver gaf gas en nam zijn plaats in de rij in, terwijl hij met een zucht van verlichting de muziek uitzette en zijn schouders ontspande die, zo merkte hij opeens, hoog opgetrokken waren geweest van de spanning. Het geschreeuw in zijn oren, het gevoel van onontkoombare herrie, had hem werkelijk nerveus gemaakt. Hij zat te knarsetanden en te zweten en hij voelde zich vreemd onrustig, alsof het lawaai een reactie teweeg had gebracht op een duistere, vormeloze herinnering die ergens diep in zijn geheugen verscholen zat.

Toen reed hij de hangar binnen en elke gedachte aan zijn eigen problemen verdween als sneeuw voor de zon toen hij vol verbazing om zich heen keek.

Er was een enorme ruimte in het gesteente van de berg uitgehakt. Op de voorgrond stond McCabes privéjet, pal naast de net gearriveerde helikopter: twee prachtige machines, miljoenen waard en in staat tot buitengewone prestaties, maar in deze omgeving leken het wel stukjes speelgoed. De hangar strekte zich uit tot zo ver Carvers blik reikte. In de verte stonden nog meer straaljagers in keurige rijen opgesteld, minimaal twee squadrons Joegoslavische gevechtsvliegtuigen: ouderwetse MiG-21's, waarvan de neuskegels uit stompe, gedrongen rompen staken, en veel nieuwere MiG-29's – ranke, dubbelstaartige roofvogels.

Een man in de overall van grondpersoneel wees Carver een plek links van de ingang aan om zijn wagen te parkeren, naast de andere drie net aangekomen voertuigen. Toen Carver aan kwam rijden, zag hij mannen uit de laadbak springen, gekleed in een bonte verzameling camouflagekleding, spijkergoed, leren jacks en zelfs sportkleding, maar allemaal gewapend. De meeste mannen bleven bij de vrachtwagens, leunden ertegen aan en staken sigaretten op zonder aandacht te schenken aan de enorme hoeveelheden vliegtuigbrandstof die hier ergens opgeslagen moest liggen. Eén van hen liep, in opdracht van iemand die hem vanuit de Land Cruiser iets toeriep, met zijn geweer om zijn schouder naar een van de vrachtwagens, opende een achterportier en sleurde een verfomfaaide blonde gestalte aan zijn geboeide handen naar buiten. Het was Vermulen. Dus McCabe had hem werkelijk verraden. Carver voelde weinig sympathie voor de man. Iemand die zo intelligent was en zoveel ervaring had als Vermulen had het moeten zien aankomen. Maar hij was alleen, dus hij was in elk geval slim genoeg geweest om Alix ergens veilig achter te laten. Dat was tenminste iets.

Toen stapte er een tweede man uit de andere achterdeur van de Land Cruiser. Hij had achterovergekamd zwart haar en een Italiaansachtig uiterlijk dat deed vermoeden dat de eigenaar ervan nooit een gezicht zou zien dat hem zo goed zou bevallen als het zijne. De man droeg zijn zelfingenomenheid als een dure aftershave terwijl hij om de wagen heen liep, met een schokbestendig aluminium koffertje in zijn hand, en toekeek hoe een versleten bruinleren koffer door twee gewapende mannen met de grootst mogelijke voorzichtigheid werd uitgeladen. Ze plaatsten de koffer op een tweewielig karretje met een lange stang en duwden dat, nog steeds onder supervisie van de Italiaanse casanova, naar een lange rij kantoorruimtes, die tegen de achterwand van de hangar waren gelokaliseerd, minsten vijftig meter verder.

Er kwam nog een laatste passagier uit de Land Cruiser, iemand met een telefoon tegen zijn oor. Hij sloot zijn gesprek af, liep snel naar de man die het karretje duwde en gaf hem instructies. Dat, dacht Carver, moest Darko zijn. Hij had in elk geval de leiding. Vermulen volgde in de achterhoede en probeerde met rechte rug zijn waardigheid te behouden, ondanks het feit dat iemand een pistool in zijn rug gedrukt hield.

Carver zag twee kaalgeschoren mannen uit een van de kantoren komen en de kleine groep tegemoet lopen. Ze droegen zonnebrillen en oormicrofoontjes, de onmiskenbare uiterlijke kenmerken van zware jongens uit de particuliere beveiliging die net doen alsof ze voor de Amerikaanse geheime dienst werken. Hun jasjes bolden op van de wapens die eronder zaten. Ze keken toe hoe de hele rij mannen, plus het karretje, naar binnen ging. Toen sloten ze de deur en posteerden zich ervoor, de armen over elkaar geslagen, als een stel nachtclubuitsmijters, en deden hun best om dreigend te kijken.

Stelletje eikels, dacht Carver bij zichzelf. Maar de mannen brachten hem wel op een idee. Vanaf het moment dat Jaworski hem had gewaarschuwd zich buiten deze 'binnenlandse kwestie' te houden, had hij al vermoed dat de Amerikanen de een of andere stunt van plan waren om de bom te bemachtigen en McCabe, Vermulen en iedereen die hen daarbij in de weg stond uit te schakelen. Maar hij mocht hangen als hij hier als de eerste de beste sukkel op zijn reet zou blijven zitten wachten tot de Amerikaanse cavalerie hem te hulp kwam. Hij had McCabe één keer tussen zijn vingers door laten glippen en dat zou hem niet nog een keer gebeuren. Dat had hij bij die wegversperring al besloten. Ook had hij toen in principe al geweten wat hij wilde gaan doen.

En nu had hij precies uitgewerkt hoe hij het ging aanpakken.

92

De drie Black Hawk-helikopters vlogen vanuit Tuzla recht naar het zuiden, waarbij de piloten het uiterste van hun toestellen vergden en in iets meer dan twintig minuten honderdtwintig kilometer aflegden alvorens in zuidoostelijke richting naar de grens te vliegen. Even ten zuiden van Foca staken ze de grens van Bosnië naar Montenegro over en volgden vervolgens de rivier de Tala in zuidoostelijke richting naar het vliegveld van Slatina. De helikopters vlogen zo laag mogelijk over boomtoppen en elektriciteitskabels en tussen de heuvels en de bergen door van dit grillige gebied, stadjes en dorpen ontwijkend als nachtwezens die elk contact met mensen uit de weg gaan. Kady Jones zat in het derde toestel, samen met het team van de explosievenopruimingsdienst. Ze had met de teamleider zitten bespreken welke protocollen ze zouden hanteren tijdens het onderzoeken en, indien nodig, onschadelijk maken, van elke bom die ze zouden aantreffen, toen de piloot hen in de rede viel.

'Oké, mensen, we vliegen nu boven vijandelijk gebied. Nu gaat het erom spannen.'

In de crisisruimte van het Witte Huis slaakte Ted Jaworski een triomfantelijke kreet: 'Nu hebben we je, vuile rotzak!'

Een MQ-1 Predator onbemand verkenningsvliegtuig was binnen een kwartier van de luchtmachtbasis Tuzla boven Slatina gearriveerd en was onmiddellijk begonnen om via het vluchtleidingscentrum van Tuzla live infrarode beelden uit te zenden naar de Verenigde Staten. De camera had de aankomst van de helikopter opgemerkt en vervolgens het rode schijnsel toen de hangardeuren opengingen om hem binnen te laten. Nu ze wisten waar McCabe zich verborgen hield, werd de missie opeens een stuk eenvoudiger. Binnen enkele minuten had een legergeneraal contact opgenomen met Dave Gretsch, in de voorste Black Hawk, om zijn instructies door te geven. Intussen brachten officieren van de Amerikaanse luchtmacht in de Balkan en het Midden-Oosten squadrons gevechtsvliegtuigen in gereedheid om McCabes toestel te onderscheppen en te vernietigen als het op zou stijgen vóórdat de Black Hawks Pristina bereikten, ongeacht zijn bestemming.

Toen de generaal Gretsch op de hoogte had gebracht, kwam Jaworski aan de lijn.

'Majoor, u spreekt met Ted Jaworski, van de FBI. Ik wilde u alleen even laten weten dat de Engelsen mogelijk een van hun mensen binnen het luchthavencomplex hebben waar u uw mannen gaat inzetten. Hij heeft opdracht gekregen binnen te dringen, maar wij weten niet of hem dat is gelukt. Zijn naam is Carver. Hij is niet helemaal officieel en komt op geen enkele lijst voor. Dus probeer hem indien mogelijk buiten schot te houden. Als hem toch iets overkomt is dat geen ramp. Neem maar van mij aan dat niemand hem zal missen.'

93

Carver liep door de ondergrondse hangar en dacht: 'Eindelijk doe ik weer eens gewoon mijn werk. Na alles wat er was gebeurd was hij weer terug bij wat hij het best kon: zich onmerkbaar binnendringen in de levens van heel slechte mensen, hen uit de weg ruimen en er vervolgens weer stilletjes tussenuit knijpen.

De verschillende groepjes mensen die over de hangar verspreid waren, speelden hem precies in de kaart. Darko's militiamensen vermengden zich met personeel van de Joegoslavische luchtmacht, terwijl McCabes lijfwachten toekeken, en mecaniciens en bemanningsleden hun werk deden. Niemand had ook maar enige belangstelling voor Carver.

Hij had de twee oordopjes van de walkman losgetrokken en er één in zijn oor gestopt. Het draadje liet hij onder zijn hemd verdwijnen. Hij had zich weer omgekleed in burgerkleding, zonnebril op zijn gezicht, pistool in zijn broekband en de weekendtas over zijn schouder. Hij kon iedereen zijn.

Zijn geluk hield aan. Er stond een mecanicien op een ladder aan de achterkant van McCabes vliegtuig, met zijn hoofd en schouders in de instrumentenruimte achterin en goot hydraulische vloeistof uit een plastic jerrycan. Carver ging onder aan de ladder staan en riep omhoog: 'Hé, jij daar?'

De mecanicien draaide zich om en keek met een verbaasde blik naar beneden.

Carver stak even zijn hand op. 'Momentje,' zei hij, en liet de andere man wachten terwijl hij een vinger naar zijn oormicrofoontje bracht, alsof hij boven het lawaai in de hangar uit iets probeerde te verstaan, en in de manchet van zijn overhemd zei: 'Prima, komt in orde, daar sta ik nu... Ja, dat zal ik doen.' Hij keek weer langs de ladder omhoog. 'Oké, spreek je Engels?'

De man schudde zijn hoofd.

'Mooi, nou, eens kijken of je dit begrijpt... Jij...' Hij wees op de mecanicien, 'uit vliegtuig.' Hij wees met zijn vinger in de richting van de hangardeuren en maakte dezelfde beweging toen nog eens, duidelijk aangevend dat de man van zijn ladder moest komen.

De mecanicien bleef waar hij was, niet helemaal zeker hoe hij moest reageren.

Carver maakte een theatraal gebaar van ergernis.

'Oké dan... Vliegtuig...' nu wees hij naar het toestel, 'Amerikaans. Ik...' hij tikte op zijn borst, 'Amerikaan.'

Kon een Serviër die geen Engels sprak het verschil horen tussen een Engels en een Amerikaans accent? Carver kon alleen maar hopen van niet.

Hij herhaalde zijn kleine mantra: 'Vliegtuig Amerikaans, ik Amerikaan.' Toen voegde hij eraan toe: 'Ik vliegtuig in. Jij... vliegtuig uit.'

De mecanicien keek hem aan, blies zijn wangen bol, ademde luidruchtig uit en haalde toen zijn schouders op. Hij hoefde geen woord te zeggen om zijn eigen boodschap duidelijk te maken: hij vond Carver een lul, maar had gewoon geen puf om ruzie met hem te gaan staan maken. Hij klom van zijn ladder.

'Geef die maar aan mij,' zei Carver, de jerrycan uit de hand van de man nemend.

Hij klom de ladder op naar de technische ruimte. Hij legde zijn tas op de vloer van de vliegtuigromp en vulde de rest van de hydraulische accumulator bij. Toen haalde hij zijn gereedschap tevoorschijn: een moersleutel om de verbindingen van de heteluchtleidingen losser te draaien, en een draadschaar om zoveel mogelijk plastic isolatie van de bedrading te strippen. Hij gaf McCabe geen enkele kans meer. Dit vliegtuig ging straks als een baksteen uit de lucht vallen. En om dat laatste punt nog even te benadrukken liet hij de jerrycan, nog halfvol met brandbare vloeistof, zonder dop in het technische ruim staan toen hij afsloot en wegging.

Terwijl hij terugliep naar zijn truck, kwam hij ernstig in de verleiding dat Servische uniform weer aan te trekken en weg te rijden in de richting waaruit hij gekomen was. Wegwezen voordat iemand nog maar in de gaten had gehad dat hij hier ooit was geweest. De drang om te blijven had echter de overhand. Hij wilde McCabe in dat vliegtuig zien stappen en het nakijken wanneer het de startbaan opreed en opsteeg. Ditmaal had hij absoluut vertrouwen in zijn eigen werk. Het vliegtuig was een dodelijke val. Op het moment dat de piloot de straalmotoren aanzette was het lot van het toestel bezegeld. Hij wilde alleen wel zeker weten dat zijn prooi aan boord was.

Zijn aandacht werd getrokken door een beweging. De veel te knappe, Italiaanse man die Carver in gedachten Casanova had genoemd kwam uit het kantoor aan de zijkant van de hangar tevoorschijn. Hij werd gevolgd door een van Darko's mannen, die het karretje duwde waarop de bruine koffer lag. Ze liepen naar het vliegtuig en terwijl ze dat deden ging de deur aan de onderkant van de romp open, totdat hij bijna verticaal aan het toestel hing. Door de opening kwam een metalen frame, een soort draagstel, omlaag gezakt dat ongeveer anderhalve meter boven de grond bleef hangen. Er lag al een legergroen pakket in, dat Carver meende te herkennen als een opgevouwen parachute. Er waren twee mannen voor nodig om de koffer van het karretje te tillen en in het draagstel te leggen, terwijl Casanova erbij stond te kijken. Hij controleerde of de koffer stevig lag en goed aan de parachute was vastgemaakt, gaf toen een teken aan iemand in het vliegtuig, waarna het draagstel weer in het vliegtuig verdween, gevolgd door de sluitende deur.

De bom was ingeladen.

94

Francesco Riva keerde terug naar het kantoortje waar Waylon McCabe zat te wachten. Onderweg passeerde hij de Serviër, Darko, die met een tevreden glimlach op zijn gezicht naar buiten kwam, als een hyena die zojuist goed heeft gegeten. Riva opende de deur van het kantoortje en ging naar binnen, gevolgd door de twee bewapende veiligheidsmensen die buiten de wacht hadden gehouden.

'Klaar?' vroeg McCabe met schorre stem.

Het was Riva wel duidelijk dat dit een heel zieke man was, die niet lang meer te leven had. Zijn gezicht, dat nooit bol was geweest, was nu niet veel minder dan een schedel, nauwelijks bedekt met huid die zo strak over het bot was getrokken dat hij elk moment open dreigde te scheuren. Af en toe gleed er een onwillekeurige grimas over zijn gezicht wanneer er weer een pijnscheut door zijn lichaam schoot. Hij hield zijn schouders opgetrokken en zijn vuisten gebald. Maar in zijn ogen schitterde een woeste overtuiging en de mannen die hij aanvoerde, en die hem stuk voor stuk met één enkele klap hadden kunnen doden, hield hij nog steeds volkomen in zijn macht.

'Ja,' zei Riva. 'Het wapen ligt veilig in het bommenruim achter in het vliegtuig. Het is nog niet geactiveerd, maar de correcte code is al ingesteld op de afstandsbediening. Zodra het vliegtuig is opgestegen, hoeft u alleen maar op het knopje te drukken om de bom te activeren. Wanneer u uw doelwit bereikt, opent u de deur en laat de bom vallen. Hij zal vervolgens vallen tot een hoogte van vijftienhonderd meter en op dat punt zal de parachute zich openen. Zoals u al hebt gezien, heb ik eerder vanavond al een luchtdruksensor op de bom aangebracht. Op een hoogte van negenhonderd meter zal die een elektrisch signaal afgeven, waarna het explosieproces zal beginnen. U hebt mij verteld dat uw doelwit onder de achthonderd meter ligt. Ik kan u verzekeren dat de explosie van dit wapen het volledig zal verwoesten.

'En als u mij nu wilt excuseren, dan ga ik maar eens. U bent bijzonder royaal geweest, meneer McCabe. Ik ga eens goed van mijn geld genieten.'

McCabe knikte naar een van zijn lijfwachten, die voor de deur ging staan en Riva tegenhield.

'Dat kan ik helaas niet toestaan,' zei McCabe. 'Mijn geweten staat mij niet toe u de kans te ontzeggen op verlossing en het eeuwige leven, in gezelschap van Christus en al zijn engelen. Weet u wel wat vandaag onze bestemming is? De hemel zelf.'

McCabes lijfwachten mompelden 'Amen' en Riva keek hen aan, te geschokt om te reageren. Voor hij het wist draaide een van de lijfwachten met één hand zijn rechterarm op zijn rug, terwijl hij hem met het pistool in zijn andere hand onder schot hield.

'Maar Darko hebt u wel laten gaan!' protesteerde Riva. Zijn stem klonk steeds hoger naarmate de man zijn arm steviger vastgreep.

'Inderdaad,' antwoordde McCabe. 'Die man zal eeuwig branden in de hel voor zijn zonden van geweld, diefstal en overspel die hij hier op aarde heeft gepleegd. Zijn enige kans op redding is hier te blijven en deel te nemen aan de strijd tegen het leger van de Antichrist.'

'U bent stapelgek!' riep Riva uit, wild om zich heen kijkend of hij iets of iemand zag die hem nog kon redden.

Generaal Vermulen was in een hoek van de kamer gegooid. Hij leek verslagen en gedemoraliseerd. Zijn vrouw zat vlak naast hem, met haar lichaam bijna tegen het zijne, en toch waren ze een wereld van elkaar verwijderd. Zij keek de andere kant op, met een angstige, wazige blik in haar ogen, en ging geheel op in haar eigen gedachten.

'Kom op mensen, we gaan,' zei McCabe. 'Dokter Riva, ondanks uw betreurenswaardige gebrek aan vertrouwen zal ik bidden voor uw ziel. En generaal, als ik u was zou ik eerst heel goed nadenken voordat u het in uw hoofd haalt om nog iets te ondernemen. Ik weet dat u een moedig man bent en u bent vast niet bang voor een kogel. Maar kijk eens goed naar dat mooie, kleine vrouwtje van u. Want als u ook maar iets probeert, hebben mijn jongens opdracht eerst haar neer te schieten, of ze nu al in het vliegtuig zit of niet. En geloof me, deze knapen missen nooit.'

Twintig kilometer voor Slatina, bereidden de Black Hawks zich voor op hun landing op het vliegveld van Pristina. De soldaten maakten zich klaar om hun wapens te ontgrendelen en laden. De bomexperts controleerden nog een laatste keer hun uitrusting. Kady Jones' maag deed al rare dingen vanaf het moment dat ze de grens met Bosnië waren gepasseerd. Nu concentreerde ze zich op haar ademhaling en het ontspannen van haar spieren, net zoals ze dat die middag bij Gull Lake had gedaan. Toen was ze een rechtstreekse confrontatie met een atoombom aangegaan. Dan kon ze nu toch zeker alles aan?

Waylon McCabe verliet zijn kantoor in de hangar en liep naar zijn vliegtuig. De bemanning was aan boord. De apparatuur was gecontroleerd en de tanks waren gevuld. Ze waren klaar voor vertrek.

95

Carver zag Dusan Darko naar zijn mannen toe lopen met een blik alsof hij zojuist een heel mooie deal had gesloten. Darko riep iets naar de mannen die bij de geparkeerde vrachtwagens en de Land Cruiser rondhingen en zij begonnen meteen hun spullen te verzamelen en in te laden. Intussen liepen ze zo enthousiast te juichen en te joelen en elkaar op de schouder te slaan dat de cafés en bordelen van Pristina waarschijnlijk een drukke nacht tegemoet gingen.

Carver was er het type niet voor om het te vieren wanneer een karwei erop zat. Dan wilde hij zo ver mogelijk weg een beetje tot rust komen en proberen te accepteren wat hij deed: zijn brood verdienen met het veroorzaken van de dood van andere mensen.

Even later ging de deur van het kantoor, zo'n vijfentwintig meter verderop, weer open. Een uitgemergelde, verkrampte gestalte kwam tevoorschijn en begon met gepijnigde, schuifelende stappen door de hangar naar het vliegtuig te lopen. Het duurde een paar tellen voordat Carver doorhad dat dit Waylon McCabe moest zijn. De laatste keer dat hij hem had gezien, op een ander vliegveld, aan de andere kant van de wereld, had McCabe de robuuste, autoritaire, luidruchtige uitstraling gehad van een boosaardige, dominante man. Nu leek hij meer op een levende dode. Of Carver hem nu doodde of niet, het einde van de maand ging hij niet meer halen. Even voelde Carver een steek van teleurstelling, bijna alsof hem iets was ontnomen. Hij moest zichzelf voorhouden dat het niet om McCabe ging: waar het om ging was de bom die in die koffer zat. Die moest hij tegenhouden.

De straalmotoren werden gestart en vulden de hangar met hun hoge gegier. Carver dacht aan de luchtleidingen die nu steeds warmer begonnen te worden. Het vliegtuig was een tikkende bom geworden, die langzaam aftelde naar een rampzalig einde.

En toen stortte zijn wereld in.

Vlak achter McCabe kwam Casanova, vastgehouden door een van de lijfwachten. Het volgende paar bestond uit Vermulen en zijn bewaker. Maar hen keurde Carver amper een blik waardig. Hij had uitsluitend oog voor degene die achteraan liep: Alix.

Hij fluisterde binnensmonds: 'Jij hoort hier niet te zijn.' En toen zei hij het nog een keer, met zijn armen op het stuurwiel bonkend. 'Jij... hoort... hier... niet te zijn!'

Wat nu?

Hij kon haar redden. Als hij snel en geruisloos genoeg was, kon hij de man die haar in bedwang hield besluipen en een kogel door zijn hoofd schieten. Hij kon een geluiddemper gebruiken, zodat het de andere lijfwachten een fractie van een seconde langer zou kosten om te reageren. Hij kon hen ook neerschieten. Misschien zou hij daarbij de andere twee gevangenen raken, maar daar kon hij dan ook niets aan doen. Met een beetje geluk zou hij nog genoeg tijd hebben om McCabe ook neer te knallen.

Als niemand hem door de hangar zag rennen met een pistool in zijn hand...

Als geen van de gewapende lijfwachten alert genoeg was om onmiddellijk op zijn aanval te reageren...

Als McCabe er niet in slaagde alsnog in het vliegtuig te komen en alleen weg te vliegen...

Als Darko er geen bezwaar tegen had dat hij een goede klant van hem neerknalde... En als Darko dit niet als een ideale gelegenheid zag om niet alleen McCabes geld, maar ook zijn bom in te pikken...

Ja, dan had zijn plan misschien een kans van slagen.

Maar als een van die dingen toch gebeurde, dan zou hij zeker sterven, Alix hoogstwaarschijnlijk ook en, wat nog belangrijker was, de bom zou nog steeds worden losgelaten op de wereld.

De Amerikaan, Jaworski, had hem verteld wat er op het spel stond. McCabe was van plan een oorlog uit te lokken die tot het einde van de wereld zou leiden. Carver geloofde geen seconde dat de hemel zich zou openen en dat Christus op aarde zou neerdalen, alleen maar omdat een godsdienstwaanzinnige als Waylon McCabe dat van Hem vroeg. Maar hij was er absoluut van overtuigd dat duizenden, mogelijk miljoenen mensen zouden sterven in de chaos die McCabe zou aanrichten.

Zonder een bewuste keuze te maken stapte hij uit de vrachtwagen en liep eromheen naar een plek waar geen obstakels meer waren tussen hem en het groepje dat achter McCabe aan liep. Ze hadden de vliegtuigtrap bijna bereikt. Toen McCabe de treden beklom, meende Carver even dat hij hem goed onder schot had. Maar toen kwam een van de bemanningsleden het vliegtuig uit om McCabe te helpen. Hij nam hem bij de arm en blokkeerde zijn vuurlijn.

Carver kon nog steeds zijn eerste plan volgen. Er was nog net genoeg tijd om bij Alix te komen voordat de vliegtuigdeur zich achter haar sloot. Het verscheurde hem om haar van pijn vertrokken gezicht te zien en de bewaker die wellustige blikken op haar wierp en ervan genoot een mooie, hulpeloze vrouw te commanderen. Die hele bom kon hem verdomme gestolen worden: Carver wilde ernaartoe rennen en die gorilla helemaal in elkaar rammen. Hij wilde zijn meisje terug. Hij verlangde naar het gevoel en de geur van haar lichaam in zijn armen, haar haar dat tussen zijn vingers gleed, haar prachtige ogen die in de zijne keken, de kus van haar lippen. Hij wilde haar vertellen hoeveel hij van haar hield, hoe ongelooflijk dankbaar hij was voor al die maanden dat ze aan zijn bed had gezeten en hoe erg hij het vond dat ze zoveel had moeten meemaken, alleen maar voor hem.

Hij wilde haar vertellen hoe het hem speet dat hij haar ging doden.

Ze liep nu de vliegtuigtrap op. Hij staarde haar na en zijn ogen brandden in haar rug. Ze moest het hebben gevoeld, want opeens draaide ze zich om en keek in zijn richting. Heel even ontmoetten hun ogen elkaar. Hij zag de blik van verbijstering op haar gezicht, en toen iets diepers, een hunkerende wanhoop die hem recht in zijn hart raakte toen ze riep: 'Carver!'

Hij dacht niet na. Hij kon er niets aan doen. Hij zette een stap naar voren en verraadde zich daarmee.

Het was een pathetische, amateuristische zet. Maar Carver werd gered door zijn eigen stommiteit. Hij was niet eens op de gedachte gekomen om zijn pistool te trekken. Dus begonnen noch McCabes lijfwachten, noch Darko's soldaten, die overal om hem heen liepen, te schieten. Niet dat het uiteindelijk veel zou hebben uitgemaakt, gezien de hoeveelheid wapentuig die inmiddels op hem was gericht.

Darko knikte naar een van zijn mannen, die naar Carver toe liep en hem fouilleerde. Hij vond de Beretta, pakte hem af en gooide hem kletterend op de vloer van de hangar.

McCabe was op de vliegtuigtrap blijven staan en keek naar Carver. 'Breng hem hier.'

Darko riep enkele bevelen. Carver werd door twee mannen bij zijn armen gegrepen en werd dwars door de open ruimte naar het vliegtuig gesleurd. Darko liep mee, met een pistool in zijn hand. Op zijn gezicht lag eerder een geamuseerde dan een vijandige uitdrukking, alsof hij vooral nieuwsgierig was.

Toen de vier mannen dichterbij kwamen, keek McCabe naar Alix. 'Ken jij deze man?'

Ze zei niets. McCabe bromde iets ongeduldigs en richtte zijn aandacht toen weer op Carver. Hij keek hem met half toegeknepen ogen aan. Opeens verscheen er een grijns op het doodshoofdgezicht.

'Laat maar... ik ken jou, nietwaar? Jij bent de reden waarom ik hier sta.'

Carver keek hem onbewogen aan. 'Geen idee waar je het over hebt.'

'Jij bent Lundin... de mecanicien.'

'Je hebt de vrouw gehoord. Zij noemde me Carver.'

McCabe begon vreselijk te hoesten en spuwde een klodder bloederig speeksel tussen hen in op de grond. 'Heb je dit vliegtuig ook onklaar gemaakt, jochie?' vroeg hij schor.

'Zoals ik al zei, ik heb geen idee waarover je het hebt.'

McCabe negeerde Carvers woorden. Hij nam nog een schuifelend stapje en boog zich naar voren, zodat zijn gezicht vlak bij dat van Carver was, en fluisterde in zijn oor.

'Wil je me dan even laten zien wat je hebt gedaan?'

'Ik heb niets gedaan,' zei Carver.

Er was nu nog maar één manier om Alix te redden en hij greep zijn kans.

'Als je me niet gelooft, laat mij dan aan boord komen.'

Voordat McCabe kon antwoorden, klonk er een kreet vanuit de ingang van de hangar en kwam een van de bewakers van de poort naar binnen gerend. Hij riep iets in het Servisch en zijn stem had een wanhopige klank.

Darko luisterde naar de over zijn woorden struikelende man en zei toen tegen McCabe: 'Hij zegt dat er helikopters aankomen. Ze zijn hier nog maar enkele kilometers vandaan. Binnen een paar minuten zijn ze hier.'

McCabe dacht even over deze nieuwe ontwikkeling na. Toen richtte hij zich weer tot Carver.

'We hebben geen tijd om het hier uitgebreid over te hebben. Kom maar aan boord dan.'

'Geen probleem,' zei Carver.

Toen liep hij de trap op en het vliegtuig in dat hij zelf onklaar had gemaakt.

96

De Black Hawks kwamen vanuit het noordoosten, door een opening tussen de heuvels en bereikten het vliegveld aan de kant van de aankomst- en vertrekhal, ongeveer tweeënhalve kilometer van de hangar. McCabes vliegtuig bevond zich al op de startbaan en kwam met steeds grotere snelheid op hen af.

Majoor Dave Gretsch gaf de piloten opdracht zich naast elkaar boven de startbaan te formeren, om het vliegtuig de weg te versperren. Maar de privéjet bleef komen.

Een van de helikopters was een Direct Action Penetrator-model, uitgerust met Gatling-geschut. Gretsch gaf opdracht om een waarschuwingssalvo over het vliegtuig heen te schieten. Het had geen enkel effect. Het vliegtuig naderde de helikopters nu al met een snelheid van meer dan zestig meter per seconde.

'Gericht schieten!' riep Gretsch.

De roterende lopen van de Gatling spuwden een meedogenloze kogelregen uit over het aanstormende toestel, maar het minderde geen vaart en daagde de helikopters uit tot een spelletje om te zien wie het eerst bang werd, terwijl intussen zijn neus langzaam van de grond kwam.

'Verspreiden! Verspreiden!' gilde de piloot in de commandohelikopter, en de drie helikopters gooiden zich opzij en weken uiteen voor het bulderende vliegtuig, niet als zwarte roofvogels, maar als opgeschrikte, dikke grijze duiven. Het kostte de rotoren moeite een evenwicht te vinden in lucht die uiteen werd gereten door de straalmotoren van de jet.

Het team van de explosievenopruimingsdienst werd heen en weer en op en neer geslingerd voordat de piloot het toestel weer onder controle kreeg.

Een van de mannen riep: 'Wat was dat in vredesnaam?'

Kady Jones deed haar best om haar radslagen draaiende maag in bedwang te houden.

'Ik denk dat dat onze bom was,' bracht ze moeizaam uit. 'En volgens mij hoorde ik hem gedag zeggen.'

97

Carver wachtte tot de motoren waren afgezet en er niets anders meer te horen was dan het suizen van de lucht buiten het toestel en de passagiers die het uitgilden van angst of hun God aanriepen. Het vliegtuig verloor nu snel hoogte en zou dat blijven doen totdat het de rotsachtige bodem van Noordoost-Macedonië zou raken. Er zou geen landingsstrook zijn om hen te verwelkomen, geen wonderbaarlijke noodlanding. Dat wisten ze allemaal. En toch gespten de mensen om hem heen zich op instructie van de piloot vast op hun plaatsen, en toen de eerste rookkringeltjes tot de cabine door wisten te dringen, reikten zij naar hun zuurstofmaskers.

Alsof dat uiteindelijk ook maar iets zou uitmaken.

Carver was aan een kant van een driezitsbank langs de wand gezet, achter in de cabine. Alix zat naast hem en aan haar andere kant zat Vermulen. Twee van McCabes mannen zaten tegenover hen. De derde bewaakte zijn baas en hield Francesco Riva in de gaten. Zij zaten voorin, in grote, gemakkelijke stoelen.

De eerste paar minuten van de vlucht hadden de beveiligingslui in pakken daar gezeten, met hun wapens op het trio op de bank gericht en fronsende blikken op hun gezichten. Ze hadden heel hard hun best gedaan om gemeen en intimiderend te kijken. Maar elke dreiging die er van hen uitging was verdwenen op het moment dat de piloot aankondigde dat ze een probleem hadden. Toen werden ze gewoon twee doodsbange passagiers in een metalen buis die bezig was uit de lucht te vallen en hadden ze allebei alleen nog maar aan zichzelf gedacht.

Het was Carvers hand waar Alix naar reikte.

'Wees maar niet bang,' zei hij, terwijl hij een geruststellend kneepje in haar hand gaf. 'Dit is nog niet voorbij.' Hij hielp haar met het opzetten van haar zuurstofmasker. 'Diep ademhalen,' zei hij tegen haar. 'Zorg dat je voldoende zuurstof in je bloed krijgt.'

Carver zag dat Vermulen hem langs Alix heen aan zat te kijken.

'Wie ben jij?' vroeg de generaal, verbaasd zijn hoofd schuddend, alsof hij probeerde te bedenken hoe hij er met zijn mensenkennis zo naast had kunnen zitten. Hij stak zijn hand uit naar Alix, maar kreeg geen reactie en liet zich weer achterover zakken, verloren in zijn eigen desillusie.

Carver had geen belangstelling voor Vermulens problemen. Hij hield een masker voor zijn gezicht en haalde diep en regelmatig adem. Intussen keek hij door de steeds dikker wordende rook naar de twee mannen die tegenover hen zaten. Een van hen had problemen met zijn zuurstoftoevoer, rukte aan zijn masker en probeerde de aandacht van zijn collega te trekken. Maar de ander trok zich niets van hem aan. Hij hield alle frisse lucht voor zichzelf. Hij had één hand op zijn masker, terwijl zijn andere hand – met het pistool – losjes langs zijn zij hing.

De mannen gingen helemaal op in hun eigen ondergaande wereld. Ze zagen niet eens hoe Carver opstond, in één stap bij hen was, het pistool uit de slappe, bungelende hand griste en er twee klappen – backhand en forehand – mee gaf tegen twee kale, roze schedels. Een van de twee zakte bewusteloos naar voren. De ander kreunde en keek Carver glazig aan. Carver sloeg hem nog een keer en ditmaal was hij bewusteloos.

Hij draaide zich weer om naar de bank, die zich nog geen meter bij hem vandaan bevond, maar nog amper zichtbaar was. Hij pakte zijn masker, greep Alix' hand en gaf er een ruk aan. Ze begreep wat hij wilde, maakte haar veiligheidsriem los en stond op. Carver zag een donkere schaduw achter haar opdoemen die van Vermulen moest zijn. Hij haalde uit met de greep van zijn pistool, voelde dat hij iets raakte, ook al wist hij niet wat, en zag de schaduw terugvallen op zijn stoel. Carver gaf nog een ruk aan Alix' hand en trok haar mee naar de achterkant van de cabine. Terwijl ze door de bijtende dampen strompelden, voelde Carver Alix' hele lichaam schokken. Ze begon te stikken. Hij begon ook te hoesten, zijn ogen traanden en zijn neus en keel stonden in brand.

In drie stappen was hij bij de deur van het toilet en ademde hij gulzig zuurstof in uit het masker dat boven de toiletpot bungelde. *Kom op, beheers je... Haal adem en denk na, denk... Hoe snel stor-*

ten we omlaag? Ik kan dit niet te snel doen, op deze hoogte, of de kou en het gebrek aan zuurstof worden me in no-time fataal. Maar als ik te lang wacht... Niet aan denken... Ok, een laatste keer inademen, zo diep dat ik er duizelig van word...

Carver gaf het masker aan Alix en bleef even staan om zich ervan te verzekeren dat zij nog in staat was het stevig over haar mond en neus te drukken. Toen verliet hij het toilet en ging bij de scheidingswand staan die het passagierscompartiment scheidde van het bommenruim. Hij draaide wanhopig aan het wiel waarmee het luik kon worden geopend. Er klonk een hoorbare klik toen het slot openging en het beslissende moment aanbrak waarop de deur openvloog en een vlaag ijle, ijskoude lucht de cabine binnenkwam, waar het onmiddellijk al het vocht in de atmosfeer condenseerde en in een ondoordringbare mist veranderde.

Het toestel verloor allengs meer hoogte en de romp schommelde van links naar rechts, als het gewicht van een pendule, terwijl de piloten hun uiterste best deden het toestel onder controle te houden.

Carver greep Alix bij de hand en sleepte haar achter zich aan. Samen persten zij zich door het kleine luik, stootten allebei hun hoofd, schenen en ellebogen en konden zich er nog net van weerhouden een paar uitroepen van pijn te slaken en kostbare zuurstof te verspillen. Martelende seconden verstreken toen het luik weer werd gesloten en vergrendeld om eventuele anderen tegen te houden die opeens bedachten dat hun enige hoop zich in het bommenruim bevond.

Carver ging op zijn knieën zitten en tastte met zijn handen rond in de ijzig koude, giftige mist; hij voelde en zocht met zijn vingers, want er moest een manier zijn om de deuren handmatig te openen, voor het geval de elektrische bediening in de cockpit niet werkte. En daar was het, een hendel, op een metalen stang, die wachtte om op en neer te worden bewogen. Wanhopig ging hij aan de slag.

O, god, ik moet ademhalen, maar het kan niet, er is te weinig zuurstof in de lucht, alleen irriterende chemicaliën. O, mijn ogen tranen... Het doet zo'n pijn, mijn longen branden, mijn spieren gillen het uit van de pijn, smeken me om adem te halen... en er gebeurt niets. Misschien moet ik de hoop opgeven. Nee, ik mag niet opgeven. Ik moet in leven blijven, ik moet wraak nemen... Hé, is dat...?

Toen gingen er deuren open en kwam er een windvlaag binnen

die in één keer alle mist uit het bommenruim verdreef. Het was lucht die ijskoud was, maar zuurstofrijk en schoon genoeg om tussen de kokhalzende hoestbuien door wanhopig in te ademen. Inmiddels moest hij de hendel op en neer blijven halen en schoot de pijn bij elke beweging door zijn armen, schouders en rug. Op een gegeven moment stonden de deuren van het ruim echter wijd open en was er in de diepte vaag een strook bruine aarde zichtbaar.

Boven de opening hing de bom, een armoedige bruine koffer, provisorisch vastgebonden aan een parachute, in zijn metalen frame. Met een hendel aan het frame kon de bom uit het frame worden bevrijd: nog een geluk bij een ongeluk dat die blindelings grijpende handen eerst de hendel van de pomp hadden gevonden.

Carver keek om zich heen door het ruim en zag de elastieken koorden die aan haken aan de wand hingen. Die hingen er om de normale ladingen mee vast te snoeren die, dat hadden de ingenieurs die het vliegtuig hadden omgebouwd in hun naïveteit althans gedacht, dit toestel zou gaan vervoeren. Hij greep een van de koorden, trok het tussen een van de touwen door waarmee de parachute aan de bom was vastgebonden, en legde er een stevige knoop in. Toen legde hij Alix' armen om zijn middel en trok haar dicht tegen zich aan. Ze gaf hem een zacht kneepje toen hij het koord in een achtje om hen heen trok, en ook daar een stevige knoop in legde, alsof hij een navelstreng vormde met de bom.

Het hele toestel begon nu meer en meer te trillen en reageerde niet langer op de commando's van de bemanning. Het kon nu niet lang meer duren voordat zij alle controle kwijtraakten en de daling in een vrije val veranderde.

Opeens bewoog er iets aan de voorkant van het ruim, het omdraaien van een klein, metalen wiel. Er stond iemand aan de andere kant van de scheidingswand die in het ruim probeerde te komen. Toen het luik openging, stond Vermulen daar. Hij moest zijn bijgekomen en had het wapen van de andere bewaker gepakt. Hij richtte en schoot, maar omdat de loop heen en weer schokte met elke beweging van het verdoemde vliegtuig, vlogen de kogels willekeurig in het rond en ketsten af van het bommenframe en de metalen ribben van het vliegtuig zelf.

Er volgde nog een laatste, grote stuiptrekking toen de kabels braken. Carver hoorde Alix een gesmoorde uitroep van verbazing slaken en voelde haar lichaam schokken. Het vliegtuig begon aan zijn dodelijke val, Vermulen werd tegen de scheidingswand gesmeten en nu kon Carver niets anders meer doen dan een ruk aan de hendel geven en zijn armen om Alix' hoofd slaan om het te beschermen toen de zwaartekracht het overnam en de bom, de parachute en de twee verstrengelde geliefden naar buiten werden geslingerd, dwars door het luik in de oneindige leegte, om met meer dan driehonderd kilometer per uur naar de aarde te vallen.

Op een hoogte van vijftienhonderd meter zou de parachute zich openen, om de afdaling van de bom af te remmen voordat hij boven de Tempelberg van Jeruzalem zou exploderen. Maar de heuvels en bergen van noordelijk Macedonië bereiken hoogtes van zeventienhonderd meter. De aarde kwam nu wel erg snel dichterbij en opeens hoorde Carver zichzelf schreeuwen van angst en frustratie toen het besef tot hem doordrong dat niets wat er in de afgelopen paar minuten was gebeurd ook maar enig verschil maakte.

Ze waren nog maar enkele seconden verwijderd van de harde, onverzettelijke berghelling. Carver trok Alix nog dichter tegen zich aan; hij kon in de duisternis haar ogen niet zien. Maar toen het allerlaatste moment dichterbij kwam, en zijn geest weigerde zich gewonnen te geven, kneep hij zijn eigen ogen stijf dicht, zodat hij de explosie van het neerstortende vliegtuig, een paar honderd meter verder, wel hoorde, maar niet zag.

Dichter-, steeds dichterbij... En toen was er een plotselinge schok, die bijna zijn gespannen schouders uit de kom rukte, toen de parachute eindelijk openging, hooguit negentig meter boven de grond, amper genoeg om de bom en de twee mensen die eraan waren vastgebonden af te remmen op het moment dat zij de grond raakten en almaar door bleven rollen, door struiken, over rotsblokken en in een smal ravijn, tot zij eindelijk tot stilstand kwamen in de zachte, vochtige aarde naast een bergbeekje.

Carver had een scheurtje in zijn ene enkel opgelopen en de andere zwaar verstuikt. De pijn die bij elke ademhaling door zijn borstkas schoot, vertelde hem dat hij een paar ribben had gebroken.

Hij knoopte het touw los dat hen met het parachuteharnas en de bom verbond. Toen hij de lus om haar middel losmaakte, rolde Alix om. Ze lag naast hem op de grond, op haar buik, met haar gezicht van hem afgekeerd en bewoog zich niet. Hij zei haar naam, maar er kwam geen reactie.

Eerst dacht hij dat ze het bewustzijn had verloren tijdens hun val over de helling. Maar toen zag hij dat er iets nats en donkers aan zijn handen zat. Even dacht hij nog dat het modder was. Hij bad dat het modder was. Maar toen besefte hij dat zijn borst er ook mee was bedekt en wist hij dat het bloed moest zijn.

'O, god, nee...' kreunde hij, en tastte met zijn handen zijn lichaam af, in de hoop een wond aan te treffen die het bloeden kon hebben veroorzaakt. Dat kon gebeuren. Je kon soms heel diepe snijwonden hebben zonder ze te voelen.

Maar Carver was niet gewond. Dat wist hij zeker.

Toen keek hij naar Alix, Het maanlicht wierp een grijzige gloed over het grote, paars-zwarte gat hoog op haar schouderblad, dat alleen kon zijn gemaakt door Vermulens pistool. Carver legde een vinger tegen haar hals, op zoek naar een hartslag... en die was er, niet krachtig en regelmatig, maar een kwetsbaar, nauwelijks waarneembaar trillinkje. Hij luisterde of hij het borrelende, zuigende geluid hoorde van een longwond, maar hoorde niets. Dat was een opluchting, zij het een kleine.

De schotwond was veel groter en rafeliger dan Carver zou hebben verwacht, alsof iemand een vuist dwars door haar heen had geslagen. Waarschijnlijk was de kogel al vervormd geweest tegen de tijd dat hij haar raakte, misschien door het afketsen tegen een metalen oppervlak. Dat zou ook verklaren waarom hij in haar lichaam was blijven zitten, in plaats van dwars door haar heen te gaan en Carver eveneens te raken. Hij probeerde niet te denken aan de inwendige verwondingen die de misvormde kogel had veroorzaakt. Maar ook al waren er geen vitale organen geraakt, ze had veel bloed verloren en het stroomde nog steeds uit de wond.

Carver trok zijn hemd uit, zonder aandacht te schenken aan de pijnsteken van zijn mishandelde ribbenkast, en scheurde het aan repen. Toen hees hij Alix voorzichtig in een zittende houding. Zijn gezicht vertrok toen zij een zacht, halfbewust gekreun liet horen, en trok haar blouse uit, zodat hij de kapotte huid, het versplinterde bot en de gapende vleeswond op haar rug kon zien. Hij verfrommelde een van de repen stof tot een bolletje en drukte het tegen de wond, in een poging het bloeden te stelpen. De andere stroken gebruikte hij om haar schouder provisorisch te verbinden en de prop op zijn plek te houden.

Het was in het gunstigste geval een tijdelijke maatregel. Als Alix niet heel snel deskundige medische verzorging kreeg, zou ze sterven. Het enige wat hij nu kon doen was Alix in zijn armen nemen en vasthouden. Hij praatte zachtjes tegen haar en vertelde haar alle dingen die de afgelopen maanden onuitgesproken waren gebleven. Af en toe was er een moment waarop hij meende dat ze iets had verstaan van wat hij zei, omdat ze dan met haar ogen knipperde of haar lippen bewoog, maar dat was niet eens de bedoeling van zijn woorden.

Hij zat er nog steeds toen de Black Hawk-helikopter hem vond. Het toestel landde op een vlak stukje grond, niet ver bij hem vandaan, en hij zag de schijnwerpers door de duisternis snijden toen de mensen naar hem toe kwamen. Toen stond er opeens iemand voor hem en legde een hand op zijn schouder.

'Alles oké?'

Het was een vrouwenstem. Toen hij opkeek zag hij een kleine, slanke vrouw, die zich helemaal niet op haar gemak voelde in haar camouflagekleding.

'Ja,' zei Samuel Carver, hoewel hij het woord meer zuchtte dan uitsprak. 'Met ons is alles oké.'

Toen stond hij op, met Alix in zijn armen, en begon het ravijn door te strompelen, naar de wachtende helikopter.

Naschrift

Dit is ook allemaal waar

De Amerikaanse regering had van tevoren al banden te zien gekregen van generaal Alexander Lebeds beweringen dat Rusland honderd kofferatoombommen was kwijtgeraakt en had al een reactie voorbereid voor het interview dat werd uitgezonden in *60 Minutes*. De woordvoerder van het ministerie van Binnenlandse Zaken verklaarde: 'De Russische overheid heeft ons ervan verzekerd dat zij het nucleaire arsenaal volledig onder controle heeft... dat er voldoende veiligheidsmaatregelen bestaan voor deze wapens en faciliteiten... dat er geen enkele reden is tot ongerustheid.'

Lebed echter, herhaalde zijn beweringen tijdens een hoorzitting van het Subcomité voor Militaire Research en Ontwikkeling van het Amerikaanse Congres op 1 oktober 1997. De volgende dag kreeg hij steun van een belangrijke Russische geleerde, milieudeskundige en lid van de Russische Nationale Veiligheidsraad, Alexei Yablokov, die een verklaring aflegde dat hij met 'absolute zekerheid' wist dat de KGB in de jaren zeventig miniatuurbommen had vervaardigd die bedoeld waren geweest als terroristische wapens.

In het najaar van 1999 werd het onderwerp in het Congres besproken, toen het Republikeinse Congreslid Kurt Weldon, specialist op het gebied van Russische aangelegenheden, verklaarde dat de Russen 132 kofferatoombommen hadden vervaardigd. Ook beweerde Weldon een gesprek te hebben gehad met de toenmalige FBI-directeur Louis Freeh, waarin Freeh 'de mogelijkheid erkende dat er zich in de Verenigde Staten nog steeds verborgen wapenopslagplaatsen bevonden'. Weldon hield vol dat 'er geen enkele twijfel aan bestaat dat de Sovjets materiaal in dit land hebben opgeslagen. De vraag is alleen wat en waar.'

Er zijn geen openbare rapporten bekend dat er ooit ergens ter wereld vermiste bommen zijn gevonden. De FBI schijnt echter wel een gebied in de buurt van Brainerd, Minnesota, te hebben doorzocht, op zoek naar mogelijke wapens. Brainerd ligt vlak bij Gull Lake.

Alexander Lebed overleed op 28 april 2002, bij een helikopterongeluk in de Russische Sayanbergen. De officiële oorzaak van het ongeluk was een botsing met hoogspanningskabels bij mistig weer.

Op 20 oktober 1999 publiceerde de FBI het Project Megiddo Rapport. Talrijke extremistische christelijke groeperingen en ideologieën werden onderzocht, maar het rapport concludeerde dat er, hoewel het Project Megiddo-initiatief 'indicaties heeft blootgelegd van potentiële gewelddadige activiteiten van de kant van extremisten in dit land, zeer weinig aanwijzingen waren gevonden voor specifieke bedreigingen voor de binnenlandse veiligheid'.

Hieropvolgende gebeurtenissen hebben aangetoond dat dit goed gefundeerde uitspraken waren. Er is nooit sprake geweest van echte Waylon McCabes.

In juni, juli en augustus 1998 voerden CIA-agenten in Tirana, de hoofdstad van Albanië, de arrestaties en uitwijzing uit van vijf belangrijke leden van de Egyptische jihad, een organisatie met uitermate nauwe, lange banden met al-Qaida. De mannen werden overgevlogen naar Egypte, waar ze werden gemarteld, berecht en schuldig bevonden aan terroristische misdaden. Twee van hen werden geëxecuteerd, één veroordeeld tot levenslange gevangenisstraf en de andere tot langdurige gevangenisstraffen.

Ondanks de aanwezigheid van deze bekende terroristen in Albanië, het etnische thuisland van het KLA, het Kosovaarse Bevrijdingsleger, en ondanks de zekere aanwezigheid van jihadstrijders in Bosnië, bleef – en blijft – het Amerikaanse en Engelse beleid zich baseren op de overtuiging dat er geen banden waren, of zijn, tussen de Kosovaarse Albanezen en het islamitische terrorisme. Dit standpunt wordt fervent tegengesproken door de Serviërs en hun traditionele bondgenoten in Rusland en Bulgarije. Er bestaan echter veel bewijzen voor dat de KLA zowel wapens als training heeft ontvangen van Amerikaanse zijde en soortgelijke banden had met de Duitse inlichtingendienst BND. Het zou, op z'n minst, gênant te noemen zijn als westerse overheden opnieuw juist die machten steunen die het meest uit zijn op hun vernietiging.

Maar hoe zit het dan met de terroristische dreiging waar Kurt Vermulen zo bang voor was?

In juli 1998 bracht de Amerikaanse Commissie voor Nationale Veiligheid de eerste uit van drie grootschalige rapporten waarin de verwachte mondiale ontwikkelingen tot 2025 werden geanalyseerd, de dreiging die ze vormden voor de Amerikaanse nationale veiligheid en de maatregelen die zouden moeten worden genomen om de Verenigde Staten en hun bondgenoten beter in staat te stellen zich tegen die dreiging te verweren. Geen van de Hart-Rudman-rapporten, waarvan in 1999 en 2001 latere edities verschenen, wekte ook maar enige specifieke suggestie dat het islamitische terrorisme een gevaar zou kunnen vormen voor de Verenigde Staten en hun bondgenoten, laat staan dat het rechtstreekse aanvallen zou uitvoeren op hun gebieden en burgers.

Op 7 augustus 1998, reden terroristen die handelden uit naam van het Internationale islamitische Front voor de jihad tegen Joden en Kruisvaarders – een coalitie van groepen, aangevoerd door al-Qaida en Osama bin Laden – vrachtwagens vol explosieven de Amerikaanse ambassades in Nairobi, Kenia en Dar es Salaam, Tanzania, binnen. Er vielen meer dan tweehonderd doden en meer dan vierduizend gewonden, van wie een grote meerderheid tot de lokale burgerbevolking behoorde.

Op 12 oktober 2000, in de laatste maand van de regering-Clinton, werd de torpedobootjager USS Cole tijdens een goodwillbezoek aan Jemen aangevallen door een boot met al-Qaida zelfmoordterroristen. Zeventien Amerikaanse marinemensen kwamen om het leven, plus de twee terroristen, Ibrahim al-Thawr en Abdullah al-Misawa. De marinemensen aan boord van de Cole mochten niet op hun aanvallers schieten, omdat hun gedragscode voorschrijft dat zij pas mogen schieten als er eerst op hen wordt geschoten. Er was geen defensieve zone rond het schip omdat de regering het bezoek onopvallend wilde houden, teneinde de Arabische publieke opinie niet tegen zich in te nemen. Het eigen onderzoek van de marine kwam tot de conclusie dat 'de bevelhebber van de Cole niet over de specifieke informatie, gerichte training, geschikte uitrusting of ondersteuning ter plekke beschikte om een dergelijke geplande aanval op zijn schip te kunnen voorkomen'.

Op 11 september 2001...

Woord van dank

Samuel Carvers overleving is uitsluitend mogelijk dankzij de mensen die zo goed voor hem zorgen in Londen, New York en LA. Dan heb ik het onder meer (maar zeker niet alleen maar) over Aislinn Casey, Andrew Duncan, Ben Petrone, Bill Scott-Kerr, Clare Ferrara, Gavin Hilzbrich, Giles Milburn, Josh Kendall, Julian Alexander, Lucinda Bettridge, Mark Lucas, Martin Higgins, Michelle DeCoux, Nick Harris, Patsy Irwin, Peta Nightingale, Sally Gaminara en Selina Walker.

Zoals altijd voelde ik mij vereerd met de vriendelijkheid en de vrijgevigheid van mensen die hun professionele expertise met mij wilden delen. Ik dank hen allen. Het spreekt vanzelf dat alle vergissingen, of opzettelijke verdraaiingen, veroorzaakt door het proces van feiten omzetten in fictie, geheel voor mijn rekening komen. In het bijzonder Andy Missen heeft geprobeerd deze onwetende op het gebied van de luchtvaart iets bij te brengen over de fijne kneepjes van vliegen en luchtvaarttechnologie. Duncan Falconers boek *First Into Action* vertelde het ware verhaal van de SBS-inval in Irak, met een Amerikaanse SEAL als passagier, die de inspiratie is geweest voor Carvers nachtmerrie. De boeken over de SBS en SAS van Don Camsell en John 'Lofty' Wiseman zijn eveneens belangrijke informatiebronnen geweest over speciale eenheden en hun manier van werken. Professor Cary Cooper OBE heeft de tijd genomen om met mij over Samuel Carvers psychologische trauma's, en zijn mogelijke herstel, te spreken, terwijl Danielle Nays persoonlijke ervaring met een soortgelijk geval mij veel heeft geleerd over de invloed van de persoonlijkheidsveranderingen van een slachtoffer op zijn geliefden. Craig Ungers artikel in de *Vanity Fair* van december 2005, getiteld 'American Rapture', heeft me de ogen geopend voor de apocalyptische kant van het christelijke evangelisme en de politieke invloed ervan. Nick Gaskell en Tony Turnbull van Nordic Challenge UK maakten mij deelgenoot van tientallen jaren ervaring met skiën in de buurt van Narvik. Pal Hansen heeft mij niet alleen (voor de tweede keer) toestemming gegeven zijn uiterlijk en blijmoedigheid te stelen voor de persoon van Thor Larsson, maar heeft me ook bijgepraat over het gedrag van Noorse verkeersagenten. Charlie Brocket gaf me de villa bij Nice in bruikleen die me aan het denken zette over Zuid-Frankrijk en bood mij de gelegenheid om, net als Carver, te lunchen in het Eden Roc. Radenko Popovic verschafte mij een heel nieuw inzicht in Kosovo (en ja, die ondergrondse vliegtuighangars bestaan echt), terwijl Tim Judahs boek: *Kosovo: War and Revenge*, en *Soldier*, de autobiografie van generaal Sir Mike Jackson, mij waardevolle achtergrondinformatie verleende over het conflict. De staf van Bombardiers Business Aircraft in Belfast en Quebec dacht serieus na over het probleem hoe een luik te maken in de romp van een privéjet en dat vervolgens tijdens de vlucht te openen, zich er in het geheel niet van bewust wat ik van plan was uit dat luik te gooien. Dokter Frank Barnaby, adviseur op het gebied van nucleaire aangelegenheden van de Oxford Research Group en auteur van *How to Make a Nuclear Weapon: and Other Weapons of Mass Destruction* was zo vriendelijk mij te helpen bij het bouwen van mijn denkbeeldige bom.

Ten slotte, het allerbelangrijkste van alles, mijn oprechte liefde en dank aan mijn familie, in het bijzonder mijn vrouw Clare. Veel andere auteurs vertelden me dat het tweede boek het allermoeilijkste is om te schrijven, maar hoe moeilijk het ook is voor de schrijver, het is altijd nog erger voor de mensen die met hem moeten leven. Bedankt voor jullie verdraagzaamheid.